U0924743

百 年 南 开
日本研究文库

日本的苏联及中东政策研究

李凡 著

江苏人民出版社

图书在版编目(CIP)数据

日本的苏联及中东政策研究 / 李凡著. -- 南京 :
江苏人民出版社，2019.8(2020.4 重印)
(百年南开日本研究文库)
ISBN 978-7-214-23893-1

Ⅰ. ①日… Ⅱ. ①李… Ⅲ. ①日苏关系—国际关系史—研究—1919—1991②日本—对外政策—研究—中东—1945—2000 Ⅳ. ①D831.3

中国版本图书馆 CIP 数据核字(2019)第 162094 号

书　　名	日本的苏联及中东政策研究
著　　者	李　凡
责任编辑	史雪莲
装帧设计	刘葶葶
责任监制	陈晓明
出版发行	江苏人民出版社
出版社地址	南京市湖南路 1 号 A 楼，邮编：210009
出版社网址	http://www.jspph.com
照　　排	江苏凤凰制版有限公司
印　　刷	江苏凤凰数码印务有限公司
开　　本	652 毫米×960 毫米　1/16
印　　张	24.5　插页 4
字　　数	320 千字
版　　次	2019 年 8 月第 1 版　2020 年 4 月第 2 次印刷
标准书号	ISBN 978-7-214-23893-1
定　　价	92.00 元

(江苏人民出版社图书凡印装错误可向承印厂调换)

“百年南开日本研究文库”出版说明

2019年南开大学建校百年校庆，作为中国教育史上的大事，当然是值得纪念的。

如何使纪念百年南开的活动具有历史意义？我们很早就开始谋划和筹备。早在2015年春节期间，南开大学日本研究院原院长、教育部人文社会科学重点研究基地南开大学世界近现代史研究中心主任杨栋梁教授，向江苏人民出版社王保顶副总编提起，想以集体展示日本研究院研究成果的形式来纪念南开百年校庆。这一提议得到了保顶同志的大力支持，也得到了研究院各位同事的积极响应。后来经过商讨，编委会一致同意以“百年南开日本研究文库”作为南开日本研究者纪念百年校庆丛书的名称，本文库由江苏人民出版社和南开大学出版社分别出版。与百年校庆相适应，“百年南开日本研究文库”也应该是百年来南开日本研究业绩的展现。为此，编委会确定本文库由以下几个方面的成果构成。

第一，从南开大学创立到抗日战争胜利时期南开的日本研究成果。刘岳兵教授搜集相关文稿四十余万字，编成了《南开日本研究（1919—1945）》。这是一本专题性的南开大学校史资料集，对于研究和总结包括南开大学在内的这一时段中国日本研究的状况和特点，具有重要的史料价值。

第二，新中国建立以来，南开大学成立的实体日本研究机构研究者的成果。实体研究机构包括1964年成立的日本史研究室、2000年实体化的日本研究中心和2003年成立的日本研究院。

第三，1988年组建的南开大学日本研究中心，是以日本史研究室成员为核心，联合校内其他系所相关日本研究者成立的综合研究日本历史、经济、社会、文化、哲学、语言、文学的学术机构。在百年南开日本研究的历史发展中，日本研究中心具有重要的意义。本文库也包括该中心成员的成果。

今后，如果条件成熟，还可以将日本研究院的客座教授和毕业生的优秀成果也纳入这个文库中，希望将本文库建设成为一个开放的、能够充分且全面反映南开日本研究水平的成果展示平台。

在中国百年来的日本研究中，南开占有重要的一席之地。历史的发展和南开的先贤告示我们：日本研究对于中国的发展至关重要。中日关系值得我们认真思考，其经验教训值得认真总结。百年来，南开大学的日本研究者孜孜以求，探寻日本及中日关系的真相，取得了一定的成绩。吴廷璆先生主编的《日本史》（南开大学出版社1994年），是南开大学与辽宁大学两校日本研究者倾注近20年心血合力打造出来的。杨栋梁教授主编的十卷本“日本现代化历程研究丛书”（世界知识出版社2010年）及六卷本《近代以来日本的中国观》（江苏人民出版社2012年），也几乎是倾日本研究院全院之力而得到了学界认可的标志性研究成果。另外，在日本国际交流基金的资助下，南开大学日本研究中心从1995年开始由天津人民出版社出版的“南开日本研究丛书”，展现了中心成员在日本研究各具体专题上的业绩，产生了积极的社会影响。这些成果都是南开日本研究者集体智慧的结晶。

“百年南开日本研究文库”是南开大学日本研究院和南开大学世界近现代史研究中心相关学术成果的集体展示。我们相信，本文库将成为南开大学日本研究和南开大学世界史学科"双一流"建设的又一项标志性成果,她将承载南开精神、贯穿南开日本研究学脉,承前启后,为客观地了解日本、促进中日关系健康发展做出新的贡献;我们也想以此为实现"发展同各国的外交关系和经济、文化交流,推动构建人类命运共同体"的理想,培养全民族的国际视野和情怀,提高广大人民群众的世界历史知识和认识水平,尽我们的一份绵薄之力。

"百年南开日本研究文库"编辑委员会

2019 年 3 月 19 日

目　录

序　言

今天撰写《日本的苏联及中东政策研究》一书序言，我确实感触深刻，触摸自己四十年从事史学研究的心路历程呀！我从事研究日本对苏联政策，是硕士生导师王贵正先生指定的研究方向；我从事研究日本对中东地区政策，是博士生导师彭树智先生指定的研究方向。至今我还是怀着完成导师交给作业的心态，从事自己的科研工作，经常向导师汇报研究进展情况，多听取导师们指导建议。我内心很自豪，很幸运！有这样让人羡慕的科研条件！

《日本的苏联及中东政策研究》是我从事科研工作中，所发表的学术论文集。本书所指的“日本对苏联政策”，主要以 1917 年 11 月 7 日俄国爆发十月社会主义革命，建立苏维埃社会主义政权后，到 1991 年 12 月 25 日苏维埃社会主义共和国联盟解体这一时期内日本对苏联政策。本书所指的“日本对中东地区政策”，主要为第二次世界大战后，至 2000 年前的日本对中东地区政策。

我从事日本对外政策研究工作，遇到很多好心朋友质问，你为什么研究日本对苏联问题，研究日本对中东地区问题？实际上这是对研究课题价值或意义不十分了解。

日苏两国不仅是东北亚地区相邻的大国，而且也是在国际社会中具有重要影响的大国。自1917年11月十月社会主义革命胜利后，苏联是世界上唯一的社会主义国家，第二次世界大战后苏联又是社会主义阵营中的最主要国家，而日本作为第二次世界大战前资本主义世界中主要强国，第二次世界大战后日本又完全投入美国为首的资本主义阵营。日苏两国不仅社会制度不同，而且往往是处于相互对抗或对峙状态下的两个相邻大国。但是在历史演变过程中，日苏两国关系并不是简单的对抗或对峙的发展，而是随着国际环境的变化不断发生变化。其根本原因就是，日苏两国首先是拥有主权的独立国家，他们在制定相互对策时，考虑的核心或根本出发点是如何维护本国利益。为了维护本国利益，在日苏关系史中，除了对抗或对峙，也出现了缓和、中立等变化。另外，日苏两国为相邻国家，双方始终存在着利权问题、领土问题、渔业问题等纠纷，这又使两国关系更加复杂化。

我国学者研究日苏两国关系问题，多注意研究日苏两国在远东地区的争夺，缺少对日苏两国之间矛盾形成、发展的研究。日苏两国不仅是我国最主要的邻国，而且也是对我国影响最大的两个邻国。日苏两国在制定、实施相互对策时，中国是他们考虑的重要因素，而且在其相互对策的实施中，也对中国产生直接的、重大的影响。因此，我国学者应该在维护本国利益前提下，多多关注对日苏两国关系史的研究，为我国政府制定有效的对外政策，提供一点参考资料。特别是在当今国际社会中，伴随着国家之间交往的日益密切化，国家之间的影响也日益加大，国家与国家之间“相互依赖”和“相互作用”，已经成为普遍的国际现象。所以对中国学者而言，研究日苏两国关系史更具有现实意义。

中国学者研究日苏两国关系问题，可以讲是站在第三方的立场上研究，这样可以客观、公正地分析。另外，在日苏关系史的发展变化中，中国是起着重要作用的国家之一，中国学者在掌握本国历史事实资料基础上，再研究日苏关系问题，明显具有独特性。

研究日本对外政策，离不开研究日本对中东政策，因其为日本对外政策的重要组成部分，或者说是具体的体现。当然日本对中东政策也有其独立性，也伴随着日本对外政策的变化而相应发生变化。

由于中东地区具有特殊的地理位置，所以其从古至今成为世界上列强国家争夺的重点地区。第二次世界大战后中东地区丰富的石油资源被大量开发，又加剧了各国列强的争夺。列强国家在中东地区的争夺，是造成该地区动荡不安的主要因素。同样，中东地区局势的变化也对世界局势变化产生重大影响。因此，各国专家、学者在研究国际关系问题，特别是研究中东问题时，都把研究世界上主要国家对中东政策作为研究的重点内容。由于日本正在日益从经济大国向政治、经济及军事大国方向转化，其对国际关系格局的影响力日益加大，同样在中东地区的影响也不断加大，所以我们研究日本对中东政策就具有迫切性、必要性。

日本对中东政策是其对外政策的重要组成部分，特别是在第一次石油危机的直接打击下，日本在政治上推行有别于美国的“亲阿拉伯”路线，在经济上加快国内主要产业结构转化，使日本国内外政策都发生重大变化。第二次世界大战后日本对外政策的主要特征，就是从追随美国对外政策逐步转向自主的对外政策，主要标志就是日本对中东政策的转化。第二次世界大战后中东地区一直成为国际关系的“热点”地区，对于大小霸权主义国家来说，中东地区就如同一个国际大舞台，他们分别扮演着不同角色登台献艺，既得到丰厚的经济实惠，又展现了自己的政治、军事实力，以此标榜自己在国际社会中的地位。同样，中东地区这一国际大舞台对于日本也是十分重要的。日本不仅获得了丰厚的石油资源和重要贸易市场，而且也找到了推行“政治大国”外交战略的突破口，日本许多带有政治性的外交举动都首先出现于对中东外交政策上。

日本对中东政策的变化，不仅对日本的对外政策，对中东地区的国际形势产生了重大影响，而且对亚太地区以及整个世界国际形势都产生了重大影响。对于我国来说，改革开放40余年来，不仅综合国力迅速增强，而且日益融合于世界中。现在，不仅需要别人了解我们，而且更需要我们了解别人。日本作为我们最重要的邻国，与我国在政治、经济、军事以及文化等方面具有重要的联系，其政策变化必然会对我国的内外政策制定产生一定的影响，所以我们必须要全面了解日本的各项政策制定与变化。全面了解日本对外政策，不能缺少日本对中东政策的研究内容。本书希望，不仅能对了解日本对中东政策，而且能对全面了解日本对外政策提供一点借鉴。

第一章 日本对新生苏维埃政府政策

在17世纪，俄国的扩张势力已经伸向今天西伯利亚及远东地区。俄国初期从堪察加半岛逐渐接触日本，在接触日本过程中，对于日本基本采取平等、亲善姿态，原因为俄国希望与日本建立通商关系，解决东扩过程中后勤供给问题。1855年，俄国借用美国制造“黑船事件”，实现了梦寐以求对日通商关系。1868年明治维新后，日本走上对外扩张道路，目标就是周边弱小国家。日本向朝鲜半岛及中国大陆侵略时，总遇到俄国势力阻拦，加之以前日俄交涉中，日本认为本国始终处于被动局面，积怨增至仇恨。1894年2月，朝鲜国内爆发农民起义，朝鲜政府请求宗主国中国清政府出兵协助镇压，结果日本兴风作浪制造事端，朝鲜国内矛盾演变为国际事件，以致成为战争的导火索。1894—1895年甲午战争，中国清军遭到惨败，战胜国日本在华肆无忌惮的贪欲，引起俄国不满。俄国勾结法国、德国，上演“三国干涉还辽”剧目，迫使日本退还辽东半岛。一时得意的俄国借出兵镇压中国义和团运动，重兵占据中国东北不走，激起老对手英国不满，1902年缔结《日英同盟条约》，利用日本阻击俄国势力扩展。“三国干涉还辽”后，日本便下决心不惜与俄国一战。俄国占领中国东北不走，引起日本朝野担心危及朝鲜半岛，主张朝鲜半岛如同生命线，日本在获得英美支持下，终于1904年2月发动对俄战争。日俄战争使腐败的俄国“外强中干”的特征完全暴露出来，最后不得不接受停战媾和。在朴次茅斯谈判中，俄方坚决拒绝赔款，不得不在接受割让库页岛领土一半条件下，签署《朴次茅斯条约》。战败后的俄国尚未恢复元气时，又卷入第一次世界大战中，俄国作为协约国主要成员，承担东部战线的作战重任，更加剧国内各种矛盾激化，导致爆发俄国十月社会主义革命。

一、从武装入侵到同苏建交(1917—1925)[①]

日苏两国关系，是从日本武装入侵苏联远东领土拉开序幕的。然而，日本帝国主义却没有扼杀新生的苏维埃政权，反而被迫撤出干涉军，同苏俄建立了外交关系。日本对苏政策在短时间内发生了如此转变，曾引起有关学者的关注。本书试图对于这一戏剧性的转变，展开深入探讨。

(一) 日本出兵西伯利亚地区

1917 年 11 月 7 日(俄历 10 月 25 日)，俄国爆发了人类历史上第一次社会主义革命。当俄国十月革命消息传到西伯利亚及远东地区后，立即掀起大规模群众性革命高潮。1917 年 11 月，在伊尔库茨克举行了第一届西伯利亚工、兵、农苏维埃代表大会，并且宣布成立西伯利亚苏维埃中央执行委员会，其为俄国东部地区最高苏维埃政权。此后，海参崴(符拉迪沃斯托克)、伯力(哈巴罗夫斯克)、海兰泡(布拉戈维申斯克)、上乌丁斯克、阿穆尔省的洁雅，以及赤塔地区也相继建立地方苏维埃政权。1918 年 2 月 16 日，西伯利亚与远东各地的工、兵、农及哥萨克代表齐集伊尔库茨克，召开了第二届苏维埃代表大会。至此，西伯利亚及远东地区苏维埃政权建设工作基本完成，甚至更为偏远的库页岛北部、黑龙江

① 本节发表于《外国问题研究》1995 年 2 期。

下游、雅库特地区，以及堪察加半岛也都建立起地方苏维埃政权。

新生的俄国苏维埃政权自诞生之日起，就面临国内外相互勾结的强大反动势力破坏行径。当时苏俄政权仍然处于同德奥交战状态，对于新生苏维埃政权，退出战争是当务之急。十月革命胜利第二天，1917 年 11 月 8 日，苏俄政权就向各交战国人民和政府建议，立即就签署公正的民主和约举行谈判。但是，西方列强国家根本不承认苏俄政权，对其和平提议置之不理。对于西方列强国家来说，苏俄退出战争的直接后果是，对德军两线作战局面破解，德军可以集中兵力与美英等国作战。更重要的是，苏俄社会主义革命的成功，无产阶级专政的建立，对于帝国主义国家来说，就像害怕病菌一样。它们担心全世界各国被压迫的民族在十月社会主义革命的影响下，发动革命推翻帝国主义国家的殖民主义统治制度。它们更担心本国人民仿效苏俄社会主义革命，起来革命推翻自己的反动统治政权。所以它们要乘苏俄无产阶级专政尚未完全巩固之际，迅速扑灭这场社会主义革命烈火，这就是帝国主义国家联合发动对苏俄武装干涉的首要目的。

1917 年 11—12 月，协约国集团召开最高级别军事会议，做出关于干涉苏俄革命"行动地区"划分决议。本次会议上，法国提议由日本、美国出兵占领俄国西伯利亚铁路。法国考虑利用日本军队重建"东部战线"，并最终实现保护法国金融资本在俄国巨额投资的利益。英国初期并不赞成该提议，但是与法国签署秘密协议后，转变为积极支持美日联合出兵，甚至接受日本单独出兵的提议。利用日本地缘优势对苏俄革命进行武装干涉，对于英法两国来说无疑是利大于弊，但对美国来说无疑是不能够接受的。美国担心日本如果独占苏俄远东地区领土，会改变日美两国在远东及太平洋地区的争霸局势。美国自 1898 年美西战争获胜后，就将亚太地区作为本国势力范围，对于中日甲午战争后日本不断增长的侵略野心不敢掉以轻心。美国提议日美两国各出兵 7 000 人，日本不肯接受此数额限制，美国被迫同意日本再增加 5 000 人额度，并且威胁如果再超过额度，美国只好退出共同出兵行动，日本被迫接受限额。

日本出兵苏俄远东及西伯利亚地区的借口，一是保护在其领土上的日本侨民的生命、财产的安全，日本制造了许多类似事件造成借口，这也是日本帝国主义发动对外侵略战争时经常使用的手段。二是利用所谓的援助捷克斯洛伐克军团事件。

1917年12月，日本政府向美国等协约国政府提出照会，建议由日本出兵苏俄远东及西伯利亚地区来“维护秩序”，并保护协约国各国在该地区的利益。作为交换条件，协约国各国应准许日本在苏俄远东地区获得矿山、森林和渔业的专有让与权，并且承认日本在中国的特殊地位。① 日本为此还辩解说，自己不持任何拥有领土的野心。同年12月30日，日本军舰“岩见丸”在没有依照国际惯例事先通知俄国当局的情况下，擅自闯进苏俄远东地区最大港口城市海参崴（符拉迪沃斯托克）。日本驻海参崴领事宣称，此艘军舰是来保护当地日本侨民的。俄国滨海边疆区地方自治主席提出了严重抗议，但是日本对此不予理睬。英法两国驻海参崴领事对此表示给予道义上的支持，但是美国方面却表示不赞成日本的干涉计划。

1918年1月中旬，第二艘日本军舰“朝日丸”，以同样方式闯进海参崴港口，接着英国巡洋舰“苏福尔克”号和美国军舰“布鲁克林”号，也擅自闯进海参崴港口。这些入侵者为了掩人耳目，声称出兵目的是“维护秩序”和保护外国侨民的“安全利益”。然而1918年2月5日，日本制造了袭击凡尔赛旅馆事件，居住在海参崴城里凡尔赛旅馆的各国侨民遭到抢劫。事件发生的当天，日本驻海参崴领事就向全世界通电，宣称俄国远东地区已经陷入严重的无政府状态，外国侨民的生命财产已经无法得到任何保障。3月26日，日本外相本野一郎在日本国会上公开宣称，“假如西伯利亚地区的状况将要威胁到日本帝国的安全，或其侨民的生命财产利益时，政府则准备采取迅速而有效的自卫行动”②。不出所料，4月4

① 马士·宓亨利著、姚曾廙等译：《远东国际关系史》下册，商务印书馆，1975年版，第617页。

② 程文：《日本问题与国际问题》，重庆出版社，1988年版，第280页。

日，在海参崴又发生了所谓两名日本人被暗杀事件。以此事件为借口，4月5日上午6时，日本海军陆战队533人在海参崴登陆。① 这标志日本出兵苏俄远东地区及西伯利亚地区，武装干涉十月社会主义革命的开始，也是帝国主义各国武装干涉苏俄革命的开始。

在第一次世界大战期间，在俄国境内大约有5万名捷克斯洛伐克战俘，他们原是奥匈帝国境内被压迫民族而被迫充军，是毫无战斗意志的捷克斯洛伐克人组成的军队。在俄国克伦斯基临时政府时期，俄国军队在东线战场俘获了这批俘虏。在第一次世界大战末期，奥匈帝国瓦解已成定局时，捷克斯洛伐克国内要求民族独立势力通过在巴黎的捷克国民议会，与法国政府展开交涉。1917年12月16日，捷克国民议会与法国政府达成协议，将捷克斯洛伐克军团归顺于法国军事部门领导，并且决定以将这支军队调往法国战场与德奥军队作战为代价，换取法国承认捷克斯洛伐克战后独立。经过法国政府与苏维埃俄国政府协商，1918年3月15日，苏维埃俄国政府同意其经过苏俄远东地区绕道去法国。然而，在美国直接参加第一次世界大战作战后，再把捷克斯洛伐克军团调往法国战场的作用已经不大。这样帝国主义国家就对5万名捷克斯洛伐克战俘另做安排。1918年4月初，在法国驻俄国大使馆内举行了英、法两国代表的会议，若干俄国白匪军军官也参加该会议。会议决定，把从俄国撤出的捷克斯洛伐克军团所乘坐的军用列车分散到西伯利亚铁路沿线。1918年5月初，在车里雅宾斯克举行了一次捷克斯洛伐克人、英国人、法国人和俄国白匪军代表会议。该会议上，制定了关于捷克斯洛伐克军团的纵深配置和集中的周密计划。②

1918年1月，日本驻哈尔滨总领事佐藤尚武接见了俄国白匪军头目谢苗诺夫。在日本大力支持下，1918年4月6日，谢苗诺夫在中东铁路沿线海拉尔、昂昂溪招募潜逃的白匪军残余，并且在中俄边界口岸满洲

① 杉森康二、藤本和貴夫：《日露、日ソ関係200年史》，東京，新時代社，1983年，第235頁。

② 黄定天：《东北亚国际关系史》，黑龙江教育出版社，1999年版，第293页。

里组建所谓“外贝加尔地方临时政府”。谢苗诺夫匪军内设置了日本顾问团，黑木大尉领导下的600名日本人义勇队参加活动。[①] 1918年4月29日，谢苗诺夫率领白匪军从中国满洲里火车站越过国境线，进入俄国境内向苏维埃政权发起攻击，并且切断西伯利亚铁路。在这种形势下，行进途中的捷克斯洛伐克军团以与德国战俘发生纠纷为起因，指责苏维埃地方政府对此处理不当，使事态形成扩大化。特别是当苏维埃俄国政府要求捷克斯洛伐克军团放下武器后，捷克斯洛伐克军团则立即将矛头对准苏维埃俄国政府。1918年5月25日，在车里雅宾斯克的捷克斯洛伐克军团首先爆发叛乱，在西伯利亚铁路沿线奔萨至海参崴的捷克斯洛伐克军团也相继爆发叛乱。捷克斯洛伐克叛乱部队在获得俄国白匪军和协约国方面的支持下，很快在两个月内占领了乌拉尔及西伯利亚的大部分地区，对年青的苏维埃俄国政府构成严重威胁。如1918年6月25日，海参崴发生了捷克斯洛伐克叛军在日英陆战队的援助下，将当地苏维埃政府领导人多数逮捕，扶植起傀儡政权事件。[②] 捷克斯洛伐克军团叛乱，不仅是帝国主义国家策划的，而且也得到帝国主义国家的大力支持。法国政府发给捷克斯洛伐克军团一笔500万卢布的贷款，美国则成立了一个专门委员会负责对捷克斯洛伐克军团的供应工作，在发给1 200万美元的同时，又赠送了10万支步枪、100挺机关枪、500万发子弹以及大量其他装备，英国也资助了相当数量的卢布。[③] 1918年8月，谢苗诺夫匪军乘着捷克斯洛伐克军团叛乱之际，攻占了赤塔并将“外贝加尔地方临时政府”迁至此。

1918年8月2日，日本政府发表所谓“出兵西伯利亚宣言”，声称根据列强国家协商一致决议出兵，一方面作为俄国友好邻邦，有义务帮助陷入混乱状态下的俄国恢复正常秩序；另一方面就是要援救被苏俄红军

① 五百旗頭真、下斗米伸夫、A・V・トルクノフ、D・V・ストレリツォフ編：《日ロ関係史——パラレル・ヒストリーの挑戦》，東京大学出版社，2015年，第196頁。

② 杉森康二、藤本和貴夫：《日露、日ソ関係200年史》，東京，新時代社，1983年，第256頁。

③ 黄定天：《东北亚国际关系史》，黑龙江人民出版社，1999年版，第294页。

打击的捷克斯洛伐克武装叛乱集团。[①]

1918年8月11日，日军第十二师团开始从海参崴登陆。8月18日，日本军在海参崴设置派遣军司令部，成为日军入侵俄国远东及西伯利亚地区的大本营。日军第十二师团、第七师团、第三师团的兵力，分兵两路向苏俄境内发起进攻。一路以海参崴为基地，沿乌苏里铁路线向北，直逼伯力(哈巴罗夫斯克)；另一路以满洲里为基地，沿中东铁路线直扑赤塔。9月8日，日军第七师团占领赤塔。9月19日，日军占领了海兰泡和斯沃博德内。9月22日，日军各路人马在斯科沃罗金诺附近实现会师。至此，贝加尔湖以东的西伯利亚铁路线全部被日军控制。日军由第十二师团驻守沿海州、阿穆尔州和庙街(尼古拉耶夫斯克)，第三师团驻守博尔齐亚以东的后贝加尔州，第七师团驻守博尔齐亚以西的后贝加尔州和中国东北地区北部。

日本出兵苏俄远东及西伯利亚地区，1918年10月，日本入侵苏俄军队达72 400人，占各帝国主义国家出兵总数的3/4。[②] 日军出兵两个月便占领了沿海州、阿穆尔州、后贝加尔州和萨哈林州，控制了贝加尔湖以东的整个西伯利亚铁路和黑龙江、乌苏里江的水上航道。当时苏俄政权在远东及西伯利亚地区仅有非正规军2.5万兵力，双方兵力相差悬殊，所以无力阻止外国军队入侵行径。

日本在东西伯利亚扶植谢苗诺夫傀儡政权，企图完全控制此地区。但是，苏俄方面采用游击战，发动组织群众抵抗，并利用日军在冬季行动困难的有利条件，借助严寒环境广泛展开游击活动，到处破坏铁路，切断电话线，给日军造成巨大威胁。为此，日军与苏俄游击队不断展开大规模讨伐清剿，与反讨伐清剿活动。1919年2—3月，日军第十二师团在第二师团的配合下，集中兵力在海兰泡以北地区对苏俄游击队进行了清剿。1919年7—8月，沿海州的苏俄游击队以乌苏里斯克附近地区为根

---

① 茂田宏、末澤昌二編：《日ソ基本文書・資料集》，東京，世界の動き社，昭和63年，第36頁。

② 林三郎编著、吉林省社科所日本研究室译：《关东军与苏联远东军》，吉林人民出版社，1978年版，第7页。

据地，不断对日军展开反清剿活动。为此日军从本土增调第十四师团、第十六师团、第五师团前往苏俄远东地区援助讨伐。1919 年 10 月，苏俄游击队在额尔古纳河与石勒喀三角地域力量发展迅速，击败了白俄匪军谢苗诺夫部队的进攻，占领阿穆尔铁路部分段路，对日军造成了严重威胁。1919 年 8 月底，日军第五师团进入后贝加尔地区，接替日军第三师团。10 月，日军第五师团和第三师团之一部分兵力，对苏俄游击队展开了讨伐。日军的疯狂清剿不仅未能使苏联人民屈服，反而激起了人民更加强烈的反抗。

1919 年 1 月 26 日，日本内阁针对日军占领下的苏俄远东及西伯利亚领土，做出《对俄方针纲要》决议。其主要为：①

(一) 帝国希望俄国恢复，为此愿意与协约国共同提供一定的援助，提供兵力援助绝对必要，不会改变现有状况。

(二) 恢复的俄国必须完全坚持和平主义对外政策，为此要做到：

(1) 发展西伯利亚的资本主义制度，俄国中央政府不得向远东地区扩展，为此要采取一定的抑制措施。

(2) 努力防止、消除在俄国远东地区上，除维持秩序之外的军事设施的发展。

(3) 努力防止、消除俄国在外蒙古地区作为经营的侵略政策实施。

(三) 帝国关于俄国问题所采取积极行动，回避对俄国欧洲领土造成影响，仅注重俄国远东地区的永久和平重大问题。

(四) 废除俄国在该地区有关资源开发及其他工商业经营方面限制或阻碍，依据机会均等原则，对外国人的居住、经营及投资给予便利，开放黑龙江、海参崴设为自由港。……

① 西春彦監修:《日本外交史》第 15 卷，東京，鹿岛平和研究所出版会，昭和 45 年，第 10—11 頁。

日本内阁上述决议的目的是，把俄国远东及西伯利亚地区从俄国版图上分离出来，最终达到日本长期占领。为此，日本除派遣军队武力干涉之外，又极力扶植当地白俄匪邦的傀儡政权。在外贝加尔地区的要冲城市赤塔，日本扶植了谢苗诺夫政权；在阿穆尔州的海兰泡城（布拉戈维申斯克），日本扶植了里诺夫政权；在乌苏里江流域地区的伯力城（哈巴罗夫斯克），日本扶植了卡尔米科夫政权。1918 年 11 月，在鄂木斯克，美英法等国又扶植了苏俄领土上最大的傀儡政权高尔察克政权，并且名义上统领谢苗诺夫傀儡政权、里诺夫傀儡政权、卡尔米科夫傀儡政权。为了显示西方国家对高尔察克政权重视，英国派遣高级官员艾里沃托博士赴鄂木斯克，法国、美国也采取委派各自驻日本大使赴鄂木斯克。日本政府对高尔察克傀儡政权，不仅率先予以承认并且还给予物资支持，1919 年 5 月，日本政府正式任命加藤恒忠为临时特命全权大使，9 月份进驻鄂木斯克。

1918 年 11 月 11 日，第一次世界大战参战国正式签署停战协议，1919 年 6 月 28 日，巴黎和会各国代表正式签署《凡尔赛和约》。此后，捷克斯洛伐克军团大部分，1920 年 3 月从海参崴方向撤出，英国、法国、意大利军队至 1920 年夏季从苏俄领土上全部撤军。随着各西方国家军队撤离，他们扶植的高尔察克政府难敌苏维埃红军打击，再次向日本军队求救，日本军队则坚持 1918 年 10 月 15 日内阁决定，拒绝出兵贝加尔湖以西地区。1919 年 10 月，高尔察克政府从鄂木斯克转移到伊尔库茨克。1919 年 10 月，苏俄军队向高尔察克傀儡政权发起进攻，1920 年 1 月，消灭了这股匪军。

在这样形势下，1920 年 1 月 8 日，美国驻海参崴军队司令古列维斯向日本驻海参崴军队司令大井成元通报，美军要单独撤出军队。1 月 9 日，美国政府向日本政府发出通告，决定 4 月 1 日前，美国完成撤军。

（二）日本承认远东共和国

随着各列强国家军队的陆续撤退，靠列强国家扶植起来的白匪军叛乱政权也纷纷垮台。这样，在苏俄远东领土只剩下苏维埃政权领导的红军与日本干涉军两大军事力量。1920 年 3 月 5 日,日本政府做出决定,虽然援救捷克斯洛伐克军团目的已经达到,但是考虑到西伯利亚形势,需要继续驻军加强防务,防务区域为沿海州及中东铁路沿线,重点为区域交通及治安,防止俄方直接对中国东北及朝鲜半岛采取过激行动。3 月 31 日,日本政府发表声明,日本为了维护接壤区域形势,确保侨民生命财产安全,防止俄方对中国东北及朝鲜半岛采取直接过激行动,在自卫基础上继续驻军,对俄国不抱任何政治野心,实现上述目的后迅速撤军。①

依据日本政府上述方针,日本驻海参崴军队,1920 年 4 月初,在沿海州地方解除俄国武装团队约 7 000 人的武装,确保日本固守占领苏俄远东地区。4 月 29 日,日本驻军与海参崴政府之间达成协定,约定 5 月底前,沿海州全境实现停战。正是在此背景下,引发了日本军队与俄国地方武装游击队的冲突,即庙街事件。

针对日本军队赖着不走局面,在布尔什维克党与苏维埃政权内部,一部分人主张应该向日本开战,赶走日本侵略军。伟大领袖列宁分析认为:"问题就是这样摆着:远东、堪察加和西伯利亚的一部分现在事实上为日本所占有,因为那里是受日本的军事力量支配的,正像你们所知道的,环境迫使我们建立了缓冲国——远东共和国。我们知道得很清楚,由于日本帝国主义的压迫,西伯利亚的农民忍受着怎样令人难以置信的灾难,日本人在西伯利亚干了多少罄竹难书的暴行。……但是,我们不能同日本打仗,我们不仅应该尽力设法推迟对日战争,如果有可能的话,还要避免这场战争。"②在西南有波兰地主武装,南面有邓尼茨残匪威胁的今天,苏维埃俄国没有力量与日本军队作战,对日本军队应该采取回避政策。

苏维埃俄国政府自成立后,就积极开展对日交涉政策,并且提出巨大优惠条件,希望两国保持正常关系。1917 年 12 月 1 日,在叶卡捷琳堡,根据外交人民委员托洛茨基命令,通过日本驻俄大使馆秘书上田仙

---

① 西春彦監修:《日本外交史》第 15 卷,東京,鹿岛平和研究所出版会,昭和 45 年,第 13 頁。
② 中共中央马恩列斯著作编译局译:《列宁全集》31 卷,人民出版社,1958 年版,第422 页。

太郎，向日本驻俄国大使内田康哉提议，再次讨论有关日俄条约，通商经济协定及远东、太平洋地区形势，就缔结协议举行谈判。1918 年春，苏俄代理外交人民委员加拉罕通过上田秘书，提议再次讨论条约和缔结新通商经济协定。1918 年 6 月，在叶卡捷琳堡，加拉罕对上田秘书提议：

(1) 继续按照日本所希望那样修改通商及渔业条约；

(2) 对于日本赋予一般性利权并且准备立法，对日本赋予优先的西伯利亚利权；

(3) 如果日本不出兵西伯利亚，作为回报条件，日本可以获得所希望的中东铁路、松花江航行权、海参崴自由港等利权，也准备向日本提供库页岛、沿海州各项利权。①

1920 年 2 月 24 日，苏维埃政府通过无线电波，向日本政府提议，讨论和平，作为主要条件，对日本放弃敌对计划，不干涉内政，承认日本在远东地区经济、通商方面特殊权益。1920 年 3 月 9 日，在伊尔库茨克，苏维埃政府的西伯利亚及远东外交代表雅索根据外交人民委员齐切林指示，向日本外相内田康哉发电报，提议两国为国民友好善邻关系及维护双方利益举行交涉。对于苏俄政府上述善意提议，日本方面完全采取置之不理姿态，没有做出任何答复。

苏俄远东地区庙街(尼古拉耶夫斯克)具有重要战略地位，有控制黑龙江出海口、控制库页岛的战略价值。1918 年 9 月，日军第十二师团侵占庙街城后，苏俄游击队并没有放弃收复的努力。1920 年 2 月，苏俄游击队向驻守庙街城日军发起进攻并且收复该城，日军驻守庙街城守备队、海军通信队、在乡会军人等约 400 人成为俘虏。日军并不甘心这样失败，暗地里从其他地方调来军队援救。5 月 24—27 日，在日本援救部队到达之前，苏俄游击队将所抓获的日本人全部监禁于城里后放火烧城，日军俘虏和领事官员及家属、侨民，共计 384 人在这场大火中烧死。②

① 西春彦監修:《日本外交史》第 15 卷，東京，鹿岛平和研究所出版会，昭和 45 年，第 17 頁。

② 外務省编:《日本外交文書》大正十二年第一册，東京，1983 年，第 288 号，第 401 頁。

这就是日俄关系史上所谓“庙街事件”。“庙街事件”反映出苏俄远东地区人民对日本军队的愤怒心情，然而也违背了列宁的“对日本军队应该采取回避政策”指示，为日本军队继续赖着不走制造了借口。

1920 年 7 月 3 日，日本政府发表声明，“今年 3 月 12 日以来至 5 月末，在庙街港帝国守备队、领事馆官员及侨民约 700 人老弱男女，受到当地过激派残酷虐杀事件出现。帝国政府认为，为了全力维护国家威信决定采取必要措施。然而目前实际上没有可交涉的政府，在将来可能解决本事件的政府建立前，占领库页岛州境内部分地区”①。日本以“庙街事件”有损于日本帝国的威信，作为报复措施，决定出兵占领俄国远东地区领土库页岛北部。日本完全占领库页岛，改变了 1905 年 9 月双方签署的《朴次茅斯条约》有关两国领土的划分规定。

1920 年 2 月，日俄两国军队在庙街爆发武装冲突后，4 月 2 日，海参崴苏维埃政府远东代表威伦斯基，向海参崴日本派遣军政务部部长松平恒雄提议，为了防止庙街军事冲突再次发生，最有效方法就是停止敌对行动，双方举行和平交涉活动。4 月 17 日，海参崴苏维埃政府远东代表威伦斯基，向海参崴日本派遣军司令官大井成元部下提出苏方建议方案：

(1) 苏维埃无意对日本发动侵略及干涉内政；

(2) 承认日本在远东方面经济、商业方面特别利益；

(3) 修改、恢复旧的条约，缔结新的条约；

(4) 考虑废弃债务问题；

(5) 就有关日苏和平会议及通商关系确定交换意见；

(6) 日本政府宣布从西伯利亚撤军。

4 月 18 日，威伦斯基拜访海参崴日本派遣军政务部部长松平恒雄，希望上述提议获得其认可。1920 年 5 月 1 日，威伦斯基以“追加条件”向松平恒雄口头提议，根据莫斯科指示：(1) 为了推动协商日军撤出；

① 西春彦監修：《日本外交史》第 15 卷，東京，鹿岛平和研究所出版会，昭和 45 年，第 14 頁。

(2) 苏俄方面不维持太平洋舰队，限制军队，海参崴要塞解除武装成为商业港口；(3) 商议地点为莫斯科，或伊尔库茨克，或哥本哈根(丹麦)，征求日本政府意见。[①] 苏维埃政府上述善意的和平呼吁，并没有获得日本方面接受，相反日方暗地里调集军队企图歼灭庙街苏俄游击队，结果导致军事救援不成，造成被俘人员 384 人遇难，即所谓“庙街事件”。

为了避免与日军发生正面冲突，布尔什维克党与苏维埃政府决定，如在苏俄远东领土上公然地挂出苏维埃俄国的国旗，必然会直接引起新的战争。为了避免与日军发生战争，唯一可行的办法是在贝加尔湖以东至太平洋沿岸的广大地区内，建立一个挂着民主主义国旗的新的国家。这样，一方面该国家作为缓冲国，可以阻止日本帝国主义势力向西伯利亚纵深侵入；另一方面由于该国家标榜自己为民主主义国家，而非共产主义国家，就会使得日本派遣军阻止共产主义势力蔓延的借口消失。

1920 年 3 月上旬，苏俄红军进入伊尔库茨克后停止向东推进，以避免同贝加尔湖地区的日本军队发生冲突。3 月 28 日，在俄共(布)中央远东局和俄共(布)西伯利亚局组织下，在上乌金斯克(今乌兰乌德)召开了外贝加尔湖劳动者代表大会。4 月 6 日，会议宣布成立资本主义民主议会制的远东共和国，其领导人为布尔什维克党人克拉斯诺切戈夫。5 月 15 日，苏维埃俄国政府宣布承认远东共和国独立。

苏维埃俄国政府对日本政策方面，一方面利用远东共和国方式铲除日本出兵防止“赤化”的借口，远东共和国主动与日本占领军交涉，争取实现日本撤军国家统一。另一方面就是仍坚决打击国内白匪军，铲除日本利用白匪军分裂俄国领土。随着日本从贝加尔湖地区撤军，俄国远东唯一傀儡政府谢苗诺夫政权丧失援助，1920 年 11 月，被苏俄军队打败逃亡外蒙古，苏俄军队乘势追击彻底歼灭。

对于远东共和国成立，日本方面也表示欢迎。1920 年 5 月 11 日，日本派遣军司令官大井成元发表声明，欢迎在俄国远东领土上成立自治行

---

① 西春彦監修:《日本外交史》第 15 卷，東京，鹿岛平和研究所出版会，昭和 45 年，第 17—18 頁。

政区域,为了促进该事态形成,日方中止与俄方军队战争行为,并设置停战区域。远东共和国方面对此表示赞成,7月15日,远东共和国代表与日本派遣军代表举行会谈,双方签署停战协议。7月16日,双方代表以交换声明形式达成协议内容如下。

1. 在俄国远东领土全境建立不受其他武力干涉的、统一各个政权的、单一的政府作为缓冲国,是保持远东领土和平秩序的最好方法。

2. 该国不采用共产主义,立足于民主主义。

3. 日本军队对上述统一会议的召开方式及活动不予干涉,对于出席会议的代表不论其信仰如何,为其出席会议提供方便。

4. 远东共和国不允许苏维埃军队进驻或通行该国境内。

5. 该共和国保障日本人的人权不受侵害,尊重他们的权利。

6. 该共和国及日本军司令部负有运用和平方式解决一切纠纷的义务。①

日本之所以承认远东共和国:一是列强国家武装干涉苏俄革命失败,日本扶植的傀儡政权都是短命鬼,万般无奈之下,只好如此。二是日本企图以非共产主义缓冲国——远东共和国,来阻止共产主义思潮向临近的日本、朝鲜、中国东北等地传播,以维持日本帝国主义在这些地区的统治。三是日本企图控制远东共和国,以达到其从苏俄国家中永久分离出来,最终使之成为日本势力范围或者统治的殖民地的目的。从上述协议可以看出,苏维埃政府向日本方面做出了巨大的让步。

1920年10月28日,苏俄远东地区的海兰泡政权、海参崴政权、外贝加尔政权、远东共和国及库页岛的代表,在赤塔举行了大会。11月1日,大会发表宣言并且宣布:

1. 塞纳河以东的远东俄国领土独立。

① 西春彦監修:《日本外交史》第15卷,東京,鹿岛平和研究所出版会,昭和45年,第20頁。

2. 在制宪会议召开之前，选举出新的远东共和国政府官员，其负有文武全权，政府遵守民主主义，保存私有制度。

3. 各个地方政权同时失去国家的意义。①

本次大会选举出原来远东共和国政府领导人克拉斯诺切戈夫等七名布尔什维克党人为新政府官员，政府设在赤塔，会议于11月11日闭幕。

1921年2月12日至3月22日，远东共和国召开了制宪会议，制定了非共产主义制度的宪法。远东共和国完成了远东俄国领土的统一，领土范围西自色格楞格及贝加尔湖，东至太平洋岸边的所有前帝俄土地，包括贝加尔沿岸省、外贝加尔省、阿穆尔省、阿穆尔河沿岸省、滨海省、堪察加省、库页岛北部等地，总面积300多万平方公里（实际控制面积170多万平方公里），人口186.6万。苏俄驻扎在上乌金斯克和伊尔库茨克的红军部队同贝加尔湖地区的游击队组编为共和国人民革命军。10月底，最后一批日本军队撤离伯力（哈巴罗夫斯克），各股白匪军势力被相继击溃，远东共和国领土连成一片。

远东共和国成立后，其对日本政策主要目标是，一方面使日本尽快撤兵，另一方面使其尽快承认苏维埃俄国政府。在其政策实施上，远东共和国除多次向日本方面呼吁就和平、通商、撤军等内容举行谈判之外，主要利用各种条约的缔结，表明自己与苏维埃俄国政府的关系，同时也设法利用日美两国在此问题上的矛盾，迫使日本接受自己的主张。远东共和国政府与苏联政府还利用各种形式，向全世界人民广泛宣传日本侵略的罪行，唤起全世界人民的援助。此时日本国内，工商企业界强烈要求开拓海外市场，特别是要求政府尽快与远东共和国政府签订经济贸易协定，以避免美国独占这一具有广泛发展前途的海外市场。1921年7月，日本政府决定与远东共和国政府举行会谈。

1921年8月26日，日本代表与远东共和国代表，在中国大连举行双方会谈。远东共和国在会谈上的主要目标是要求日本迅速撤军，而日本

① 西春彦監修：《日本外交史》第15卷，東京，鹿岛平和研究所出版会，昭和45年，第22頁。

在会谈上的主要目标则是实现通商。大连会谈上，日方除提出一般通商问题之外，更强硬地提出：保证日本侨民的生命、财产安全；保证日本人不受来自苏俄方面的威胁；废弃对外国人的各种生产上的严格限制；至少对于日本人不实现共产主义制度，并且禁止共产主义内容的宣传；拆除沙俄时期构建的具有威胁性军事设施；西伯利亚地区内所有产业，对外国人实现门户开放主义。① 显然，日本将其所控制的苏俄领土远东及西伯利亚地区看作殖民地。针对远东共和国提出的撤军问题，日本要求在签订"日苏基本条约"后，从俄国远东大陆撤军；待"庙街事件"解决后，从俄国库页岛北部撤军。对于庙街事件，远东共和国政府表示不负责任。日本政府强硬对苏政策结果，1922 年 4 月 16 日，大连会议宣布破裂。

大连会议破裂后，日本政府遭到国内各阶层人士的强烈批评，特别是日本工商业界强烈要求与远东共和国政府签订通商协定。另外，日本军队长期赖在苏维埃俄国领土上，也使日本政府的财政开支出现困难。据日本方面公布，出兵苏维埃俄国领土 4 年多，共计造成军队死亡 1 475 人、伤 1 万余人、病死 600 余人，财政支出高达 7 亿日元左右。② 基于上述各种原因，1922 年 6 月 24 日，日本政府宣布，10 月末前从滨海边疆区撤出军队，完成在俄国大陆上撤军。与此同时，适当缩小在库页岛北部的占领范围，以期待庙街事件解决。

1922 年 2 月 17 日，远东共和国政府与苏维埃俄国政府缔结经济同盟条约，规定该共和国与其他国家缔结一切经济及关税协定，必须事先得到苏俄政府的同意。此协定，一是表明了远东共和国政府与苏俄政府的关系，二是迫使日本认识到，与远东共和国政府建立经济关系时，先要与苏俄政府交涉，实质上是逼迫日本政府承认苏维埃俄国政府。

1922 年 7 月，日苏双方再度协商决定，在中国长春市举行谈判。在

① 西春彦監修:《日本外交史》第 15 卷，東京，鹿岛平和研究所出版会，昭和 45 年，第 27 頁。
② 马士·宓亨利著、姚曾廙译:《远东国际关系史》下册，商务印书馆，1975 年版，第633 页。

远东共和国政府的强烈要求下，日本政府同意苏维埃俄国与远东共和国组成联合代表团参加会谈。9 月 4 日，长春会议召开。在双方代表交换各自委任书时，就发生了矛盾。苏俄方面以两国统一代表资格参加会议，其权限包括远东共和国在内的广大苏维埃俄国领土范围，而日本方面代表，其权限仅仅为远东共和国的范围内。这样，长春会议开始就因代表权限问题展开了激烈争论。另外，双方就是否以大连会议结果为基础进行谈判也出现争论。日本代表要求以大连会谈结果为基础继续谈判，而苏俄代表则要求放弃大连会谈结果重新谈判，长春会议经过 21 天交涉后，9 月 25 日不得不宣布破裂。

1922 年 2 月，远东共和国军队占领水路、陆路交通重镇伯力（哈巴罗夫斯克），接着向苏俄远东最大港口海参崴逐渐逼近，迫使日军又不得不于 1922 年 8 月开始从滨海州撤兵，至 10 月 25 日，日军从海参崴撤军完毕。日军撤离远东大陆，结束了对苏俄的大规模军事干涉行动。随着日本军队撤离，苏维埃政权恢复了对远东地区及太平洋沿岸控制权。日本军队从苏俄远东大陆撤出，作为与日本陆地上的缓冲国——远东共和国的存在也就失去意义。为了今后使单一的苏维埃俄国政府与日本政府谈判，防止日本企图使远东共和国永久化与强化其资本主义性质，1922 年 11 月 15 日，全俄苏维埃中央执委会同意远东共和国的“申请”，宣布合并远东共和国。至此，远东共和国从历史舞台上消失。

远东共和国虽然在历史上仅存在两年半左右，但是它为保卫新生的苏维埃政权，相对稳定东北亚的国际关系起了重要作用。远东共和国的建立与苏维埃俄国被迫同德国缔结布列斯特和约一样，都是在敌强我弱的情况下，做出的“革命妥协”，但为年轻的苏维埃政权赢得了必要的喘息时机。作为缓冲国，远东共和国的建立，也使日本武装干涉苏俄远东领土失去借口，同时也避免了苏俄军队与日本军队发生战争的危险，相对稳定了东北亚地区的国际关系。远东共和国与美国的经济交往，表明社会主义制度的国家可以有私人资本的存在，可以利用市场经济中某些有益的因素。远东共和国在具体政策制定上拥有一定的灵活度，特别是其租让政策的执行就是一种有益的尝试。租让政策的实行用事实证明了社会主义制度同样可以利用私人资本,甚至是外国资本。远东共和国与美国的经济交往,加深了美、日两国之间的矛盾,在国内外的共同压力之下,日本只能撤兵。美国通过与远东共和国的经济交往,加深了对远东共和国和苏俄的了解,促使美国政府一味敌视苏俄的政策有了部分转变。特别是美国民众对远东共和国的巨大兴趣,直接影响了美国政府在远东问题上的态度和政策。

远东共和国的建立,在东北亚国际关系中,在整个世界国际关系中,是一个特殊的范例,是一个值得研究的重要课题。它为解决国家、地区间的冲突提供了经验。1922 年 12 月 30 日,在莫斯科举行了苏维埃社会主义共和国联盟苏维埃第一次代表大会。从此,苏维埃社会主义共和国联盟(以下简称苏联)出现在 20 世纪的国际舞台上。

(三) 两国缔结《日苏基本条约》

1922 年 2 月,美国主导下的华盛顿会议之后,日本不仅在国际社会上地位越来越孤立,日本海军对美英海军又处于劣势地位,而且在中国,日本被迫放弃了"二十一条",归还山东半岛,同时又受到美英重返在华势力的冲击。在此形势下,日本工商企业界要求与苏俄政府缔结经济贸易协定,扭转国内经济不景气局面的呼声越来越高。1923 年 2 月 22 日,日本海军省给外务省公文上,明确指出:"日苏关系亲善在我国经济及国防上有密切关系,朝野有识之士众望为我外交方针之一。西伯利亚撤军迟缓已经使俄国国民对帝国抱有反感,如今仍出兵占领库页岛北部使这种感情继续恶化,国家应尽快改变遗憾事。我们今天惟以百年大计为目的改善对苏关系,不要因小失大。"①

在日本出兵苏俄西伯利亚及远东领土时期,日本渔民在俄国领海上捕鱼作业,完全是在日本海军军舰的护卫下,进行所谓"自治捕鱼"作业。

---

① 外務省编:《日本外交文書》大正十二年第一册,東京,1983 年,第 234 号,第 271 頁。

1923年3月，苏联政府宣布，废除1922年11月14日（即合并远东共和国之前）以前的一切渔业协定。这就限制了日本渔民在苏联领海上的捕鱼作业，而当时渔业是日本的主要产业，这对日本是极大打击。

面对上述形势，日本国内主张改善日苏关系的代表人物，日俄协会会长、东京市市长后藤新平拜会首相加藤友三郎，阐述了自己的主张，后藤认为：

第一，在日益国际孤立化的今天，日本的重要任务是改善日苏关系，谋求圆满解决渔业问题，同时应掌握好对苏经济发展的时机；

第二，在美对苏暗暗活跃之际，应先行一步消除将来的祸根；

第三，对中俄接近，应先行一步制止中国的妄动，把远东和平的钥匙掌握在我们手中；

第四，即使苏维埃不放弃共产主义，我们依据自己的主义信条，与苏维埃交往也不存在任何阻碍。①

为了打开谈判的僵局，1922年11月，日本首相加藤友三郎决定，东京市市长后藤新平以“私人”名义，邀请苏俄驻远东地区大使越飞（A. A. Joffe）前来日本。

1923年2月，越飞与后藤新平在东京举行了两人“私人”会谈。3月7日，越飞提出举行日苏两国会谈的三个条件，征求日本政府的意向。越飞大使提出的三个条件为：

(1) 签署的条约上，要承认两国之间具有平等的权利。

(2) 签署的条约，不仅是通商条约，而且应包括恢复两国正式外交关系在内的完整条约。在法律上承认苏联的同时，双方要互相放弃过去的一切要求。

(3) 应明确规定日本军队从库页岛北部撤军的日期。②

3月29日，后藤新平根据日本政府指示就上述三个条件给予答复：

---

① 外務省编：《日本外交文書》大正十二年第一册，東京，1983年，第234号，第273頁。

② 外務省编：《日本外交文書》大正十二年第一册，第236号，第299—300頁。

(1) 作为原则,日苏两国站在平等立场上谈判,但不能放弃日本根据旧条约已经获得的利益。

(2) 法律上承认苏维埃政府,要以解决"庙街事件"与履行必要的国际义务为条件。

(3) 库页岛北部驻军是为保障"庙街事件"解决,"庙街事件"解决后,再决定撤军日期。①

4 月 24 日,在两人"私人"会谈上,后藤新平进一步提出日本政府方面的立场。

(1) 日本同意举行第三次日苏两国会谈,但是"庙街事件"和"库页岛北部问题"作为重要问题,事先要与苏联政府解决。

(2) 日本政府认为,关于库页岛北部问题,希望通过收买方法解决,如果苏联方面同意,希望知道收买数额是多少。②

针对日本方面上述立场,越飞大使答复为,关于"庙街事件",据苏联掌握的各种资料看,起因是日本军队挑起的。为了建立两国友好关系,希望日本方面不要提出损害苏联政府形象的方案。关于收买库页岛北部问题,应该与苏联政府交涉,但是,最好的解决方法应该是采用长期联合开发资源手段。③

5 月 23 日,后藤新平正式向越飞转告,两人间的"私人"会谈到此结束,今后的会谈改为由日本政府出面的会谈。

6 月 28 日,在日本东京,两国政府间非正式会议开始举行,日本政府代表为——日本驻波兰公使川上俊彦,苏联政府代表为——苏联驻远东地区大使越飞。

关于库页岛北部问题,日本代表川上俊彦提出,"一岛两国所有容易引起纠纷,为此日本方面考虑出资收买库页岛北部领土"。"据日本学者

① 外務省编:《日本外交文書》大正十二年第一册,東京,1983 年,第 238 号,第 303—304 頁。
② 外務省编:《日本外交文書》大正十二年第一册,東京,1983 年,第 251 号,第 327 頁。
③ 外務省编:《日本外交文書》大正十二年第一册,東京,1983 年,第 251 号,第 328—329 頁。

及专家评估，合适的价格为 1.5 亿日元。”[①]对此苏联代表越飞提出：“苏联政府根据学者、专家组成的委员会调查，认为其收买价格不得低于 10 亿金卢布。”[②]此后，苏联代表越飞又提出不得低于 15 亿金卢布，[③]可以看出双方在价格问题上差距越来越大。在这种情况下，日本代表川上俊彦提出：“将该岛长期租借给日本政府，或者授权日本企业开采石油、煤炭、森林等资源，苏联方面可以从中获得一定比例的分配额。”[④]对此苏联代表越飞并没有马上给予答复。

关于“庙街事件”，日本代表川上俊彦提出，日本出兵苏联远东领土是根据国际联盟的共同协议，并没有干涉苏联的内政，因此要求就有关“庙街事件”的损失给予赔偿。苏联代表越飞也做出一定的让步，表示同意发表一份遗憾意识的声明，但是不能涉及物质方面的赔偿。日本代表川上俊彦认为，不能完全放弃物质赔偿，如果苏联政府目前财政困难，可以在解决库页岛北部问题上做出对日本有利的让步，这样日本可以放弃要求物质赔偿。东京非正式会议，双方最后没有能够达成一致意见，但是双方都认为有必要举行正式会谈。

1924 年 5 月，日本国会举行了大选，代表工商企业界利益的自由主义政党宪政会获得胜利，宪政会总裁加藤高明组成新内阁。加藤内阁从日苏经济贸易角度，加快推动双方关系转变，经过双方协商决定，1924 年 5 月 15 日，在中国北京市，日苏两国举行正式会谈。苏联方面代表、苏联驻远东地区大使加拉罕，日本方面代表、日本驻中国公使芳泽谦吉，双方会谈经过 44 轮交涉，彼此之间都做出一定的让步。关于“庙街事件”，苏联方面允许日本在库页岛北部获取比较有利的经济权益，对此日本方面放弃要求苏方公开道歉、赔偿等要求。关于库页岛北部撤军问题，双方协定在条约缔结的一个半月内，日本完成从库页岛北部的撤军工作。另

① 外務省编：《日本外交文書》大正十二年第一册，東京，1983 年，第 282 号，第 383 頁。
② 外務省编：《日本外交文書》大正十二年第一册，東京，1983 年，第 282 号，第 385 頁。
③ 外務省编：《日本外交文書》大正十二年第一册，東京，1983 年，第 287 号，第 398 頁。
④ 外務省编：《日本外交文書》大正十二年第一册，東京，1983 年，第 284 号，第 388 頁。

外，苏联方面表示承认 1905 年 9 月缔结的《朴次茅斯条约》继续有效。

1925 年 1 月 20 日，日苏两国在中国北京正式签订《日苏基本条约》（或称北京条约），该条约内容如下：①

第一条：两缔约国政府约定自本条约生效后，确立两国之间外交及领事关系。

第二条：苏维埃社会主义共和国联邦承认 1905 年 9 月 5 日的《朴次茅斯条约》完全继续有效。1917 年 11 月 7 日前日本国与俄国之间缔结的条约、协约及协定，除了上述《朴次茅斯条约》之外，两缔约国政府之间重新举行会谈审查，根据事态发展变化决定修改或废弃。

第三条：两缔约国政府自本条约生效后，须考虑 1907 年日俄渔业条约缔结后一切事态的变化，同意修改该渔业条约。在未修改之前，苏维埃社会主义联邦政府关于租借渔区给予日本国渔民，应该按照 1924 年的成例办理。

第四条：两缔约国政府自本条约生效后，应根据下列原则，重定通商和通航条约：

（1）两缔约国政府根据其本国法律，允许对方国家的人民有入境、迁移、居住的完全自由，以及生命、财产的永久充分保障。

（2）两缔约国政府根据其本国法律，在最大的可能范围内，并在相互条件下，允许对方国家人民在本国境内享受私有财产及从事商业、航业、矿业及其和平职业的选择自由。

（3）根据本国法令制定国际贸易制度，不得损害各缔约国的权利。两缔约国的任何一方，不能用赋税等限制手段以妨碍两国商业及其他的关系。关于贸易、航行、实业等方面，双方应该以最优惠的权利相互待遇。

或两缔约国政府根据两国之间调整经济关系，促进相互之间通

① 日本外务省编集：《日本外交文书》大正十四年第一册，第 313 号，第 488—491 頁。

商及航海缔结特别协定为目的，随时根据要求举行商议。

第五条：两缔约国为了维护和平友好关系，相互尊重彼此在法律内自由处置自身事务的权利，并在法律内自由处置下述事项的权利，即某项公务人员及受政府津贴团体以秘密或公开的行动侵害苏联或日本任何一部分领土的和平与安全。

两缔约国政府不允许有下列两种事情在本国领土内存在：

(1) 对方任何一部分领土称之为政府的团体或集团。

(2) 上述团体或集团从事政治活动的外国人民。

第六条：为促进两国之间经济关系，或考虑到日本国对天然资源的需求，苏维埃社会主义共和国联盟政府特许日本人民、公司、团体在苏维埃社会主义共和国联盟领土内从事开矿、伐木及开发其他天然资源。

根据该条约，日本政府不仅承认苏联政府，两国建立大使级外交关系，并且还从苏联领土上全部撤出干涉军。1925 年《日苏基本条约》的签订，标志着日本从武装干涉苏俄社会主义革命，到承认苏联政府，建立两国外交关系的转变完成。更重要的是，我们从日本与苏联及俄罗斯两国关系角度看，苏联政府承认 1905 年 9 月《朴次茅斯条约》继续有效性，就是承认沙皇俄国时期割让的库页岛南部地区（南库页岛）给日本的合法性。《朴次茅斯条约》给两国关系史带来的巨大影响是，日本人获得在俄罗斯及苏联境内的渔业权益，库页岛北部石油、煤炭、森林的开采权益。日本人在苏联境内权益问题，也是以后两国关系中最主要的纠纷问题。

二、日本与远东共和国[①]

20 世纪 20 年代的俄国远东及西伯利亚领土上，曾出现一个新国家——远东共和国。远东共和国的出现，表面上看使苏维埃俄国造成一

① 本节发表于《日本研究论集 2001》，天津人民出版社 2001 年版。

时的分裂局面，但是实质上其对保卫年青的苏维埃政权，缓和东北亚地区国际紧张局势起了非常大的作用。那么苏维埃俄国为何要采取如此举动？其根本原因就是日本对苏维埃俄国的入侵。本书就日本与远东共和国的成立及消失的关系粗略论述如下。

（一）日本出兵俄国远东及西伯利亚领土

1917 年 11 月 7 日，俄国爆发了人类历史上第一次社会主义革命。社会主义革命的成功，无产阶级政权的建立，对于帝国主义国家来说，就像害怕毒菌一样。它们担心全世界各国被压迫的民族在十月社会主义革命的影响下，起来革命推翻帝国主义国家的殖民主义统治制度。它们更担心本国人民仿效苏俄社会主义革命，起来革命推翻自己的政权。所以它们要乘苏俄政权尚未完全巩固之际，迅速扑灭这场社会主义革命烈火，这就是帝国主义国家联合发动对苏俄武装干涉的根本目的。

日本作为苏俄的邻国，这种担心更加强烈。首先，日本担心苏俄社会主义革命胜利后，其影响会迅速传播到它所控制的中国、朝鲜等势力范围，危及其殖民主义统治。同时也担心这种影响传播到国内，唤醒日本人民起来革命推翻其统治。其次，日本欲乘苏俄国内爆发革命之际，政权还未实现统一时，侵占苏俄远东及西伯利亚领土，使其变成自己长期统治的殖民地。日本自明治维新以后，就制定了“南进”和“北进”的基本国策，其“北进”的范围就包括俄国的远东及西伯利亚领土。此时，日本认为是实现“北进”，占领俄国领土的天赐良机。

日本出兵苏俄领土的借口，一是保护在其领土上的日本侨民的生命、财产的安全，日本制造了许多事件成为借口，这也是日本帝国主义发动对外侵略战争时惯用的手段。二是利用所谓的援助捷克斯洛伐克军团事件。

1917 年 12 月，日本政府向美国等协约国政府提出照会，建议由它出兵苏俄远东地区来“维护秩序”，并保护各协约国在该地区的利益。作为交换条件，各协约国应准许日本在苏俄远东地区获得矿山、森林和渔业的专有让与权，并且承认日本在中国的特殊地位。① 日本为此辩解说，自己不抱有任何领土野心。同年 12 月 30 日，一艘日本军舰在没有依照国际惯例事先通知俄国当局的情况下，擅自闯进苏俄远东地区最大港口海参崴（符拉迪沃斯托克）。日本驻海参崴领事宣称，此艘军舰是来保护当地日本侨民的。俄国方面滨海州地方自治主席提出了严重抗议，日本对此不予理睬。英法两国驻海参崴领事对日本行动表示给予道义上的支持，但是美国方面则表示不赞成。

1918 年 1 月中旬，第二艘日本军舰以同样方式闯进海参崴港口，接着一艘英国巡洋舰和一艘美国军舰，也擅自闯进海参崴港口。1918 年 2 月 5 日，日本制造了袭击海参崴凡尔赛旅馆事件，居住该旅馆的各国侨民遭到抢劫。事件发生的当天，日本驻海参崴领事就向全世界通电，宣称俄国远东地区已经陷入严重的无政府状态，外国侨民的生命财产已经无法得到任何保障。3 月 26 日，日本外相本野一郎在日本国会上公开宣称，“假如西伯利亚地区的状况将要威胁到日本帝国的安全，或其侨民的生命财产利益时，政府则准备采取迅速而有效的自卫行动”②。果然不出所料，4 月 4 日，在海参崴又发生了所谓两名日本人被暗杀事件。以此为借口，4 月 5 日上午 6 时，日本海军陆战队在海参崴登陆。这标志日本出兵苏俄远东地区与西伯利亚地区，武装干涉苏俄社会主义革命的开始，也是帝国主义国家武装干涉苏俄的开始。

在第一次世界大战期间，在俄国境内大约有 5 万捷克斯洛伐克战俘，他们原是奥匈帝国统治下被迫充军人员，毫无战斗意志，在俄国军队进攻时很快投降。在一战末期，奥匈帝国瓦解已成定局时，捷克斯洛伐克国内要求独立势力与协约国集团商定，以此军队调往法国战场与德奥军队作战为代价，换取协约国方面对捷克斯洛伐克独立的承认。经过与苏维埃政权协商，同意其经过苏俄远东地区绕道去法国。但是协约国方

① 马士·宓亨利著、姚曾廙等译：《远东国际关系史》下册，商务印书馆，1975 年版，第 671 页。
② 程文：《日本问题与国际问题》，重庆人民出版社，1988 版，第 280 页。

面背信弃义，收买捷克斯洛伐克军团的首领，在士兵中进行挑动宣传，使他们在当年6月末，行至奔萨与海参崴一线时爆发叛乱。叛乱部队在白俄匪邦、协约国方面的支持下，两个月内占领了乌拉尔和西伯利亚的大部分地区，对年青的苏维埃政权构成严重威胁。对此，苏俄红军给予打击。而日本帝国主义却打着"人道主义"招牌，出兵援助被苏俄红军打击的捷克斯洛伐克武装叛乱集团。

对于日本率先出兵苏俄领土，英法意三国表示支持，并表示要共同出兵。美国虽然表示道义上的支持，但担心日本如果独占苏俄远东领土，会改变日美两国在远东及太平洋地区的争霸局势。鉴于日本出兵已成事实，7月7日美国也向日本表示共同出兵，8月4日两国发表共同出兵宣言，借口为实施"人道主义"援助捷克斯洛伐克人，并要求各国出兵不得超出7 000人。8月3日，英国军队900人在海参崴登陆，后来扩增到4 000人。8月9日法国军队1 200人、意大利军队1 000人，8月15日美国军队2 000人在海参崴登陆。8月12日，日本军队在大古大将率领下，1 200人在海参崴登陆。接着日本又陆续增兵，第二部分军队取道朝鲜、中国东北地区，经满洲里侵入，在赤塔设立大本营。第三部分军队在库页岛北部对岸的庙街（尼古拉耶夫斯克）登陆。到10月，日本军队竟达72 400人，远远超出美国的建议要求，占各国出兵总数的3/4。① 日本军队在苏俄领土上迅速扩展，向北入侵乌苏里江与黑龙江流域地区，即俄国远东地区的阿穆尔州与滨海边疆区；向西入侵海兰泡（布拉戈维申斯克）、赤塔、扎巴加里亚，即俄国的东西伯利亚地区。日本帝国主义势力所涉及的地区，俄国的财产被掠夺，人民遭迫害。

1919年1月26日，日本内阁作出《对俄方针纲要》决议。其主要为：

(1) 帝国希望俄国恢复，为此愿意与协约国共同提供一定的援助。

---

① 林三郎著、吉林省社科院日本问题研究室译：《日本关东军与苏联远东军》，吉林人民出版社，1978年版，第7页。

(2) 恢复的俄国必须完全坚持和平主义对外政策，为此要做到：

(a) 发展西伯利亚的资本主义制度，俄国中央政府不得向远东地区扩展，为此要采取一定的抑制措施。

(b) 努力防止、消除在俄国远东地区上，除维持秩序之外的军事设施的发展。

(c) 努力防止、消除在俄国外蒙古地区作为经营的侵略政策实施。

(d) 废除俄国在该地区有关资源开发及其他工商业经营方面限制或阻碍，依据机会均等主义，对外国人的居住、经营及投资给予便利，开放黑龙江、海参崴为自由港。①

从日本内阁上述决议看，其中心目的是把俄国远东与西伯利亚地区从俄国手中分离出来，最终达到日本长期占领。为此，日本除派遣军队武力干涉外，又极力扶植当地白俄匪邦的傀儡政权。在外贝加尔地区的要冲城市赤塔，扶植谢苗诺夫政权；在阿穆尔州的海兰泡城，扶植里诺夫政权；在乌苏里江流域地区的伯力(哈巴罗夫斯克)城，扶植卡尔米科夫政权。1918 年 10 月，日本将价值达 1 000 万日元的食品和其他商品，用密封的火车厢，经中国的中东铁路，转入西伯利亚铁路，免税运到西伯利亚地区，并且在其开办的商店销售。日本这种乘人之危，大量倾销商品行径，与其所宣称的出兵目的完全背道而驰。为此，美国政府也提出强烈抗议。1918 年 11 月，在西西伯利亚的鄂木斯克，帝国主义国家又扶植了苏俄领土上最大的傀儡政权——高尔察克政权，并且名义上统领谢苗诺夫政权、里诺夫政权、卡尔米科夫政权。日本政府极力支持高尔察克政权，率先对其予以承认，并在 1919 年 5 月任命加藤恒忠为临时特命大使，进驻鄂木斯克。

帝国主义国家，特别是日本帝国主义的武装干涉，并没能阻止苏俄社会主义势力向该地区发展。帝国主义国家扶植的傀儡政权，也随着革

① 西春彦監修:《日本外交史》第 15 巻，東京，鹿岛平和研究所出版会，昭和 45 年，第 10—11 頁。

命势力的到来而纷纷垮台。1920 年 1 月，嚣张一时的高尔察克政权在苏俄红军打击下垮台。2 月 6 日，高尔察克受到正义的处决。

在欧洲大陆，第一次世界大战于 1918 年 11 月 11 日正式签署停战协议。1919 年 6 月 28 日，巴黎和会各国代表正式签署《凡尔赛和约》。随着《凡尔赛和约》的签订，在欧洲大陆上帝国主义国家之间的矛盾，暂时得到缓解，各国开始"收拾"战争期间被破坏的家园。此时帝国主义国家支持的捷克斯洛伐克军团残余，也纷纷向苏俄红军交枪，放弃抵抗，经海参崴港陆续返回。随着捷克斯洛伐克军团问题的解决，帝国主义国家武装干涉苏俄的借口消失了。鉴于武装干涉苏俄社会主义革命毫无收获，加上各国国内人民的强烈反对，帝国主义国家纷纷宣布撤兵。到 1920 年 4 月 1 日美国完成撤兵后，在苏俄领土上仅剩下了日本干涉军赖着不走。

（二）日本与远东共和国的成立

随着帝国主义干涉军的撤出，在苏俄远东与西伯利亚领土上，就剩下苏俄红军与日本干涉军这两支最大的武装力量。苏俄红军要完全解放自己的领土，而日本干涉军却要霸占赖着不走，双方针锋相对，战争的危险迫在眉睫。

在这种形势下，布尔什维克党和苏维埃政权领导人列宁，认真分析了当时所处的环境，指出："问题就是这样摆着：远东、堪察加和西伯利亚的一部分现在事实上为日本所占有，因为那里是受日本的军事力量支配的，因为正像你们所知道的，环境迫使我们建立了缓冲国——远东共和国。我们知道得很清楚，由于日本帝国主义的压迫，西伯利亚的农民忍受着怎样令人难以置信的灾难，日本人在西伯利亚干了多少罄竹难书的暴行……但是，我们不能同日本打仗，我们不仅应该尽力设法推迟对日战争，如果有可能的话，还要避免这场战争。"①

① 《列宁全集》第 31 卷，人民出版社，1958 年版，第 422 页。

根据列宁指示精神，苏维埃政府认为，在俄国西部有波兰地主武装，在南部有邓尼茨残匪威胁的情况下，苏维埃俄国没有力量与日本进行战争，既要收复领土，又要回避与日本发生战争。如果在俄国远东与西伯利亚领土上公然地挂出苏维埃俄国的国旗，必然会引起新的战争。苏维埃政府决定，在贝加尔湖以东至太平洋沿岸地区，建立一个新的，挂着民主主义国家国旗的政权——远东共和国。设立远东共和国，首先，其作为缓冲国，可以阻止日本帝国主义势力向西伯利亚地区纵深侵入。其次，因该国家标榜自己为民主主义，而非共产主义，使得日本帝国主义“阻止共产主义势力蔓延”的干涉借口消失。

1920 年 4 月 6 日，在苏俄远东地区的乌兰乌德召开了外贝加尔地区劳动者大会。根据大会决议，宣布成立资本主义民主议会制的远东共和国。其领导人为布尔什维克党人克拉斯诺斯切科夫。当年 5 月 5 日，苏维埃俄国政府宣布承认远东共和国的独立。

在其他帝国主义国家干涉军撤出后，日本军队也收缩了控制的范围，逐渐撤守到滨海省及铁路沿线地区。日本拒不撤军的理由是，保护该地区的日本侨民的生命和财产安全，防止苏俄直接对“满州”和朝鲜的“赤色”威胁。但是，日本继续在苏俄远东领土上赖着不走，必然引起苏俄远东地区人民的更加强烈的反抗。

1920 年 3 月，在庙街城里，日本军队及白俄残匪同特里皮岑领导的当地武装游击队展开激战。当地武装游击队很快取得胜利，俘虏了守城的日本军队及白俄残匪，占领了该城。但是，日本军队并不甘心于失败，暗地里从其他地方调来部队援救。在 5 月 27 日，即日本援救部队到达之前，特里皮岑率领的游击队放火烧毁整个庙街诚，日军俘虏和日本驻庙街领事官员及家属，当地日本侨民，共计 300 余人，在这场大火中烧死。这就是历史上所谓的“庙街事件”。庙街事件反映出苏俄远东地区人民对日本军队的愤怒心情，然而其也为日本军队继续赖着不走制造了借口。7 月 3 日，日本政府发表声明，宣称庙街事件有损于日本帝国的威信，作为报复措施，决定出兵占领俄国远东地区库页岛北部。

日本拒不撤兵，不仅遭到苏俄人民的强烈反对，而且也遭到日本国内人民以及美国为首的其他帝国主义国家的反对。日本人民反对出兵苏俄领土的呼声越来越高，1920 年 5 月 2 日，日本国内 15 个团体在东京上野公园举行第一次纪念五一国际劳动节大会，会议主要内容之一就是要求政府立即从苏俄领土上撤军。日美两国在出兵干涉苏俄社会主义之初就充满着矛盾，如今其他帝国主义国家军队都撤出，唯有日本军队赖着不走，更使美国的猜疑加大。1920 年 7 月 16 日，美国政府发表声明，对日本以庙街事件为借口，出兵占领库页岛北部的行径提出抗议。

在国内外一片谴责声下，日本干涉军被迫派出代表与远东共和国代表就停止战争状态举行谈判会议。1920 年 7 月 16 日，双方签署协议。其协议主要内容如下。

(1) 在俄国领土上建立不受其他武力干涉的、统一各个政权的、单一的政府作为缓冲国，是保持该地区和平秩序的最好方法。

(2) 该国不采用共产主义制度，采用民主主义制度。

(3) 日本军队对上述统一会议的召开方法及各类活动的举行不予干涉，对于出席会议的各位代表，不过问其信仰如何，皆为其出席会议提供方便。

(4) 远东共和国不允许苏维埃军队进驻或通过该国境内。

(5) 远东共和国保证日本人在其境内的人权不受侵害，尊重日本人的权利。

(6) 远东共和国与日本军司令部对于一切纠纷负有运用和平方式加以解决的义务。①

1920 年 10 月 28 日，俄国远东和西伯利亚地区的海兰泡政权、海参崴政权、赤塔政权、远东共和国及库页岛的代表，在赤塔城举行会议。11 月 1 日，会议发表宣言。其主要内容如下。

---

① 西春彦監修：《日本外交史》第 15 卷，東京，鹿岛平和研究所出版会，昭和 45 年，第 20 頁。

(1) 塞纳河以东的俄国领土宣布独立。

(2) 在制宪会议召开之前,新选出的远东共和国政府官员,负有文武全权,政府遵守民主主义,而非共产主义,保持私有制度。

(3) 各地方政府在此宣言公布之日起,失去国家的意义。①

该会议于11月11日宣布闭幕。会议最后选举出远东共和国的领导人库拉斯诺斯切科夫等七人为政府官员,政府设在赤塔城。1921年2月12日,新的远东共和国举行制宪会议,会议制定了民主主义的宪法,并很快公布此宪法。这样新的远东共和国就完成了除日本军队占领地区之外苏俄领土的统一。

日本之所以能够承认远东共和国的独立,一方面是出于它本身的目的,另一方面也是迫不得已的。日本出兵苏俄领土后,曾极力扶植傀儡政权,作为自己长期统治的代理人,但是日军扶植的白俄匪帮傀儡政府缺少实力,高尔察克政权短命结束,所以不得不放弃这样的希望。日本承认远东共和国,目的也是希望设法控制之,以继续保持自己在苏俄领土上的势力。另外,日本虽然继续赖着不走,但是它出兵的目的现在已经被明确证明不可能实现。为了进一步挣扎,日本承认远东共和国的存在,作为缓冲国,特别是非共产主义化,可以阻挡共产主义向日本国内及其势力范围直接传播。

(三) 日本与远东共和国交涉

1920年11月新的远东共和国成立后,对日政策的主要目标是,一方面使日本尽快撤兵,另一方面使其尽快承认苏维埃政府。在其政策实施上,远东共和国除多次向日本方面提出就和平、通商、撤军等内容举行谈判外,主要利用各种条约的缔结,表明自己与苏维埃俄国政府的关系,同时也设法利用日美两国在此问题上的矛盾,迫使日本接受自己的主张。

---

① 西春彦監修:《日本外交史》第15卷,東京,鹿岛平和研究所出版会,昭和45年,第22頁。

1920 年 12 月 15 日，远东共和国政府与苏维埃俄国政府签订条约，规定远东共和国把堪察加半岛让渡给苏维埃俄国。不久，苏维埃俄国政府又与美国商人威达利普签订合同，苏维埃俄国政府授予威达利普具有开发堪察加半岛的经济权利。1921 年 3 月，远东共和国政府与美国石油企业家希库雷阿签订合同，远东共和国政府授予希库雷阿具有库页岛北部的石油开采权。

苏俄方面的这些措施，第一，利用在此获得经济权益的美国商人、企业家，以美国力量阻止日本对此抱有的侵占野心。第二，给日本对俄政策指明一条发展道路，即仿效美国，和平开展两国间正常经济贸易。第三，远东共和国政府把堪察加半岛公开地划归苏维埃俄国，这样就使在北太平洋海域具有巨大渔业利益的日本，为了解决渔业问题，不得不考虑直接与苏维埃俄国政府谈判。

1922 年 2 月 17 日，远东共和国政府与苏维埃俄国政府签订了《经济同盟条约》，其规定远东共和国与外国缔结的一切经济及关税协定，事先必须得到苏维埃俄国政府的同意。这显然是进一步表明，远东共和国对苏维埃俄国政府的从属关系。

针对日本干涉军赖着不走，远东共和国政府与苏维埃俄国政府利用各种形式，向全世界人民广泛宣传日本侵略的罪行，唤起全世界人民的支持。此时的日本国内，第一次世界大战结束后，战时的经济繁荣局面已经消失，日本经济连年恶化，物价上涨，失业人数增加，加大了社会不稳定因素。在工人运动、农民运动不断出现的同时，日本要求政治民主化的左派人士的政治活动呈现活跃化，民众普选运动出现高潮。日本人民反对出兵苏俄的呼声越来越高涨。为了摆脱一战后日本国内的经济危机，日本工商企业界强烈要求开拓海外市场，特别是要求政府尽快与远东共和国政府签订经济贸易协定，以避免美国方面独占这一具有广泛发展前途的海外市场。

此时在西方社会，各帝国主义国家不仅放弃了对苏俄的武装干涉，而且还解除了经济封锁，正在努力恢复双方经济贸易关系。1921 年 3 月

16 日，英国与苏俄政府签订经济贸易协定。5 月 6 日，德国又与苏俄政府签订经济贸易协定。在 1921 年内，共有 14 个资本主义国家与苏俄政府签订经济贸易协定。另外，1921 年 7 月 10 日，美国总统哈定向日本发出邀请，要求日本参加即将在华盛顿召开的旨在讨论限制军备和太平洋及远东事务的国际会议。日本为了避免在华盛顿会议上讨论其出兵苏俄领土问题，防止其形成国际化，不得不赶在此会议召开前，自己独立与远东共和国交涉，使美国方面插手机会落空。1921 年 7 月，日本政府决定与远东共和国方面举行谈判。

1921 年 7 月，在中国东北的哈尔滨市，远东共和国代表、远东共和国外交部参事官苏莫夫与日本代表、岛田滋副领事，就即将举行的正式谈判举行预备会议，双方决定正式谈判的地点为中国东北的大连市，时间为 1921 年 8 月 26 日。

大连会议如期举行，日本方面代表为驻海参崴派遣军司令部军政部部长松岛肇，远东共和国方面的代表为远东共和国外交部部长尤林，9 月 1 日后远东共和国政府总理彼得罗夫代替尤林参加谈判，使大连会议进入实质性谈判阶段。

彼得罗夫首先提出，第一，就两国希望改善双方关系的事实，发表一个联合宣言，让全世界各国都知道。第二，希望邀请苏维埃俄国政府派代表出席本次会议。对此日本方面表示坚决反对。

9 月 6 日，远东共和国方面首先提出自己的协约草案。9 月 26 日，日本方面也提出自己的协约草案。日本方面的草案，除一般通商问题外，主要为：保证日本侨民的生命、财产安全；保证日本不受来自苏俄方面的威胁；废弃对外国人的各种生产上的严格限制；至少对于日本人不实现共产主义制度，并禁止共产主义内容的宣传；撤除沙俄时期修建具有威胁性的军事设施；西伯利亚地区产业，对外国人实现门户开放主义。①

① 西春彦監修：《日本外交史》第 15 卷，東京，鹿岛平和研究所出版会，昭和 45 年，第 34 頁。

大连会议在华盛顿会议举行期间(1921 年 11 月 12 日—1922 年 2 月 6 日)暂时休会,此后继续举行。针对日本方面提出协约草案,远东共和国方面给予回答:在工商业上拒绝给予与俄国人同等待遇;在法律上给予日本人开采矿山、森林等方面的权利;反对强迫远东共和国维持非共产主义制度;关于日本人的私有财产权依照国际惯例执行。关于军事方面,日本提出要在苏俄远东共和国的重要城市拥有驻军权,以保护日本侨民的安全,对此远东共和国方面表示坚决反对。关于远东共和国方面提出日本尽快撤出干涉军问题,日本方面提出远东共和国方面应该首先就"庙街事件"表示负有全部责任,应该公开承认错误,并且要给予赔款,然后双方再谈撤军问题。可以看出,大连会议上,日本提出了许多使远东共和国无法接受的要求,在双方针锋相对之下,1922 年 4 月 16 日,大连会议宣布破裂。

大连会议的结果,也正如远东共和国政府总理彼得罗夫在回国后,所作的一次报告中指出的那样:"在大连会议上,日本方面是以签订通商协议为主要目标,而远东共和国方面则以签订撤军协议为主要目标,所以双方目标从开始就截然不同。"①

大连会议破裂后,日本政府遭到国内各阶层人士的强烈反对,特别是日本工商业界强烈要求与远东共和国方面签订通商协定。另外,日本军队长期赖在苏维埃俄国领土上,也使政府的财政支出出现困难。据日本方面公布,四年多的出兵苏维埃俄国领土,共计造成军队死亡 1 475 人、伤 10 000 余人、病死 600 余人,财政支出高达 7 亿日元左右。②

基于上述各种原因,1922 年 6 月 24 日,日本政府宣布:10 月底前从滨海州撤出军队,完成在俄国大陆上撤军。与此同时,适当缩小在库页岛北部的占领范围,以期等待庙街事件的解决。

1922 年 6—7 月,双方为再度举行会谈进行多次磋商,最后决定新的

① 西春彦監修:《日本外交史》第 15 卷,東京,鹿岛平和研究所出版会,昭和 45 年,第 39 頁。

② 马士・宓亨利著、姚曾廙等译:《远东国际关系史》下册,商务印书馆,1975 年版,第 633 页。

会谈地点设在中国东北的长春市，但是苏方代表有所变化。在远东共和国方面的强烈要求下，日本同意苏维埃俄国与远东共和国组成联合代表团参加会谈。

1922年9月4日，长春会议开始举行。苏俄方面代表为苏俄驻远东地区大使越飞和远东共和国外交部部长雅苏，日本方面代表为外务省欧美局局长松平恒雄和松岛领事。会议在双方代表交换各自委任书时就发生了矛盾，苏俄方面以两国统一代表资格参加会议，其权限包括远东共和国在内的广大苏维埃俄国范围，而日本方面代表，其权限仅仅为远东共和国的范围内。苏俄方面指责日本代表权限过于狭小，而日本方面则强调，长春会议首先应以大连会议为基础进行。苏俄方面进一步指出，把协约一方的当事国仅限定在远东共和国范围，是无视苏维埃俄国与远东共和国之间在政治、经济上的密切关系。日本承认苏维埃俄国政府有同等权利参加会议，作为缓冲国的远东共和国的出现，是与外国武装干涉不可分的，在今天苏维埃俄国政府国际地位明显提高，外国武装干涉失败的时候，日本还坚持这样主张已经没有任何意义。日方草案是片面的，利己主义的，应该把协约的适用范围扩大到苏维埃俄国。

在会议中，日本方面坚持长春会议应以大连会议协定为基础，在双方缔结基本协约后，日本再与苏维埃俄国政府就通商问题进行交涉，大连会议所达成的一切条款，实质上不允许更改。对此苏维埃俄国政府代表指出，自己完全没有承认大连会议协定事项的义务，应该给予修改或拒绝。关于撤军问题，由于长春会议举行之前，日本已经发表声明，宣布了从苏俄远东大陆上撤军的日期。但是日本仍然坚持庙街事件不解决，日本军队绝不从库页岛北部撤出。长春会议经过21天后，9月25日宣布破裂。

从长春会议举行的情况看，苏俄方面以日本全面撤军和日俄关系调整为主要目的，而日本方面则坚持把大连会议作为基础，实质上是迫使苏俄政府承认以往日本与远东共和国签订协议有效为主要目的。日本是在迫不得已的情况下，勉强同意苏维埃俄国政府派代表参加会谈，但是又极力回避日本承认苏维埃俄国政府的事实出现，因此长春会议从一开始就形成了对立局面。

长春会议破裂后，在日本国内引起各阶层人士的强烈不满。日本工商企业界关心西伯利亚的资源开发，期待开拓贸易市场。广大民众要求调整与苏俄的国家关系，反对干涉苏俄社会主义革命。

1922 年 10 月 25 日，日本军队从苏俄远东领土的大陆上撤军完毕。随之而来的是苏维埃俄国政府的权限扩大到太平洋沿岸地区。这样作为缓冲国的远东共和国，也就失去了存在的意义。远东共和国的存在，不仅阻挡了苏维埃俄国的国家统一，而且对日外交谈判中，也给苏维埃俄国政府的地位带来困惑。为了今后能够以单一的苏维埃俄国政府面目同日本交涉，防止日本帝国主义企图使远东共和国永久化，1922 年 11 月 15 日，苏维埃俄国政府宣布合并远东共和国，至此远东共和国从历史舞台上消亡。

综上所述，远东共和国的出现与消失，是日本帝国主义武装干涉的结果。强大的日本干涉军的存在，使苏俄不得不设置远东共和国，而随着日本干涉军在苏俄远东大陆领土的撤出，远东共和国也相应消失。远东共和国的存在，为苏俄政府与日本帝国主义的交涉创造了条件。远东共和国存在仅两年半左右。但是其为保卫新生的苏维埃政权、相对稳定东北亚地区的国际关系起到了非常重要的作用。远东共和国的建立与苏维埃俄国被迫同德国缔结布列斯特和约一样，都是在敌强我弱下作出的“革命妥协”，为年青的苏维埃政权赢得非常重要的喘息时间，为巩固新生政权做出了贡献。远东共和国的建立，不仅使日本武装干涉苏俄革命失去借口，而且也避免了苏俄与日本军队发生大规模武装战争，也就相对稳定了东北亚地区的紧张国际关系。可以讲，远东共和国的建立，在东北亚地区国际关系史上，在整个世界国际关系史上，都是特殊的成功的范例，为处理地区间国家冲突，提供了宝贵经验。

三、日苏“北库页岛利权”之争①

所谓“北库页岛利权”问题，概括地说就是在苏联远东地区领土库页岛北部，日本人依据合同获得了石油、煤炭等长期勘探、开采权利，从中获得利益。该问题在第二次世界大战前及战中，成了日苏两国调整关系过程中的矛盾焦点。本书就“北库页岛利权”问题的形成、发展、争夺及解除粗略论述如下。

(一)“北库页岛利权”的形成

库页岛原属中国领土，18 世纪中叶俄日两国侵入，俄占北部，日占南部，俄称萨哈林岛，日称桦太岛。1860 年沙俄强迫清政府签订《北京条约》，使包括库页岛在内，乌苏里江以东广大地区被割让。1875 年日俄两国签订“领土转让条约”，俄国以千岛群岛北部 18 个岛换取日本占领的库页岛南部，全岛遂归俄国。但是 1905 年日俄战争后，俄国被迫割让北纬 50 度以南地区给日本，所以库页岛以北纬 50 度划分南北两部分，简称南库页岛与北库页岛。

北库页岛利权问题的形成，是庙街事件所带来的后果。俄国十月社会主义革命爆发后，日本等帝国主义国家组织了武装干涉，出兵苏维埃俄国领土远东与西伯利亚地区。由于苏俄红军及人民的英勇抗击，使武装干涉毫无收效，于是英、美、法等帝国主义国家在 1920 年 4 月 1 日前纷纷撤出军队，最后仅剩下日本军队赖着不走。

日本军队继续赖在苏俄远东领土上不走，必然引起当地人民更加强烈的反抗。1920 年 3 月在庙街(尼古拉耶夫斯基)，当地武装游击队与日本驻军展开了激战，游击队很快占领了该城，并俘虏守城的日军。但是，日本侵略军并不甘心于这次失败，从其他地方调来军队救援。在日本救

① 本节发表于《南开学报(哲学社会科学版)》2002 年 01 期。

援军队赶到之前，5 月 27 日游击队放火烧毁整个庙街城，日军俘虏、日本驻庙街领事官员及家属、当地日本侨民，共计 300 余人，在这场大火中烧死。这就是日苏关系史上的“庙街事件”。庙街事件反映出苏俄远东领土上人民对日本军队的愤怒心情，然而也为日本继续赖着不走制造了借口。7 月 3 日，日本政府发表声明，宣称庙街事件有损于日本帝国的威信，作为报复措施，决定出兵占领苏俄远东领土北库页岛。

由于苏维埃俄国政府刚成立不久，革命力量暂时无法与日本侵略军展开大规模军事行动。为了实现国家的领土统一，在列宁的指示下，在远东领土上成立了资产阶级民主议会制、独立的远东共和国。远东共和国作为缓冲国，可以防止日本侵略军进一步扩大侵略，也使日本“阻止共产主义势力蔓延”的干涉借口消失。由于日本在苏俄远东领土上扶植的傀儡政权都是短命鬼，所以日本只好一方面收缩军队到滨海省与北库页岛等地区，另一方面不得不承认远东共和国。远东共和国成立后，便开展了积极的对日交涉工作。1921 年 8 月至 1922 年 4 月，在中国大连双方举行了正式会谈。大连会谈的结果，正如参与会谈的远东共和国代表、政府总理彼得罗夫在回国的报告上所讲：“在大连会谈上，日本方面是以签订通商协议为主要目的，而远东共和国方面则以签订撤军协议为主要目标，所以双方目标从开始就截然不同。日本方面虽然不否认撤军问题，但是却主张在缔结双方基本协约后，再解决从滨海省撤军问题。在庙街事件解决后，再解决从北库页岛撤军问题。远东共和国方面则坚持认为，庙街事件应该与北库页岛撤军问题分开解决，而且远东共和国方面对庙街事件不负有责任。”①

大连会谈破裂后，日本政府遭到了国内各阶层人士的强烈反对，特别是工商企业界强烈要求与远东共和国签订通商协议。因为日本工商企业界担心美国会独占苏俄远东石油等经济利益。1921 年 3 月，远东共和国与美国石油企业家希库雷阿签订合同，授予希库雷阿拥有库页岛北

① 西春彦監修：《日本外交史》第 15 卷，東京，鹿岛平和研究所出版会，昭和 45 年，第 39 頁。

部的石油开采权。苏俄政府的目的是利用日美矛盾迫使日本政府早日撤军。美国始终担心日本独占苏俄远东领土会改变两国在亚太地区的争霸态势。1920 年 4 月 1 日，美国完成撤军后，1920 年 7 月 16 日，美国政府发表声明，对日本以庙街事件为借口，出兵占领北库页岛的行径提出抗议。另外，日军长期侵占苏俄远东领土，不仅造成大量人员伤亡，而且财政支出高达 7 亿日元左右。① 因此 1922 年 6 月 24 日，日本政府不得不宣布，10 月末前从滨海省撤军。

1922 年 10 月 25 日，日本完成从苏俄滨海省的撤军。这样苏俄远东领土除北库页岛外，全部控制苏维埃政权下，远东共和国也完成了作为缓冲国的作用。于是当年 11 月 15 日苏俄政府宣布合并远东共和国，12 月 30 日苏维埃社会主义共和国联盟正式成立。苏联成立后加快了与日本就北库页岛撤军问题的谈判。

1923 年 6 月末至 7 月末，日苏两国在东京举行了非正式会谈。在会谈中，日本代表仍然坚持苏联方面要对庙街事件进行公开道歉、赔偿损失。对此苏联也相应作出一定让步，表示同意发表一份遗憾意识的声明，但是不能涉及物质赔偿。日本代表则坚持不能完全放弃物质赔偿，同时提出苏联如果目前财政困难，可以在解决北库页岛问题上让日本获得利益，那么可以放弃物质赔偿要求。另外，日本代表还提出，一岛两国所有容易引起纠纷，为此日本希望收买北库页岛。但是双方在价格上相差甚大，反映出苏联方面没有出卖之意。最后日本代表提出长期租用北库页岛建议，并保证在岛上开采石油、煤炭、森林等，绝不涉及政治权利。对此苏联代表并没有马上答复。

东京非正式会谈，虽然双方没有达成一致意见，但是双方都提出了自己的主张，达到了相互了解，为正式会谈铺平了道路。1924 年 5 月，日本代表工商企业界利益的自由主义政党宪政党大选获胜并组成内阁。新内阁采取比较积极、务实的对苏政策。1924 年 5 月 15 日，在中国北京

① 马士・宓亨利著、姚曾廙等译:《远东国际关系史》下册，商务印书馆，1975 年版，第 633 页。

日苏两国举行正式会谈。经过44轮谈判，彼此之间都作出一定让步，终于达成一致。关于庙街事件问题，苏联允许日本在北库页岛获得比较有利的经济利益，对此日本放弃要求苏联公开道歉、赔偿损失。关于北库页岛撤军问题，双方协定在条约缔结后的一个半月内，日本完成撤军工作。另外，苏联表示承认1905年缔结的《朴次茅斯条约》继续有效。1925年1月24日，日苏两国在北京正式签订《日苏基本条约》(或称北京条约)。

1925年12月14日，根据《日苏基本条约》的规定，日苏两国在莫斯科分别签订关于北库页岛石油开采权利租让合同和煤炭开采权利租让合同。这样日本就根据合同正式获得苏联领土北库页岛的石油、煤炭开采权利，也就形成了"北库页岛利权"问题。

(二) 日本对北库页岛石油煤炭的经营

日本对苏联北库页岛石油煤炭的贪婪之心早已存在，在其出兵苏联远东地区同时，就已经着手在该地区进行石油煤炭的勘探及开采行径。日本借用庙街事件出兵占领北库页岛，最后又借用撤军问题换取在该地区石油煤炭勘探及开采合同书签订，不过是使这种行径长期化、合法化而已。

苏联之所以同意签署这样有损于国家利益的合同，原因在于当时国家实力有限，不足以同日本展开大规模军事行动。列宁曾明确指出："我们知道得很清楚，由于日本帝国主义的压迫，西伯利亚的农民忍受着怎样令人难以置信的灾难。日本人在西伯利亚干了多少罄竹难书的暴行。……但是，我们不能同日本打仗，我们不仅应该尽力设法推迟对日战争，如果有可能的话，还要避免这场战争，因为根据大家都知道的情况看，我们现在无力进行战争。"①作为苏联来说，当时最主要任务就是实现国家领土的统一，争取获得比较稳定的国际环境，抓紧时间稳定国内政

① 《列宁全集》第31卷，人民出版社，1958年版，第422页。

权和恢复发展经济。日苏两国交涉的矛盾就是庙街事件所带来的日本出兵占领北库页岛问题，苏联以租让北库页岛石油煤炭的开采权利，换取日本的撤军，这样双方才签署了《日苏基本条约》。该条约不仅使日本撤军，而且实现两国建立外交关系的目标，这就为苏联东部广大薄弱地区赢得了比较稳定的国际环境，对于苏联国家长期利益是非常有益的。

实际上日本在出兵占领北库页岛之前，就已经关注及插手该地区的石油问题，这也是为报复庙街事件，日本选择出兵北库页岛的原因。日本海军在 1906 年 10 月获得英国海军舰船的燃料油情报后，决定在舰船上采用煤油混烧装置，1908 年 4 月开始把重油列为海军第二种消耗品。与此同时，日本海军在各个主要港口兴建大型储油库，1914 年总库容量达 2.45 万吨。由于燃料油消耗越来越大，日本国内石油产量又无法满足，1915 年 12 月，日本海军决定从国外购买石油。1918 年 5 月 30 日，海军省次官栃内曾次郎向外务省次官币原提交了关于开发海外石油的申请报告，提出：由于新建造的海军舰艇都是采用石油为主要燃料，军需石油量逐年增大，国内油源供应能力远远不能满足，现在海军燃料油大部分靠进口的情况下，要求在海外利用适当机会、选择合适方法，使帝国获得石油开采权利，这对将来帝国海军石油供应是充分保障，在军事上是极为必要的。在这份申请报告后附带了准备开发的海外石油地区，其中第一个目标，作为军需石油供应源的最重要地区就是俄属北库页岛东海岸一带油田。① 日本为什么如此了解该地区石油资源状况？原来早在 1904—1905 年日俄战争期间，日本就曾派遣地质人员到该地区进行了煤田、油田若干调查，初步掌握了一定材料。北库页岛石油产地离日本北海道各个港口距离不足 400 海里，可以说是海外石油资源离日本最近的地区，所以日本如此重视该地区。

在 1917 年，日本大企业久原矿业在海军支持下开始与俄国方面就此事交涉，1918 年海军也参与了油田调查工作。1918 年 5 月 21 日，日

① 吉村道男：《增補：日本与ロシァ》，日本経済評論社，1991 年，第 386 頁。

本的久原矿业株式会社和俄国的斯塔埃夫商会签订了关于北库页岛石油调查合同，在斯塔埃夫商会获得批准的石油特许区域内，久原矿业可以进行石油资源调查，然后根据调查结果组成会社共同经营。日本方面对北库页岛的石油非常重视，1919 年 4 月 1 日内阁会议通过决议，即关于在苏联领土北库页岛建立企业的文件，强调北库页岛的石油和煤炭，对舰艇、飞机、汽车及其他燃料油供应问题是“绝对必要的”①。为了确保该地区石油的开采顺利发展，在日本政府帮助下，1919 年 5 月 1 日，久原矿业、三菱矿业、日本石油、宝田石油、大仓矿业等五家大企业组成辛迪加，即企业联合组织，取名为北辰会。北辰会完全继承久原矿业与斯塔埃夫商会所签订合同的权利与义务。北辰会的组成为，久原矿业和三菱矿业各占 1/4，日本石油、宝田石油、大仓矿业各占 1/6。1919 年 6 月，北辰会派往该地区从业人员为 200 人，日本海军省也派出五组地质调查队帮助勘探。在 1920 年 5 月发生“庙街事件”后，7 月日本出兵完全占领北库页岛，7 月 16 日内阁通知外务、陆军、海军、农商等有关部门，今后海军对北库页岛石油、煤炭所采取的措施，拥有广泛的监督权。实际上该地区此后五年内完全在日本军政统治下。

由于北库页岛石油对日本，特别是海军具有重要意义，所以此项工作完全在海军省的控制下进行。1921 年 5 月，在海军省的支持下，陆、海、外、农商各省经过协商，决定把北辰会改建为株式会社组织。到 1922 年，三井矿业、铃木商店也加入北辰会。

1923 年 2 月，海军向政府上书，强调采油权在国防事业上的必要性。护宪三派内阁成立后，海军方面继续上书，指出“现在世界上列强都对石油的各种权利的获得采取狂热态度，外交活动的一半是石油争夺战”，日本的石油产量，不能达到海军平时所需，所以北库页岛油田显得特别重要。为此海军方面不仅要求政府尽快与苏联缔结通商条约，而且还要尽快正式承认苏联政府。

---

① 吉村道男:《增補:日本与ロシァ》，日本経済評論社，1991 年，第 388 頁。

按照海军方面的预算，北库页岛石油可以年产 10 万吨，投资额为 500 万日元，获纯利达 70 万日元。投资 500 万日元中，固定资本为 400 万日元，其中海军出资 300 万日元，北辰会出资为 100 万日元。这个时期，海军从临时军事费中向油田调查费和北辰会分别支付资金，1920 年度分别支付 60 万日元和 56.9 万日元；1921 年度分别支付 140 万日元和 87.7 万日元；1922 年度分别支付 150 万日元和 88.8 万日元；1923 年度分别支付 50 万日元和 101 万日元；1924 年度为 41 万日元，总计约 775.7 万日元。

按 1925 年 1 月《日苏基本条约》附属议定书（乙）规定，1925 年 8 月 14 日在莫斯科，日本有关企业与苏联政府有关部门开始举行会谈，当年 12 月 14 日双方签订北库页岛石油利权合同和北库页岛煤炭利权合同。其利权合同的主要内容如下。①

1. 石油利权

（1）现有财产问题：苏联要求当地现有财产，依据矿业国有令实行国有化，并且要求使用财产要支付使用费。对此企业表示不同意，协定就所有权归属问题待日苏两国政府进一步协商，决定财产使用费支付 4%。

（2）合同期限为 45 年。

（3）地域：(a)已开发的油田 8 处。(b)试开采地域 1000 俄里，苏联政府与利权者协议决定，设置 960 俄亩为利权者自由开采，待开采出有价值石油时，以 80 俄亩为两个正方形，划给日苏两国，但是出油部分划给利权者。

（4）报酬：年产油量达 2 万吨时为 5%，在此基础上每增产 1 万吨增加 0.25%，达到 42 万吨时为 5%。采用美国加州或墨西哥湾的价格标准纳金。关于自喷井，日产油量 10 吨为普通井，50 吨为

① 西春彦監修：《日本外交史》第 15 卷，東京，鹿岛平和研究所出版会，昭和 45 年，第 110—111 頁。

15%，在此基础上逐渐增加到100吨以上为45%。

(5) 纳税：单一税，支付相当于产量3.85%的原油税。

(6) 社会保险费：年工资总额的16%。

(7) 对于开采出的石油苏联方面没有收购权。

(8) 适用于一切劳动法规。另外，使用外国人，高级事务员、技术员及熟练工人为50%，其他人员为25%。

(9) 允许苏联地质学者、技术人员、矿山学校学生实习。另外，不经允许不得将合同书规定的权利义务转让。

2. 煤炭利权

(1) 现有财产归属问题：不同意苏联方面要求归属国有的主张，决定使用费为支付5%。

(2) 报酬：(a)北库页岛煤炭企业组合，采煤量达10万吨时为5%，在此基础上每增加5万吨增加0.25%，达到65万吨以上为8%。(b)坂井组合，采煤量达到5万吨时为5%，在此基础上每增加1万吨增加0.25%，达到16万吨以上为8%。

(3) 纳税：单一税，煤炭销售额(FOB价格)的3.3%。

(4) 苏联方面保留产煤量50%的收购权。

(5) 劳动问题：适用一切劳动法规，使用外国人，高级人员为50%，中级及普通人员为25%，矿井内工人及搬运工人最初5年为50%。

(6) 期限为45年。

(7) 社会保险费：原则为年工资总额的13%，但是使用现有日本医疗机构减额3.5%。

(8) 允许地质学者等实习，不经允许不得转让合同上规定的权利义务，与石油合同内容相同。

海军省军需局局长平塚讲，日本方面如果按年产10万吨计算，可以开采40年。当时日本的原油产量为，1914—1918年的第一次世界大战期间5年，平均年产量为55.7万吨，1921—1924年的五年，平均年产量为27.3万吨。所以海军方面非常渴望北库页岛石油。

经过外、海、藏、农商等省的商议，决定解散北辰会，在北辰会基础上重新组建新会社。1926年6月，组建成立北库页岛石油会社，前海军省军需局局长中里重次担任首任社长，并且规定该地区所开采的石油全部供应给海军。北库页岛石油会社主要由三菱、三井、日本石油、大仓、久原等大企业组成，共同出资1 000万日元。据统计，第一年度（1926年度）原油产值为87.4万日元，获纯利4.7万日元；第二年度（1927年度）原油产值为207万日元，获纯利38万日元；第三年度（1928年度）原油产值为355万日元，获纯利为60万日元。1929年内的原油产量为17.5万吨，占当年日本全部石油产量的75%。可以看出，日本在北库页岛的石油开采，在当时日本石油开采中占有非常重要的地位。

1926年8月，日本的三菱、三井、大仓、冈野等大企业共同出资1 000万日元，组建成立北库页岛矿业会社，从事煤炭经营。据统计，第一年度（1926年度）煤炭产量为9 041吨，第二年度（1927年度）煤炭产量为9.5万吨，第三年度（1928年度）煤炭产量为11万吨，第四年度（1929年度）煤炭产量为13万吨。可以看出，日本在北库页岛的煤炭产量在迅猛增长。

（三）“北库页岛”的争论及解除

北库页岛利权合同签订后，虽然日苏两国就此合同“小矛盾”不断，但是没有形成影响两国关系矛盾的焦点问题。第二次世界大战爆发后，特别是日本决定实施“北守南进”战略后，“北库页岛利权”问题就成了两国争论的焦点。

第二次世界大战爆发后，法西斯德国以“闪电”战迅速占领了北欧、西欧，使英国、法国、荷兰等国在东南亚的殖民地一时成了无暇东顾的“真空”地带。日本认为这种形势变化是“南进”的“千载难逢”好时机，所以“不能误了这班车”的叫嚣在国内上下响起。另外，日本“南进”也为解决侵华战争问题。日本认为中国人民能够长期坚持抗战的原因是外来援助的结果。当时英美援华物资等从东南亚地区进入中国，所以日本要“南进”切断英美援华路线。然而日本的“南进”必然要与在此拥有巨大利益的美国发生冲突，所以日本在坚持侵华战争同时，选择“北守南进”，即南进“不惜与美国一战”，同时调整与苏联关系。对于苏联来讲，如何避免东西两线作战是面对法西斯势力不断扩大侵略战争的关键。随着德国入侵东南欧地区后，苏德矛盾日益尖锐，战争威胁迫在眉睫，所以苏联也希望调整日苏关系，避免日德两国夹击自己。

1940 年 7 月 22 日，力主“北守南进”的第二届近卫内阁成立后，日苏两国调整关系的外交进入实施阶段。10 月 30 日，日本新任驻苏大使建川美次会见苏联外交人民委员莫洛托夫，他转交日方起草的互不侵犯条约草案。11 月 18 日，莫洛托夫会见建川，指出如果缔结互不侵犯条约，就意味着苏联将丧失南库页岛与千岛群岛的领土，苏联社会舆论不会同意的。如果日本不准备讨论这些问题，苏联政府建议放弃互不侵犯条约，两国缔结中立条约，同时两国再签署一份关于解除在北库页岛日本人利权的特别协议书。其主要内容为：“在中立条约签字的同时，一个月内解除日本人在北库页岛的石油、煤炭利权。废除 1925 年 12 月 14 日日苏两国在莫斯科签订的利权合同。苏联政府对利权企业的所有者的投资给予公正的补偿，对日本政府提供 5 年、每年 10 万吨库页岛石油。”①

从这个提议内容看，苏联是希望利用日本急于“北守南进”之机，收回“北库页岛利权”。实质上苏联当时政治稳定、经济发展、军事强大，这也是其要收回北库页岛日本人利权的真正基础。对于苏联提议，11 月 21 日建川大使代表政府答复，日本同意就中立条约进行会谈。但是关于解除北库页岛日本人利权特别协议书完全不能接受。同时提出，为了停止两国间就此问题争议，准备收买北库页岛。对此莫洛托夫给予断然

① ボリス・スラヴィソスキー著、高橋実、江沢和弘訳：《考証日ソ中立条約——公開されたロシア外務省機密文書》，岩波書店，1996 年，第 72 頁。

否定。

在“北库页岛利权”问题上，日苏两国互不相让，使交涉暂时停止不前。1941 年 2 月 3 日，日本举行大本营政府联席会议，审议通过了外相松冈洋右提出的《对德意苏交涉方案纲要》，决定：“德国为中介，收买北库页岛。如果苏联不同意，代替有偿放弃北库页岛，要求今后 5 年内提供 250 万吨石油。”①

3 月 12 日，松冈外相率代表团离开东京，3 月 23 日到达莫斯科后，松冈先后与莫洛托夫、斯大林举行简短会谈。3 月 26 日，松冈一行到达柏林。然而此时德国对苏政策已经发生转变。在第二次世界大战爆发前夕，德国为防止两线作战，主动与苏联缔结了互不侵犯条约，但是该条约违背了 1936 年 11 月 25 日日德两国缔结的《防共协定》的附属秘密协议书规定，使日德两国东西牵制苏联战略破灭，为此日本在二战爆发后宣布“不介入欧洲战争”。日本的变化使德国十分着急，此时德国急需日本在远东地区牵制英国、苏联力量，特别防止美国参战。于是德国提出日本与自己一样同苏联缔结互不侵犯条约，并且在日苏两国之间起中介作用，推动两国关系调整。但是德国在完成占领北欧、西欧后，在进攻东南欧同时，积极准备对苏开战。所以松冈到达柏林时，德国毫不关心日苏关系调整之事，反而暗示近期要爆发苏德战争。柏林会谈使松冈大失所望，借助德国势力调整日苏关系方案遂告破产。

4 月 7 日，松冈一行再次来到莫斯科。松冈希望利用苏德战争迫在眉睫之际，使苏方在“北库页岛利权”问题上让步，而苏联仍然坚持原来立场不变。松冈讲，为了两国友好关系，更主要不伤害日本国民的感情，有必要采取合适方法解决北库页岛问题。出卖北库页岛，对于拥有广阔领土的苏联仅是大海中一滴水。莫洛托夫反驳说，出卖北库页岛纯属玩笑。我们大家可以理解，当初不得不将南库页岛引渡给日本是因 1905 年俄国战败的结果，但是现在无人能理解为什么要出卖北库页岛。鉴于

① 工藤美知尋:《日ソ中立条約の研究》、南窓社会，1985 年，第 67 頁。

苏方对"北库页岛利权"问题毫无相让,在4月11日会谈上,松冈向莫洛托夫提交了"书简",表示该问题可以在将来解决。对此莫洛托夫表示,书简可以进行研究,但是中立条约与解除利权协议书必须同时签订的意见不变。

可以说松冈与莫洛托夫会谈破裂是日苏两国都不希望的,为推动会谈进展,4月12日斯大林与松冈举行会谈。在这次会谈上,松冈仍然顽固地再次提出收买北库页岛问题。对此斯大林一边指地图一边严肃地说,这样日本不是把苏联沿海地区通往海洋的出口完全封锁了吗?堪察加半岛南端的库利鲁海峡、库页岛南的宗谷海峡、朝鲜旁边的对马海峡,这次再把北库页岛作为日本的,想要把苏联完全封锁。这是什么?想绞杀我们吧?是什么友情?① 斯大林的坚决态度使松冈放弃了收买北库页岛的信念,与此同时苏方也相应作出一定让步,同意以松冈书简临时代替解除利权协议书,但是提出书简要写明中立条约缔结后的"2—3个月内"解决利权问题。松冈则提出改写为"数月之内",对此斯大林表示同意。这样双方终于在1941年4月13日签订了《日苏中立条约》。

1941年6月22日苏德战争爆发后,由于初期苏军在战场上处于不利局面,所以8月5日日本新任外相丰田贞次郎会见苏联驻日大使斯麦塔宁,提出苏联放弃对北库页岛利权所有者施加压力做法。8月13日斯麦塔宁转交苏联政府声明,提出希望能够按1941年4月13日松冈书简所讲利权问题"数月之内"解决。然而丰田却提出松冈书简因世界形势发生巨大变化,需要改变有关问题的本质,日本要求苏联作出不妨碍利权实施的保证是当然的。当斯麦塔宁询问日本是否取消对松冈书简的约束时,丰田表示关于北库页岛利权问题有必要今后讨论。可以看出,日本想利用苏联的被动局面,取消两国已经达成的关于解决北库页岛利权问题的约束。

---

① ボリス・スラヴィンスキー著、高橋実、江沢和弘訳:《考証日ソ中立条約——公開されたロシア外務省機密文書》,岩波書店,1996年,第120頁。

1941年12月12日，斯麦塔宁会见西春彦，再次询问松冈书简的约束是否有效？西春彦解释说，当时我在莫斯科工作，对于松冈书简的情况是了解的，松冈提出应该尽快缔结通商条约和渔业条约，作为解除利权问题的前提条件，这样才能造成日本国内同意解除利权问题的气氛。但是苏德战争爆发后，这两个条约都没有缔结，所以现在关于解除利权问题在日本国内无法达成一致。接着斯麦塔宁追问，那么日本政府以苏德战争为由，认为两国已达成的解除利权问题协议书失去效力？对此西春彦解释说："不是说协议失去效力，而是说协议不能实施。"①

然而战场上形势绝非日本所想象的那样发展，1942年6月中途岛战役后，日军在太平洋战场开始走下坡路，而在苏德战场1943年2月斯大林格勒战役后，苏军展开全面大反攻。为了维持日苏两国中立关系，特别防止苏联参加对日作战，1943年6月19日日本大本营政府联席会议上决定，北库页岛利权问题沿着松冈书简精神有偿转让给苏联。7月3日日本驻苏大使佐藤尚武通告莫洛托夫，建议两国就此问题开始交涉。7月8日佐藤提出日方解除利权问题的条件：(1) 石油、煤炭会社现地设施及会社解散所需各项经费补偿。(2) 经营权转让之日到利权合同期满(1970年)内的损失补偿。(3) 前两项补偿希望以物资偿还。(4) 苏联政府在利权解除后，一定年限把北库页岛石油、煤炭，以一定数量和公正价格卖给日本。② 此后两国之间围绕上述内容展开争论，但是战场形势越来越对日本不利，日本外相重光葵指示，不必以对日本有利才缔结协议书，解除日本人在北库页岛利权是符合"大方针"的。所以日本很快接受苏联建议，即(1) 苏联政府向日本政府提供500万卢布。(2) 苏联政府在战后5年内，每年提供5万吨石油。这样1944年3月30日，日苏两国在莫斯科签订了解除日本人在北库页岛利权协议书。日苏两国长期争议的"北库页岛利权"问题，在日本发动侵略，失败已成定局形势下很快

① ボリス・スラヴィソスキ一著、高橋実、江沢和弘訳：《考証日ソ中立条約——公開されたロシア外務省機密文書》，岩波書店，1996年，第221頁。
② 工藤美知尋：《日ソ中立条約の研究》、南窓社会，1985年，第170頁。

解决了。

综上所述,从"北库页岛利权"问题的形成、发展及解除中,我们可以看出在国际关系中"落后就要挨打"的道理。国家实力的强弱,是该国家在世界民族之林中所处地位的基础。如"北库页岛利权"问题的形成,是苏联国力暂时软弱的结果,随着国力的日益增强构成了收回该利权的基础,最后在苏军节节胜利,日军节节失败的情况下,日本主动要求解除利权。另外,"北库页岛利权"问题之所以形成于二战前及二战中,主要是日苏间的矛盾焦点,首先是石油问题,石油是作为岛国日本对外发动侵略战争的基础,日本要千方百计拥有它,北库页岛油田是离日本距离最近的海外石油来源,而苏联要确保远东领土安全,就要制止日本侵略势力的发展,并且更不愿意看到日本利用苏联的石油能源来威胁自己的局面长期存在。其次是领土问题,日本对北库页岛的贪婪是明摆事实,所以苏联时时处处留心,担心"利权"问题长期存在会造成自己在该地区领土权的不稳定。总之,日苏两国关于"北库页岛利权"之争,实质上是对该岛的石油控制权之争。

四、1917—1945 年日苏渔业纠纷①

日苏渔业问题,在两国关系史中占有重要地位问题。据 1907 年俄国被迫与日本签订的《日俄渔业条约》,日本人在俄国海域享有与俄罗斯人同等的渔业权益。苏维埃政权建立后,为收回渔业权益进行了不懈努力,最终获得胜利。1917—1945 年日苏渔业纠纷,不仅反映了两国关系的变化,实质上也反映了两国综合国力的转化。本节就第二次世界大战结束前的两国渔业纠纷问题论述如下。

---

① 本节发表于《日本研究论集 2005》,天津人民出版社 2005 年版。

(一) 1928 年《日苏渔业条约》的签订

1917 年 11 月俄国十月革命胜利后，到 1928 年两国渔业关系实际上延续的是 1907 年签订的《日俄渔业条约》。1905 年 9 月，俄国在战败后被迫与日本签署了《朴次茅斯条约》，根据该条约有关渔业条款规定，1907 年两国签署了《日俄渔业条约》。其主要内容为：(1) 条约适用范围，日本海、鄂霍次克海与白令海的俄国领土沿岸海域。(2) 日本人在上述海域，除海狗、海獭外，拥有捕捞一切鱼类及水产品的权利。(3) 渔业经营采用渔区竞买方法租借。(4) 有关渔区租借竞买活动中，日本人与俄国人享有同等的待遇。①

据统计，从 1908 年该条约开始实施，到 1928 年两国签署新的渔业协定，日本在此渔区租借率为年平均 82.9%。如 1908 年日本租借渔区为 119 个；俄国租借渔区为 14 个。到 1918 年日本租借渔区为 245 个；而俄国租借渔区为 80 个。可以看出该条约充分满足了日本的渔业利益。②

在日本出兵俄国远东及西伯利亚期间，1919 年 8 月 26 日，日本与高尔察克傀儡政权签署文件，双方承认 1907 年《日俄渔业条约》继续有效。1920 年日本又与海参崴地方政权交涉，双方决定该条约仍然有效。但是 1920 年 5 月日本借“庙街事件”出兵占领库页岛北部后，有关 1921 年渔业问题交涉时，海参崴地方政权拒绝日本的要求。在没有得到俄国方面任何政权允许下，日本单方面决定继续在俄国所属海域进行捕捞作业。日本把其称为“自治”捕鱼，并派出军舰保驾护航。这种所谓“自治”捕鱼活动持续到 1922 年底，与此同时日本也没有向苏联方面任何部门交纳租借费。据统计，从 1919—1925 年，日本渔民在苏联领海从业人员，年均为 16 000 人，渔业产值年均为 3 000 万—4 000 万日元。③

① 外務省编：《日ソ交涉史》，巖南堂書店，昭和 17 年，第 95 頁。
② 日本国際政治学会编：《日露・日ソ関係の展開》(国際政治 31)，有斐阁，1966 年，第90 頁。
③ 日本外务省编集：《日本外交文书》大正十二年第一册，第 230 号，第 264 頁。

1923年3月2日，苏联政府公布了《在远东渔业及海兽业经营规定》，明确宣布1907年《日俄渔业条约》无效。从1923年2月两国就建立外交关系问题进行交涉，为了推动交涉进行，苏联同意1923年日本按照原规定继续在该渔场捕鱼作业，有关“自治”捕鱼期间没有交纳租借费175万日元，日方答应补交后，双方缔结了为期一年的渔区租借协定。1924年，在苏联强烈要求下，日本只好支付55万日元，剩下的120万日元交付期票，这样两国根据前年同样条件，签订了1924—1926年的三年期渔区租借协定。①

1925年1月24日，两国缔结《日苏基本条约》，其核心内容之一就是苏联承认了1905年9月《朴次茅斯条约》的继续有效性，同时日本撤出北库页岛军队并建立两国外交关系。据该条约规定，12月22日，两国开始就1907年日俄渔业条约的修改举行会谈。日本在交涉中，要求修改1907年签订的《日俄渔业条约》中有关渔区的租借方法规定。按条约规定日本享有“渔业权益”，但是日本要通过竞买方法获得渔区租借权，签订租借合同后，在所租借渔区内从事渔业生产。日本极力要求寻找替代方法，对此苏联始终坚持竞买方法不肯让步，日本只好接受。

1928年1月23日两国正式签署新的《日苏渔业条约》，其主要内容如下。②

> (1) 日本可以在南起朝鲜国境图们江口，北至白令海峡的苏联远东领海岸一带，从事渔业，但是此区域中不包括沿岸河川以及特定的港湾37处。(2) 渔区的取得原则为竞买方式，每年2月在海参崴执行，但是两国同意的非竞买渔区出租方式例外。(3) 渔区的面积，宽为86间③，长为50间，渔区租金额不固定。(4) 租借渔区的日本渔民，须与苏联渔区管理部门订立合同，如所租借者为罐头工厂地所在的渔区，须与管理当局签订合约。(5) 租期为1年、3年、5

① 日本国際政治学会编：《日露・日ソ関係の展開》(国際政治31)，有斐阁，1966年，第90頁。

② 外務省编：《日ソ交涉史》，巌南堂書店，昭和17年，第139—145頁。

③ 注：1间为2米。

年三等。(6) 渔民纳税以经营业税为主，按照鱼产品的价格而定，至于渔业用品的输入及渔产品的输出，都不须纳税。(7) 渔船出入渔区，须持有苏联驻日领事馆签发的渔船证。

1928 年渔业条约生效后，两国就有关条约规定的落实不断出现纠纷。首先是有关渔区租借问题。1928 年 11 月两国签订特别合同书，规定日本人经营的罐头工厂为 22 家，每个工厂可以附属 2 个渔区。根据该特别合同书，日本人能够长期占据优良的渔区。另外，按照 1928 年《日苏渔业条约》规定，苏联参加该海域渔业生产为国有企业、集体合作组织和个体渔民。1928 年苏联决定，把该海域捕捞产量的 20%，即 200 万普特①的 84 个渔区，不通过竞买而直接保留给苏联国有企业。对此日方表示不满，一是为国有企业保留的渔区中有 30 个渔区是过去日本人经营的。二是认为苏联为国有企业保留的渔区，绝大多数比竞买渔区产量标准定得低，增加了保留渔区的数量。日本要求重新确定保留渔区的产量额，且重新确定产量后出现的剩余渔区要从日本人经营的渔区中排除。如果这种方法不行，也可以把相当这个产量额的渔区不采取竞买方法租借给日本渔民。但是苏联以渔业条约上没有规定为理由给予拒绝，强行把这些渔区交给苏联国有企业经营。

1929 年 2 月，在海参崴举行新渔业条约生效后的第一次渔区竞买会。苏联在竞买公告中，没有将为国有企业保留的渔区进行公示，包括曾经是日本渔民经营的渔区也被取消，此举引起日本渔民抗议，其要求苏联当局调整捕捞定额及渔区租借条件。日本渔民的抗议，没有得到苏联当局的理睬，于是日本渔民不参加竞买会，造成第一次竞买会中多数渔区没有中标。3 月 15 日，苏联再次举行竞买会，日本渔民仍然不参加。4 月 5 日，苏联第三次举行竞买会，日本渔民因捕捞期临近而被迫参加。

两国有关渔业纠纷的另一个问题是卢布换算率。当时苏联卢布是禁止国外流通的，因为当时卢布购买力低，所以利用外币可以很低价格

① 注：普特为俄国的重量单位，1 普特相当于 16.38 千克。

购入。日本在苏联远东地区设有朝鲜银行支行，该支行以低价购入大量卢布，日本渔民可以通过其获得低价卢布来支付渔区租借费及其他支付金。对此苏联当局于 1930 年 9 月宣布，禁止日本的朝鲜银行支行进行这种非法的外汇市场交易行为。日本渔民约 900 万卢布的年度渔区租借费及其他支付金，在苏联指定的正式场合兑换与这种市场交易兑换差额为 500 万—600 万卢布。两国政府就该问题于 1930 年 10 月开始举行交涉，最后双方达成协议，苏联提出发行国有企业债券，以低价卖给日本人，可以利用该债券支付渔区租借费及其他支付金。苏联提出该债券的发行兑换率为 20%，日本表示反对，苏联最后同意兑换率为 50%。1931 年 2 月渔区租借竞买会迫近，苏联当局宣布以日元 40 钱兑换 1 卢布来购买苏联国有企业发行的债券。日本表示反对，要求按照当时市场价格兑换，最后苏联让步，1931 年 4 月 26 日，两国达成临时协议，规定日本渔民以日元 32.5 钱兑换 1 卢布来购买苏联国有企业债券。①

另外，两国围绕着有关领海问题也存在争议。苏联主张领海权为 12 海里，而日本主张按国际法规定各国领海权为 3 海里，所以双方不断发生纠纷。1930 年日本渔船在堪察加湾内及其他离海岸 3 海里附近区域设置海拦网捕捞，对此苏联提出强烈抗议。

1931 年“九一八”事变爆发后，苏联采取尽量避免刺激日本而免遭侵略的对日政策。在两国渔业问题上也得到充分反映。1932 年渔区租借竞买会上，日本获得了新渔区 82 个，加上特别合同租借渔区，总计达到 392 个渔区。此后日本把要求渔区租借稳定作为主要交涉方针。1932 年 5 月 14 日，日本驻苏大使广田弘毅向苏联提出，今后将日本新拥有的 82 个渔区中的一半通过竞买方式租借，而且这一半渔区要由日本人在现有全部渔区中自由选定，其他现有租借渔区以同样条件不通过竞买获得租借权。5 月 18 日，苏联对此答复，60 个渔区要通过竞买方式租借，其他渔区可以在渔业条约有效期内，不通过竞买方式取得租借权。作为交

① 日本国際政治学会编：《日露・日ソ関係の展開》（国際政治 31），有斐阁，1966 年，第92 頁。

换条件，要求日本不得坚持有关领海问题的立场。6月6日，日本向苏联表示，同意按日本现有渔区中的60个渔区实行竞买方式租借，但是这些渔区应由日本自由选择。另外，有关苏联国有企业保留渔区、集体企业、个体渔民租借渔区，须征得日本的意见后决定。苏联为国有企业保留渔区，应该以1932年前捕捞量为基础增加保留渔区。增加的保留渔区额应该从1932年苏联个人及团体经营的渔区、新开设渔区及以前没有中标的渔区中选择。苏联表示接受日本有关限制主张，这样日本也实际承认了1932年捕鱼总标准量37%为苏联方面国有企业渔区。在这种形势下，1932年8月13日，日本驻苏联大使广田弘毅与苏联副外交人民委员加拉罕签署了有关协定。

(二) 临时渔业协议时期

1928年《日苏渔业条约》的有效期为8年，1935年后日本开始忙于考虑修改有关渔业条约问题。此时对日本来说，最重要的是渔区稳定问题。据1932年"广田、加拉罕协定"，日本可以不通过竞买方式获得大部分渔区，如果这种方式继续采用，主要目的也达到了。

1935年4月，日本提出仅对渔业条约进行补充，不对条约进行更改，对此苏联表示同意。6月5日两国开始举行正式交涉，日本提出:(1) 双方现有渔区12年内稳定。(2) 设定代替竞买方式的租借渔区方式。(3) 裁定合理的渔区租借费及支付方法。(4) 把各渔区编制成渔区组。(5) 调整捕捞量标准与确定计算方法。(6) 严格执行渔业种类的国民待遇。(7) 允许利用沿岸开展特殊渔业。(8) 禁止限制河川入口处企业的渔业。对此苏联方面提出:(1) 可以延长日本人租借渔区合同，但是最长延期只能是条约规定的租借期限5年。(2) 承认特别合同租借期延长。(3) 苏联国有企业保留渔区占整个渔区标准量的40%(比原来增加3%)。(4) 不废除竞买制度，在竞买中日本人与苏联人均等地位。[①] 可以

① 日本国際政治学会编:《日露・日ソ関係の展開》(国際政治31)，有斐阁，1966年，第93頁。

看出,两国的主张存在很大距离。随着1928年《日苏渔业协定》接近期满,日本被迫提出先缔结临时协定。1936年5月25日,双方签订第1份临时渔业协定,同意1928年《日苏渔业条约》延长到1936年12月31日止。

经过多次协商,1936年10月双方达成协议,其主要为:(1)特别合同租借渔区期满后,可以在同样条件下延长到8年期。(2)合同期延长应为同样条件延长。期满后租借区的费用支付除国有企业债券外,其他可以在同样条件下延长3年。(3)现行的国有企业债券换算率规定金额条款使用5年期。① 最后双方约定在当年11月20日为签字日期,然而临近签字日期,苏联却没有任何反映。实质上自1936年11月日德两国签署针对苏联的《反共产国际协定》后,苏联即转变了对日政策。

随着第1份临时渔业协定接近期满,为了保持渔业条约继续有效,日本主动交涉,苏联同意渔业条约可以延长1年期限,但是不同意有关渔区稳定合同继续有效。这样在1936年12月28日,双方签署了第二份渔业临时协定。

1937年10月苏联宣布,1938年2月仍在海参崴举行租界渔区竞买会。日本抓住此机会再次向苏联提议,尽快签署已经达成一致的协定。但是苏联拖到11月20日才做出回答,苏联副外交人民委员斯托臭尼业科夫表示,苏联政府准备签署新的渔业条约,但不是1936年两国达成妥协的草案,因为其已经不能适合目前的形势,特别是1928年《日苏渔业条约》中包含着给予日本人扩张权利的条款,现在肯定不能承认。

1937年12月16日,重光大使会见斯托莫尼亚科夫,提出如果年内不能签署新的渔业条约的话,那么在此之前只能再延长现有的渔业权行使。对此斯托莫尼亚科夫表示,同意延长到新的渔业条约签署前,但是不能无限延长。1937年12月29日,两国签署了同样内容的第3份渔业临时协定。

1938年日本又面临有关罐头工厂附属渔区的特别合同期满问题。

---

① 日本国際政治学会编:《日露・日ソ関係の展開》(国際政治31),有斐阁,1966年,第93頁。

1938 年 9 月 21 日，重光大使向苏联提议交涉，对此苏联外交人民委员李维诺夫指出，首先，日本的渔业权益是根据 1905 年《朴次茅斯条约》获得，但是日本却违反了该条约中有关宗谷海峡航行自由的规定。1938 年 5 月，苏联冷冻船在宗谷海峡被日本以侵入禁区为由扣压。其次，日本没有履行有关中东铁路购买资金支付的保障义务，伪“满洲国”停止支付有关中东铁路购买资金 600 万日元。

11 月 28 日，苏联向日本新任驻苏大使东乡茂德表示，日本在没有履行中东铁路购买资金支付义务之前，苏联不可能与其进行缔结新的渔业条约的交涉。如果在本年内不能进行有关交涉，租借期满的渔区，因军事与保护渔业需要而把 40 个渔区收回，其他渔区必须要经过竞买方式租借。另外有关罐头工厂附属渔区的特别合同也仅能签订延长 1 年期的临时协定。

12 月 8 日，东乡茂德大使就苏联提出有关问题做出解释，指出在宗谷海峡日本领海内设置禁区并不违反《朴次茅斯条约》中有关规定。有关未支付购买中东铁路资金问题，与渔业问题无关系，该问题是因苏联没有完成应向伪“满洲国”支付的债务引起的。如果苏联有诚意的话，特别是如日本所希望那样签订长期渔业条约，日本愿意在有关支付中东铁路购买资金问题上认真考虑。对此苏联没有理睬，到 1938 年底，有关两国渔业条约、渔区稳定合同与特别渔区合同都已期满。这样日本自 1905 年 9 月《朴次茅斯条约》以来一直主张的渔业权益存续性，形成了中断。

1939 年 1 月 2 日，日本如以往一样，把共计 370 个渔区费用通过设置在海参崴的朝鲜银行，向苏联全部交纳，结果苏联仅接受其中 52 个普通渔区的费用，并提出其他渔区的租借应通过竞买方式获得。对此日本提出渔业权行使方法应该由两国政府协商决定，苏联单独决定采用竞买方式是侵害了日本的渔业权，对此苏联不予理睬。为了解决渔区租借问题，日本从实际出发，主动与苏联进行交涉。1939 年 3 月 8 日，日本提出：(1) 苏联不能剥夺取日本人的渔业权益。(2) 租借期限应为 5 年期。(3) 包括租借区的费用在内的各种费用支付按原来条件进行，苏联要对此给予保障。[①] 对此，苏联表示除第一条外，其他内容可以考虑。尽管日本不断提出抗议，1939 年 3 月 15 日苏联仍举行了海参崴渔区租借竞买会。通过竞买方式及后来的调整，日本基本保住了渔区经营。1939 年 4 月 2 日，两国签署了第 4 份同样内容的临时渔业协定，这样也解决了 1939 年日本渔业问题。

（三）1943 年日苏渔业协定的签订

1939 年 5—8 月，尽管日苏两国爆发了诺门坎武装冲突事件，但是第 4 份临时渔业协定仍然得到执行。1939 年 9 月 1 日第二次世界大战爆发后，日苏两国都希望缓和对抗局面。在这种形势下，1939 年 11 月 15 日，日本外相野村吉三郎会见苏联驻日大使斯麦塔宁，提出应该就缔结长期渔业条约与中东铁路购买资金支付等问题进行交涉。有关渔业问题，提议在以往协商基础上进行适当修改，现行的渔业条约可以延长为 8 年期。有关中东铁路购买资金支付问题，日本准备在"满"苏两国之间积极斡旋。12 月 15 日苏联外交人民委员莫洛特夫会见东乡大使，指出支付购买中东铁路资金问题为先决条件，然后再举行有关缔结长期渔业条约问题的商议。

由于停止支付购买中东铁路资金问题，影响到两国之间渔业问题，所以日本对此非常重视。东乡大使向苏联提出，应该在有关中东铁路购买资金余下的 600 万日元中，扣除苏联所欠的伪"满洲国"的债务 110 万日元及其他 17.6 万日元，余下的资金由伪"满洲国"支付。然后两国应立即进行有关缔结长期渔业条约及签署 1 年期的临时渔业协定的交涉。苏联对此表示不满，因而拒绝进行有关缔结长期渔业条约问题的交涉，但是同意就有关签署临时渔业协定问题进行交涉。1939 年 12 月 27 日，苏联提出，在签署临时渔业协定前，必须解决支付中东铁路购买资金问题。日本因急切希望能在年底前签署两国临时渔业协定，所以只好按照

① 外務省欧亜局東欧課编：《戦時日ソ交渉史》下册，東京，ゆまに書房，2006 年，第 696 頁。

苏联要求支付了581万日元。这样两国在1939年12月31日,签署了第5份临时渔业协定。

1940年2月29日,东乡大使提出解决两国渔业纠纷新建议:(1)现行渔业条约不经过修改延长10年期。(2)现租借的渔区,在条约有效期间内,双方按以往条件各自保持。(3)渔业经营及条约解释上的问题交由设置的两国专门委员会协议决定。

对此苏联方面6月20日也提出方案,其主要内容为。①

> (一)渔业条约有效期为5年,并做出修改:(1)租借渔区要通过竞买制度,不承认渔区稳定制度。(2)不承认罐头工厂附属渔区长期经营的特别合同,该渔区也经过竞买方式获得经营权。罐头工厂的特别报酬要进行调整。(3)增加若干条约实施外的湾及入江口。(4)废除条约中有关对苏联国有企业、集体企业及个体渔民的限制规定。(5)渔区租借期改为新渔区为1年,以后为4年。(6)重新审议条约有关税金规定。(7)1937年以来没有连续经营两年的渔区封闭,将来没有经营1年的渔区为破坏合同。(8)新设或扩建罐头工厂冷冻库等实行许可制。(9)捕捞标准额不依据原来的加工品重量,而以未加工品重量为基础。(10)苏联渔区河口前面3海里水域渔业实行特别许可制。(11)废除有关取缔渔业规定的各种待遇规定,有关条约及租借区合同规定外的事项适用于国内法律。
>
> (二)不接受日本方面提议设置两国专门委员会。
>
> (三)卢布兑换率按国际市价规定。
>
> (四)提议就公海捕鱼限制问题进行交涉。

苏联上述提案,第一,否定了日本提出的关键性问题即渔区稳定问题。第二,使日本渔业企业核心问题建设工厂成为困难局面。第三,废除了有关租借区费用及其他支付金的特权。第四,解除了对苏联渔业生

---

① 外務省欧亜局東欧課编:《戦時日ソ交渉史》下册,東京,ゆまに書房,2006年,第698—699頁。

产的一切限制。第五,废除了日本人不适用于苏联国内法律的特权。这样,日本在苏联领海拥有的渔业权益,实质上仅剩下了空架子。因此 9 月 5 日,东乡大使向苏联提出不能以该提案作为两国交涉基础,要求撤回该提案,要求以日本提案为交涉基础。对此莫洛特夫表示,日本已经多次违反 1905 年 9 月《朴次茅斯条约》,苏联仅是尊重国家主权,并不是要取缔日本的渔业权益,日本要对苏联提案进行逐条审议。东乡大使仍然坚持全面否定苏联提案,希望苏联提出新的提案。

1940 年 12 月 13 日,日本新任驻苏大使建川美次向苏联提出:(1) 现行渔业条约不用修改直接延长 3 年期。(2) 有关罐头工厂附属渔区的特别合同也延长 3 年期。(3) 承认苏联国有企业按以往经营渔区 3 年期。12 月 23 日,苏联不仅拒绝建川大使提案,而且还表示 1928 年《日苏渔业条约》已经失效,临时协定仅限于 1 年期,仍然希望日本方面对苏联提案进行逐条审议。

鉴于在 1940 年内两国很难就长期渔业条约问题达成一致,1940 年 12 月 26 日,日本提出在年内按以往惯例签署临时渔业协定,苏联表示同意。这样在 1941 年 1 月 20 日,两国签署了第 6 份临时渔业协定。此后日本提出设置委员会就有关缔结长期渔业条约问题进行交涉,苏联表示同意。在两国交涉过程中,1941 年 2 月 19 日,日本提出:(1) 新的渔业条约期限应该从 1942 年起为 5 年期。(2) 在条约期限内日本现有渔区按租借渔区合同延长方法签署协定。(3) 租借区费用及其他支付金,按过去三年实际的平均额一次性支付。(4) 承认苏联国有企业按以往捕捞标准额合计 500 万普特获得渔区。① 对此苏联表示:(1) 同意条约有效期为 5 年。(2) 反对签署日本现有渔区延长协定,因为这样会消解渔区竞买制度。另外有些渔区因国家、军事及其他方面需要,有必要实行封闭。(3) 不同意租借区的费用及其支付金按过去三年实际平均额的一次

① 外務省欧亜局東欧課编:《戦時日ソ交渉史》下册,東京,ゆまに書房,2006 年,第 698—699 頁。

性支付方法。(4) 有关苏联国有企业渔业问题属于苏联主权问题,不能作为两国协定的内容。[①]

1941 年 4 月 5 日,苏联进一步提出如下条件:(1) 条约有效期为 5 年。(2) 渔区租借按现行竞买方式,但是因国家需要封闭的 5 个渔区除外,其他日本方面特别合同渔区 5 年稳定。(3) 近 2 年间日本租借者不经营的 38 个渔区封闭。(4) 废除国有企业债券支付方法,一切支付金额按 1940 年 1 月 2 日公认市价执行。(5) 苏联方面渔业不受条约限制。(6) 因国家及保护渔业需要,有 8 处入江口及海湾禁止日本人及外国人进行渔业生产。

对于苏联上述提案,日本表示反对,5 月 14 日提出自己提案:(1) 不仅特别合同,日本现有渔区都应该在条约期限内采取延长方法。(2) 承认苏联提出有关入河口及海湾区域禁止渔业主张,但是不能涉及公海。(3) 同意近 2 年内不连续经营的渔区解除租借合同。(4) 如果苏联接受日本提案,日本在有关支付金及苏联企业问题上做出如下让步。即撤回日本提出一次性支付金提案,一切支付金额按公认市价决定;同意苏联企业脱离条约限制。(5) 条约有效期为 5 年。

对于日本提案,苏联在 5 月 31 日做出答复,其主要为:(1) 有关竞买制度不能更改,但是苏联可以在日本租借渔区问题上有所考虑。(2) 有关入江口及海湾区域禁止日本人及外国人进行渔业生产,同意不涉及公海,但是具有战略地位区域除外。(3) 有关支付金问题接受 5 月 14 日日本提案。苏联提案可以说大部分接近日本提案,但是最重要部分与日本提案是完全相反的,即不承认日本现有渔区的稳定化,有关被禁止渔业区域包括战略地位公海区域。为此 6 月 10 日建川大使向苏联提出:(1) 不同意竞买制度。(2) 不同意禁止日本人及外国人渔业区域涉及公海。[②]

① 西春彦監修:《日本外交史》第 15 卷,東京,鹿岛平和研究所出版会,昭和 45 年,第 319 頁。
② 西春彦監修:《日本外交史》第 15 卷,東京,鹿岛平和研究所出版会,昭和 45 年,第 320 頁。

1941 年 6 月 22 日苏德战争爆发，12 月 8 日太平洋战争爆发，日苏两国有关渔业问题交涉被迫停止。1941 年 12 月 17 日，日本向苏联提出继续就新的渔业条约进行交涉的同时，提出就签署 1 年期临时渔业协定问题进行交涉，并提出：(1) 特别合同按以往条件延长 1 年期。(2) 承认按以往苏联国有企业保留捕捞标准量 500 万普特的渔区。(3) 租借区的费用支付因太平洋战争爆发，日方兑换外币出现困难，要求采用日元支付，其中 1/2 以日本国内物资代替，其余 1/2 以外币或者黄金支付。(4) 本年度租借区期满需要经过竞买的日本 19 个渔区，希望双方约定全部由日本方面中标。[①] 对于日本的上述提案，苏联提出，租借区的费用支付不能以物资支付方法，要求全部为外汇或者黄金支付。对于合同期满的日本渔区，苏联表示大部分可以由日本中标，但是不能完全由日本中标。由于苏联此时还处于苏德战场不利形势下，经过 3 个月交涉，1942 年 3 月 20 日，两国签署了第 7 份临时渔业协定。

在苏联不断面临德国大规模军事进攻形势下，日本感到形势有利于自己方面。日本新任命驻苏大使佐藤尚武到任后，1942 年 9 月 25 日会见苏联副外交人民委员威辛斯基，提出继续就有关缔结渔业条约问题交涉。苏联对此拖延到 10 月 25 日才表示同意交涉。

12 月 7 日，佐藤尚武大使提出日本提案为：(1) 现有两国租借渔区依据合同延长方法，不经过竞买方式直接租借 8 年。(2) 将来新开设的渔区以两国平均分配原则进行抽取选择。(3) 渔区因自然原因封闭后，要提供不低于该渔区经济价值的替代渔区。(4) 苏联的渔业权许可及经营状况要通报日本。(5) 现在日本交纳的渔业支付金额应根据经营实际状况进行下调。(6) 渔业条约及租借渔区合同解释上发生纠纷时，应设置专门委员会协商解决。(7) 不应以企业合理化为名变更租借区的费用及捕捞标准额，各渔区标准定额要根据该渔区状况进行调整。(8) 有关

① 西春彦監修：《日本外交史》第 15 卷，東京，鹿岛平和研究所出版会，昭和 45 年，第 320 頁。

鱼类及其他水产品保护繁殖政策，应由两国共同研究决定。① 对于日本提案，苏联表示出强烈不满，认为日本无视苏德战争爆发前两国交涉状况，提出要在1941年6月的两国交涉基础上继续进行交涉。因又涉及临时渔业协定期满问题，所以双方经过协商，对第7份临时渔业协定进行必要的文字修改后，1943年3月25日，佐藤尚武大使与苏联副外交人民委员洛佐夫斯基签署了第8份临时渔业协定。

双方有关长期渔业条约问题交涉中的焦点为：第一，日本租借渔区不经过竞买方式而直接租借问题。第二，有关苏联渔业团体及个人是否适用于渔业条约问题。第三，关于禁止日本人在入江口及海湾捕鱼问题。对上述问题，日本在承认竞买制度的前提下，要求苏联应考虑到日本租借渔区利益。有关禁止日本人渔业区域问题，实际上进入1942年中期后，随着大战进程发展，在太平洋北部区域，日本人真正能够经营的渔区已经很少了，所以此时日本也不如以往那样强烈坚持了。这样在1943年3月30日，日苏两国经过长期交涉的长期渔业条约终于签署。其最主要内容为：(1) 日苏渔业条约及附属文件，从1944年1月1日起，有效期为5年。(2) 有关苏联渔业团体及个人渔业经营的一切问题，由苏联专门处理，不受渔业条约及文件规定的限制。②

日本经过长期努力终于得到了长期渔业条约的签署，但是1943年渔业条约与1928年渔业条约已经完全不同，日本所谓拥有的渔业权益仅剩下形式而已，而且伴随着长期渔业条约的签署，日本与苏联也签署了有关解除日本人在北库页岛的利权协定。进入1944年后，随着美国海军在太平洋北部区域的活动扩大，日本渔业生产受到威胁。进入1945年后，随着美军对日本本土的攻击，日本渔业生产完全停止。1945年8月9日，苏联对日本宣战，1943年签署的《日苏渔业条约》也就同时失效了。

① 西春彦監修：《日本外交史》第15卷，東京，鹿岛平和研究所出版会，昭和45年，第323頁。
② 西春彦監修：《日本外交史》第15卷，東京，鹿岛平和研究所出版会，昭和45年，第330頁。

综上所述，从1917年11月俄国十月革命后，日苏渔业关系，形成了一种以苏联努力收回本国渔业权益为核心，日本拼命维护在苏联领海渔业权益为重要目标的争夺状态。苏维埃政权建立后，因实力有限被迫在1925年两国签订的《日苏基本条约》中，苏方承认1905年9月《朴次茅斯条约》继续有效，当然也承认1907年两国签订的渔业条约继续有效。1928年渔业条约到1936年期满后，随着日本扩大侵华战争，特别是日本在“七七”事变后，对苏采取了更加强硬政策后，苏联方面对于签署两国长期渔业条约采取了拖延战术，即仅签署一年期临时渔业条约，并且连续签署了八次临时渔业条约。这一方面是以此来制约日本对苏政策，另一方面也在不断收回自己的渔业主权。1943年时两国签订的渔业条约，可以说已经完全不同于1928年的渔业条约，主要是日本已经丧失了在苏联领海拥有与苏联人同等的渔业生产经营权利。与此同时，随着日本在太平洋战场上失败已成定局，苏联才肯与其签署新的长期渔业条约，而日本这时已经丧失了与苏联讨价还价的能力，只能接受苏联要求签订该条约。1917—1945年日苏两国渔业关系变化的根本原因，实质上是两国综合国力强弱相互转化的结果。

五、论“日苏关系史”的主要特征(1917—1991)[①]

本文所提“日苏关系史”，是指从1917年11月俄国爆发十月社会主义革命建立苏维埃政权后，到1991年12月苏维埃社会主义加盟共和国联盟解体为止，74年间日苏两国关系的历史。“日苏关系史”有关内容研究是学术界的老题目，但却很少看到以“日苏关系史”作为整体性研究的成果问世。对“日苏关系史”的整体性研究，不仅对全面系统性地研究起到巨大作用，而且也将对认识此后的日俄关系发展变化提供借鉴作用。因此，本书力图就这方面研究做探索性尝试工作。

① 本节发表于《世界近现代史研究(第二辑)》，中国社会科学出版社2005年版。

(一)“日苏关系史”的三大曲线式发展轨迹

在国与国关系中,最根本的问题是战争与和平问题。纵观“日苏关系史”,从武力冲突转变到缓和,再由武力冲突转变到缓和的演变过程,明显呈现三大曲线式发展轨迹,其缓和的标志就是1925年1月两国签订的《日苏基本条约》,1941年4月两国签订的《日苏中立条约》,以及1956年10月两国签订的《日苏联合宣言》。

1917年11月苏联十月社会主义革命爆发后,日本以武力干涉镇压其革命的面貌出现,拉开了两国关系史的帷幕。在诸列强国家干涉苏俄革命的行列中,日本是出兵最早、最多,撤兵最晚的国家。日本出兵苏俄远东及西伯利亚地区的目的,就是妄图乘苏俄国内暂时混乱之机夺取该地区,使该地区成为日本控制下的势力范围或者统治下的殖民地。日本在所控制地区内,一方面极力扶植傀儡政权,另一方面对当地居民实行残酷镇压。可以说当时日本与苏俄在实力对比上明显处于优势地位,所以苏俄被迫采取设置资本主义性质的远东共和国战略,目的是要抵消日本干涉苏俄社会主义革命的借口。随着苏联红军的大反攻,在《凡尔赛和约》签订后,其他列强国家纷纷撤出干涉军队,唯独日本军队赖着不走。这一时期出现了对此后有重大影响的所谓庙街事件。庙街事件是这一段时期内两国关系冲突的最高点,因此日本借口庙街事件出兵占领了苏俄领土库页岛北部。但日本出兵苏联远东及西伯利亚地区不仅目的难以实现,而且也给自己带来了沉重的经济负担。在这种情况下,日本被迫选择与苏联缓和关系的政策。经过双方长期的讨价还价,1925年1月两国签订了《日苏基本条约》。《日苏基本条约》既宣布了两国建立外交关系,也宣布了日本从苏联领土上撤出干涉军队,所以其标志着日苏两国关系由武力冲突转变为缓和。由于此次转变是在苏联实力相对处于劣势条件下进行,所以两国关系转变后,苏联仍然承认1905年9月签署的《朴次茅斯条约》的继续有效性,承认日本拥有“北库页岛利权”,承认日苏两国之间渔业问题基本延续1907年条约框架解决,此后两国关系发展中，可以说日本一直相对处于主动地位。

1925年《日苏基本条约》签订后，两国关系出现一段相对平静时期，双方没有发生大规模武力冲突，在经济贸易方面也有所增长。但是随着1931年9月“九一八”事变爆发后，日苏两国关系再度陷入紧张之中。日本在侵略中国东北过程中，对苏联在中国东北地区势力采取了驱赶政策，但是日本方面也不敢采取公开的武力手段，不敢轻视社会主义苏联的实力。为了扩大侵华战争，1935年11月日本法西斯与德国法西斯签订了《反共产国际协定》，目的就是从东西两侧牵制苏联的力量。针对“七七”事变后苏联采取公开援助中国政策，日本则采取以攻为守的对策，在中苏与中蒙边界地区挑起武装冲突，而且规模不断扩大，其中诺门坎事件规模最大，也是这段时期内两国关系冲突的最高点。

1939年9月第二次世界大战爆发后，日本选择了“北守南进”的战略，开始主动缓和与苏联的关系。日苏两国在交涉过程中，就缔结互不侵犯条约，还是缔结中立条约出现争议，其实质是双方缓和关系到什么程度的问题。日本方面希望缔结互不侵犯条约，目的是确保与苏联缓和力度，真正实现“北守”，而苏联则担心与日本法西斯关系过于密切会导致与其他国家关系疏远，主张缔结中立条约。最后在双方妥协中，1941年4月签订了《日苏中立条约》。《日苏中立条约》的签订，标志着两国关系第二次出现缓和局面，也是第二条曲线的标点。这次缓和局面的出现是在双方实力基本平衡条件下实现的，所以双方为了各自目的几乎做出相等的让步。

1941年6月22日苏德战争爆发后，日苏之间可能再次出现对日本方面有利局面，日本欲乘机再度“北进”攻占苏联远东及西伯利亚地区，即所谓关东军特别大演习。然而日本方面所盼望的形势并没有出现，急于“南进”的日本政府被迫放弃了“北进”。1941年12月7日日本发动太平洋战争后，日苏两国的相对平衡又倾向于苏联方面，特别是中途岛战役后，日本由太平洋战场上的战略进攻转变为战略防守，苏联在苏德战场上由战略防守转变为战略进攻后，日本开始采取极力维护日苏两国中立关系的政策。德、意、日法西斯势力在全世界反法西斯人民的共同打击下，最终只能走向失败的道路。在意大利与德国法西斯势力先后投降后，日本法西斯势力就成为全世界反法西斯力量合围打击的目标，最终1945年8月8日苏联宣布对日开战，两国之间这种中立关系被彻底打破。苏军向与日本控制相邻地区展开全面进攻，不仅解放了中国东北地区，而且还夺取了两国存有争议的库页岛南部及千岛群岛，其中包括日本方面所谓北方四岛。这是此段时期内两国冲突的最高点。

第二次世界大战结束后初期，日苏两国关系完全是战败国与战胜国之间的关系。1951年9月签订的《旧金山对日媾和条约》，苏联因不满美国方面一手导演该条约而拒绝在条约上签字，所以两国关系实际上没有改变。为了解决日苏两国之间迫切需要解决的问题，如被俘人员问题、领土问题、渔业问题，特别是日本相对独立后，进一步需要加入国际社会最大组织联合国时，作为五大常任理事国的苏联给予否定态度，使日本愿望难以实现。在眼前问题迫切需要解决的情况下，日本政府采取了主动缓和与苏联关系政策，即鸠山一郎内阁调整对苏关系政策。经过双方“易两地、升三级”的谈判，最终于1956年10月签订了《日苏联合宣言》，宣布两国结束战争状态，恢复外交关系正常化。

1956年《日苏联合宣言》的签订，标志着两国关系史中第三次缓和局面的出现，也就是第三次由武装冲突状态转变为缓和状态完成。在这次转化过程中，日苏两国之间实力平衡上明显呈现对苏联有利局面，所以日本方面被迫提出暂时搁置领土问题待日后继续交涉的对策。此后两国关系，表面上处于和平局面，没有发生大的武装冲突事件，但是这种缓和局面是在美苏冷战的大环境下，两国关系完全呈现冷战关系的特征。1951年9月《旧金山对日媾和条约》签订的同时，日美两国就签订了带有军事同盟性质的《日美安全保障条约》，日本领土上仍然驻扎美国军队，日本成为美国方面对苏联实现冷战的远东地区的前沿阵地，所以日苏两国关系长期处于武力对峙局面。另外，直到苏联解体，日苏两国也没有缔结和平条约。

从以上变化过程可以看出，在日苏两国74年的关系史中，三大条约构成了两国关系缓和的标点。虽然在各个阶段内冲突与缓和的程度不同，例如冲突方面有时为武装干涉，有时为武装冲突，有时为武装对峙；如缓和方面有时为缔结基本条约，规定双方应该遵守的基本原则，有时缔结中立条约，规定双方应该遵守中立关系原则，有时缔结联合宣言，规定双方正常外交关系原则，但是总趋势是相同的。

（二）明显呈现被动性与主动性相互转换过程

如果我们把1917年11月到1991年12月的日苏关系史作为一个整体看，明显可以看出以第二次世界大战结束为界限可分成上下两个部分，其主要根据就是日苏两国的综合国力发生了转换。所谓综合国力，简单地说就是指一个国家在政治、经济、军事等方面的综合实力。在第二次世界大战前，苏联作为世界上唯一的社会主义国家，在各个方面发展上受到帝国主义国家的遏制。在经济发展上，苏联被迫主要依赖国内市场及自身增长的经济、技术实力；在政治上，苏维埃政权自建立起就受到帝国主义国家威胁，如出兵干涉苏俄革命、“祸水东引”等；在军事上，虽然我们很难分清谁在实力上强于对手，但是明显可以看出苏联军队长期是处于守势，而日本军队长期是处于攻势。日本作为当时主要帝国主义国家之一，特别是发动侵略中国战争，使其经济实力大增。所以在第二次世界大战前，在综合国力对比上，日本相对强于苏联。第二次世界大战结束后，日苏两国综合国力发生了转换。首先就是日苏两国在政治上分别处于战败国与战胜国的地位。其次在经济上，苏联利用社会主义阵营国家帮助，利用广大第三世界国家的市场，特别是苏联长期积累发展已经成为世界经济强国，而日本方面虽然自50年代中期腾飞，到70年代初期成为世界经济强国，但是总体经济实力并不强于苏联多少。最后在军事上，苏联为仅次于美国的军事大国，有很多方面甚至还要强于美国，而日本方面本身受到宪法限制至今不敢公开发展军事实力。总之，第二次世界大战结束后，苏联作为政治、经济、军事强国，而日本也仅作为经济强国而已。

日苏两国这种综合国力强弱的转换，反映在相互关系上也呈现被动性与主动性的转换过程。在第二次世界大战前，由于在综合国力上日本强于苏联，所以日本在对苏联关系上就明显呈现主动性特征。在第二次世界大战结束后，由于在综合国力上日本弱于苏联，所以日本在对苏联关系上就明显呈现被动性特征。

二战前日本对苏联关系呈现主动性特征，具体表现为利权问题、渔业问题等。利权问题本身就反映出苏联当时国力软弱的状况。1925 年《日苏基本条约》首先就是承认 1905 年 9 月《朴次茅斯条约》的继续有效性，而该条约正是 1904—1905 年日俄战争中俄国失败所带来的结果。《日苏基本条约》承认日本人在苏联领土库页岛北部拥有开采石油、煤炭的利权，苏联方面以这些为代价，换取日本方面对苏联的承认，撤出干涉军队等。此后苏联方面虽然多次要求解除北库页岛利权问题，但是日本方面则利用各种理由加以拒绝，直到 1944 年 3 月日本在太平洋战场上败局已定，美军已经开始直接攻击日本本土的情况下，日本才同意解除北库页岛利权。解除北库页岛利权问题实质上是日苏两国综合国力转换过程的一种体现。关于渔业问题，在苏俄革命时期，日本方面就采用军舰护航进行所谓自治捕鱼。根据 1925 年《日苏基本条约》规定，1928 年签订了《日苏渔业条约》，该条约很大程度上继承了 1907 年《日俄渔业条约》内容，而 1907 年《日俄渔业条约》正是根据 1905 年的《朴次茅斯条约》而制定的。这些渔业条约的最大特点，就是日本人有权在苏联所领有的海域内捕鱼作业及租借渔区，而且还享有同苏联人一样的权利。总之，第二次世界大战前的北库页岛利权问题、渔业问题都是在日本处于有利条件下缔结条约的。此后苏联在被动下不断要求解除或者修改这些条约，而日本在主动下以各种理由拒绝或者拖延。

二战后日本对苏联关系上呈现被动性，具体表现为领土问题、渔业问题。领土问题本身就是日本在第二次世界大战中失败所带来的结果。1951 年 9 月签订的《旧金山对日媾和条约》，日本被迫放弃了所谓北方领土。虽然该条约没有规定日本放弃的这些领土最终归属国，但是这些领土由苏联方面根据二战期间与同盟国缔结的有关条约而实际上占领。二战后日本方面坚决要求返还所谓固有领土北方四岛，而苏联方面则以各种理由拒绝或者拖延。二战后的日苏渔业问题实际上受到两国领土问题的制约。苏联占领了包括北方四岛在内的千岛群岛及库页岛南部，也就实际上把日本方面几乎排除在北太平洋渔场之外，日本要想进入北太平洋渔场必须得到苏联方面允许，对于日本方面违反苏联政府有关渔业规定，苏联方面则采取强力扣押等措施。总之，二战后日苏之间领土问题、渔业问题，是在日本处于不利条件下缔结条约的，此后日本在处于被动下要求返还或者修改这些条约，而苏联方面则在处于主动下以各种理由拒绝或者拖延。

（三）始终存在着重大利益之争问题

纵观日苏两国 74 年关系史，先后有两件重大利益相争问题一直影响着两国关系的发展，前一件为北库页岛利权问题，后一件则为众所周知的北方四岛问题。

北库页岛利权问题出现的直接原因是庙街事件，庙街事件是两国武力冲突的重要标志，所以说北库页岛利权问题实际上是两国发生武力冲突所带来的结果。同样北方四岛问题的出现直接原因也是两国发生武力冲突后所带来的结果。

庙街事件发生在 1920 年 5 月，日本方面因该事件伤亡惨重而借口出兵占领了苏俄领土库页岛北部，也就实际上控制了该地区石油、煤炭开采权。1925 年 1 月，日苏两国签订了《日苏基本条约》，苏联方面承认日本在库页岛北部拥有石油、煤炭开采权，即所谓北库页岛利权。苏联方面之所以承认日本拥有北库页岛利权，根本原因是当时苏联在实力上与日本相比较处于劣势。苏联实际上以北库页岛利权换取日本对苏联的承认，同时更重要的是换取日本撤军实现国家领土的完整统一。《日苏基本条约》签订之后，随着苏联国家实力的恢复发展，其便努力要求收回北库页岛利权。在第二次世界大战爆发，日本政府决定实施"北守南进"战略后，苏联方面认为这是收回北库页岛利权的好时机，所以在双方缔结条约交涉中，关键性问题就是北库页岛利权问题。对于日本方面来说，拥有北库页岛利权实质上就保证了一部分石油供应的来源，当时石油对于缺少能源资源的日本发动对外侵略战争的作用是不言而喻的。另外作为一个国家，其绝对不会轻易放弃已经到手的任何利益，如果放弃这种已经到手的利益，一是实在无能为力的情况下被迫放弃，二是以放弃该利益来换取更大、更长远的利益。苏联方面希望利用日本急于实施"北守南进"战略而收回北库页岛利权，但是自己也面临着苏德战争爆发的危机，在双方各有所求相互妥协情况下签订了《日苏中立条约》，北库页岛利权问题作为该条约遗留问题存在下来。日本方面曾口头答应数月后双方就此问题继续举行交涉，但是苏德战争爆发后，在战场上德军初期胜利而苏军节节退守的情况下，日本借机否认自己曾做出的继续交涉许诺，实际上就是希望借机取消返还北库页岛利权。随着太平洋战争爆发，特别是1942年6月中途岛战役后，日本开始不断在战争失败道路上滑行时，日本开始有求于苏联方面，特别是伴随着美军对日本本土不断逼近时，日本非常担心苏联方面会乘机参加对日作战，在日本国家受到危难之际，为了维持摇摇欲坠的日苏两国之间中立关系，1944年3月，在日本方面主动提议下，日苏两国签订了解除北库页岛利权协议书。

北方四岛问题的产生、发展，与北库页岛利权问题的产生、发展有很大的相似性，仅是双方所处的角色正好发生了转换。北方四岛问题出现的直接原因是1945年8月苏联对日本宣战，此时日本完全处于战败投降的倒数几天之内，已经没有了抵抗能力。苏联占领北方四岛对日本在政治、经济、军事上构成了极大威胁，在国际冷战大环境下，特别是日本完全投入以美国为首的西方阵营中，日本绝对不会轻易放弃北方四岛。从产生原因来看，北库页岛利权问题与北方四岛问题都是两国发生武力冲突直接带来的结果。另外，北方四岛问题与北库页岛利权问题，对于日苏两国来说同样都是重大利益所在，双方都会为此竭尽全力争夺。

日本政府在策划应付媾和条约内容时就已经考虑到要努力收回北方四岛，但是并没有得到美国方面的支持，实质上美国方面也没有力量迫使苏联方面返还北方四岛。在战后两国恢复邦交谈判过程中，如北库页岛利权问题一样，北方四岛问题也成为两国交涉中的矛盾焦点。面对战后两国恢复邦交问题，苏联方面需要缓和国际紧张局势，另外更打算尽量控制日本来抵消美国利用日本对自己的威胁。日本方面则需要解决日苏两国之间各种悬案，如遣返被俘人员问题、渔业问题、加入联合国问题等。双方在各有所求相互妥协让步的情况下，签订了《日苏联合宣言》。北方四岛问题同样也作为该条约的遗留问题保留下来，苏联方面也曾许诺此后继续就该问题进行交涉。在日苏两国恢复邦交谈判中，苏联方面曾提出把北方四岛中相对利益较轻的齿舞群岛及色丹岛返还给日本方面，目的是希望就此结束两国之间领土问题争议，但是遭到日本方面的拒绝。1960 年新的《日美安全保障条约》签订后，苏联方面认为这是日本进一步与美国勾结对自己构成更大威胁，于是就完全否认有关领土问题的存在。

戈尔巴乔夫时期，苏联进行所谓新思维改革，不仅政治上陷入混乱，而且经济上呈现严重危机。这时戈尔巴乔夫希望借助日本方面资金、技术来扭转被动局面。对于戈尔巴乔夫在资金、技术上的所求，日本方面认为是收回北方四岛的好时机，所以借口坚持“政治经济不可分离”原则，要求苏联方面首先解决北方四岛问题，然后再谈两国经济协作问题。对于戈尔巴乔夫提出先进行两国经济协作，加强两国相互理解信任基础上，再解决领土问题，日本方面表示坚决拒绝。此时日本对苏政策，实质上就是认为利用资金与技术制约手段，能够迫使苏联返还北方四岛。然而虽然苏联方面承认了两国存在领土问题，也实现了戈尔巴乔夫访问日本，但是直到苏联解体也没有表示返还北方四岛。

北库页岛利权问题与北方四岛问题先后出现，几乎贯穿了整个日苏两国关系史。两个问题如何解决，影响了两国关系发展变化，同样也成为左右日苏两国之间政策制定与实施的重要因素。

(四) 渔业纠纷问题为两国关系发展变化的晴雨表

日苏两国相邻的海域，是世界上著名的太平洋北部渔场，可以说两国都希望将渔业资源据为己有不许他人插手。在苏联十月社会主义革命之前，日本与俄国就已经存在渔业纠纷问题，伴随着苏维埃政权成立这种纠纷也随之而来了。但是明显可以看出，当两国关系缓和时，渔业纠纷问题相对减少；当两国关系紧张时，渔业纠纷问题就明显增多，渔业纠纷问题往往成为两国关系变化的一种制约因素，所以可以说渔业纠纷问题是日苏两国关系发展变化的晴雨表。渔业纠纷问题不仅反映出两国关系的变化，而且也反映出两国国家综合实力的变化。

在第二次世界大战结束前，日苏之间渔业纠纷，主要是日本方面要拼命维护根据 1905 年《朴次茅斯条约》获得的在俄国领海内的渔业权，而苏联方面则不断努力地削减或者消除日本方面这种渔业权。在日本出兵苏俄远东及西伯利亚地区时期，日本方面在太平洋北部渔场捕捞作业，是采取在军舰护卫下的所谓自治捕捞作业。但是随着苏维埃政权势力不断向东方扩展，日本这种自治捕捞作业也就受到限制。从 1923 年起两国就有关渔业问题进行交涉，但是在两国关系尚未确定之前，渔业问题仅能是处于临时解决状态。由于苏联远东地区发展相当落后，到苏联管辖区内捕捞作业对于日本渔民具有极大的诱惑力。因此渔业问题成为两国交涉内容之一，1925 年 1 月两国签订《日苏基本条约》，其中非常重要的规定，就是承认 1905 年《朴次茅斯条约》的继续有效性。按 1925 年《日苏基本条约》规定，双方就渔业问题进行交涉，1928 年签订了新的《日苏渔业协定》，有效期为 8 年，另外更重要的是日本方面维持了以往的渔业权。

在 1928 年《渔业协定》期满即 1936 年之后，由于日苏关系不断恶化，特别是日德两国签订《反共产国际协定》后，日苏两国之间渔业纠纷更加激化。苏联方面不断地削减日本方面所拥有的渔业权，而日本方面则拼命维护这种渔业权，双方没有能够即时缔结新的渔业协定，所以渔业问题采用每年签订临时协议方法解决。到 1939 年第二次世界大战爆发，日本政府决定实施“北守南进”战略后，日本主动采取缓和与苏联关系政策，在两国交涉中日本方面提出尽快缔结新的渔业协定，因为苏联方面极力要求收回北库页岛利权而日本方面不予理睬，所以苏联方面也在渔业问题上采取拖延政策，形成双方签署这种临时渔业协定多达 8 次。另外，由于苏联方面担心苏德战争爆发后日本会乘机从海上进攻苏联，所以在远东地区沿海海域设置水雷区。对此日本方面多次提出强烈抗议，认为水雷漂流会造成渔业生产及航行威胁。苏联方面对此采取否认态度。在 1941 年 4 月缔结《日苏中立条约》后，苏联方面要求就收回北库页岛利权问题与日本方面举行会谈，而日本方面就以新的渔业协定尚未签订为理由之一加以拒绝。到 1944 年 3 月，日本方面为了维持日苏两国之间中立关系，被迫主动提出放弃库页岛北部日本人利权时，日苏双方才签订了新的长期渔业协定。但是新的长期渔业协定，对日本方面来说，仅仅是剩下了所谓渔业权的形式，而且随着战场形势发展，日本方面已经无法进行渔业生产，到 1945 年 8 月，随着苏联对日宣战，新的渔业协定也同时废除。

第二次世界大战后，由于苏联方面占领了包括北方四岛在内的整个千岛群岛及库页岛南部，也就是说控制了几乎整个太平洋北部渔场，使得日本在北太平洋渔场捕捞作业更加困难。二战后日苏之间渔业纠纷主要表现为苏联以“入侵”为由，扣押日本渔船事件不断发生。然而这些扣押事件发生的次数，也随着日苏两国关系变化而增减。在两国关系缓和时，扣捕渔船事件就相对减少；当两国关系紧张时，扣押渔船事件就明显增加，可以说这种扣捕渔船事件成为苏联方面制约日本方面的一种手段。在战后日苏两国恢复邦交谈判中，苏联方面就曾经利用渔业问题，如扣押日本渔船、限制日本渔船进入捕鱼区等方法，强迫日本方面在领土问题上做出让步。根据统计，在 1946—1976 年，苏联方面共计扣押日本方面渔船 1 534 艘，渔民达 12 742 人。

二战后日苏两国频繁出现渔业纠纷的另外一个因素，就是两国关于北方领土问题的争议。由于日本方面认为北方四岛是属于自己的领土，所以认为到北方四岛附近海域捕鱼作业合理合法，但是苏联方面认为这些海域已经属于自己，故对不经允许而敢于闯入的日本渔船采取有关扣押对策。所以二战后苏联扣押的日本渔船很大比例是北方四岛附近海域的。实际上这完全反映出战后日苏两国关系的变化。

(五) 始终存在对抗性及受中美因素影响

自1917年11月苏联十月社会主义革命胜利后建立苏维埃政权，到1991年12月苏联解体为止，可以说在苏联存在的74年间，日苏两国始终处于一种对抗性关系发展演变过程中。即便是两国缓和关系而缔结有关条约，这些条约也是在相互对抗妥协中形成的，而且这些条约签订后并没有消除两国之间的猜疑或者说增加信赖程度，所以往往形成利用条约限制对方，自己方面并没有真正履行的局面。

日苏关系中始终存在这种相互对抗性，既有历史原因，也有现实原因，更有重大利益之争。从历史来看，日本与俄国都是后起的军事封建帝国主义国家，在两国资本主义发展的初期都采取了军事扩张政策，在军事扩张道路上两国形成争夺，造成领土纠纷，成为两国关系发展中的最主要障碍。从现实来看，苏联十月社会主义革命胜利后，是世界上唯一社会主义国家，第二次世界大战后，苏联又是社会主义阵营中最主要国家；而日本在第二次世界大战前，是资本主义国家中主要强国，特别是日本走上法西斯道路后，更视社会主义国家为主要敌国，第二次世界大战后，日本完全投入以美国为首的资本主义国家阵营，成为美国在远东地区进行冷战对抗的最主要帮凶。日苏两国不仅社会制度根本不同，而且在思想意识上也截然相反，这就造成两国关系从根本上处于相互对抗。在国际社会中，不同社会制度的国家，在维护本国利益的前提下也有和平相处的事实，但是日苏两国却始终存在重大利益问题之争，如二战前的北库页岛利权之争，二战后的北方四岛之争，这些又促成了两国关系的相互对抗性。

尽管在两国关系发展中也出现了以签订三大条约为标志的缓和局面，但是这些条约都是在相互对抗中妥协的结果，而且这些条约并没有完全消除两国之间的矛盾。如 1925 年《日苏基本条约》的签订，实际上是日本以撤军来换取北库页岛利权，1931 年“九一八”事变后两国关系又趋紧张。1941 年《日苏中立条约》签订，实际上是双方为了避免两线作战而达成的妥协，北库页岛利权问题仍然没有解决。1956 年《日苏联合宣言》签订，实际上是美苏两国“冷战”关系缓和的一个反映，当然更主要是日苏两国各自所求的妥协，北方四岛问题作为遗留问题仍困扰着此后两国关系发展。另外，从这三大条约所标志的缓和程度看，也仅仅是限制或者规范双边关系，并没有出现任何友好或者结盟的意识。

在第二次世界大战结束前，日本对苏联关系，主要考虑如何扩大在中国的侵略势力以防止苏联干涉，以及如何排斥美国在远东地区的竞争势力。同样，苏联对日本关系，也是主要考虑如何防止日本利用中国为基地侵略自己，以及如何借用美国势力来打击日本侵略势力。在第二次世界大战结束后，日美关系成为日本外交的基轴，追随美国外交成为日本对苏联关系的一大特色。同样，苏联对日本关系，也是利用日本因素，或是拉拢日本以达到离间日美关系，或是打击日本而间接打击美国。

在日苏关系发展过程中看中国因素，可以明显发现，在中日两国关系恶化时，日苏两国关系就相对缓和，当中日两国关系缓和时，日苏两国关系就相对恶化。如第二次世界大战前，日本侵略中国时，日苏关系就相对缓和，虽然也发生了一定规模的武装冲突，但是相对中日关系就是缓和。第二次世界大战后，中苏两国曾经联合共同抵制日本军国主义复活，反对日本投向美国为首的资本主义阵营。随着 60 年代中苏两国关系恶化，日苏两国关系相对出现了缓和趋势，到 70 年代随着中日两国恢复邦交正常化后，日苏两国关系相对不断恶化。这里很重要的因素，就是三国同处于一个地域而形成了自然的各种竞争存在。

同样，在日本对苏关系发展过程中看美国因素，也可以看出，在日本排斥美国在远东地区势力及日美两国关系恶化时，日苏两国关系就相对缓和，当日美两国关系缓和，特别是第二次世界大战后日美两国缔结同盟关系后，日苏两国关系就相对恶化。出现这种状况的主要原因，是日本政府在制定及实施对外政策时，往往利用大国之间矛盾来寻找自己的发展道路。

第二章 日本对苏联的“中立”政策

第二次世界大战初期，日苏两国缔约问题达成妥协后，缔结何种条约出现争议。日本提出缔结日苏互不侵犯条约，一是要阻止苏联援助中国抗日和确保它“北守南进”计划的实施。二是希望能进一步实现日德意苏的四国协调，使它在同美英等国的抗争中增加力量。苏联提出缔结日苏中立条约，一是为了避免一旦苏德战争爆发时，日本站在德国一边对苏开战。二是担心日苏两国关系过于密切会导致苏联与其他国家关系的恶化，而带来未来战争中树敌过多的困境，所以反对缔结日苏互不侵犯条约。

1941 年 4 月 13 日晚《日苏中立条约》的签订，从条约内容来看，它实际上是中立条约与互不侵犯条约的混合体。对于日本来说，关于“遵守中立”的条款，可以阻止苏联援助中国抗战，而关于“尊重对方领土完整”的条款，则有利于维持伪“满洲国”同苏蒙边界地区的平静与安宁，便于它推行“北守南进”的计划，这也是日本在同苏联缔结条约时所追求的主要目的。《日苏中立条约》的签订，是在中日、日美、苏德、中苏的多角关系相互作用下，日苏两国相互妥协的结果，因此也必然要受到上述各种关系的不断变化的影响。随着第二次世界大战战场规模的不断扩大，苏德战争、太平洋战争相继爆发，苏联的敌人德国是日本的同盟国，日本的敌人中美两国又是苏联的同盟国，而且日苏两国又分别是两大对立集团的主要成员。面对这种错综复杂、相互交织的局面，伴随着形势的变化，日苏两国之间的中立关系几次濒临破裂的危险，两国在不断摇摆、动荡不定的形势下，艰难地把日苏两国之间的中立关系坚持到战争结束前夕。

一、诺门坎事件爆发原因及对日苏关系的影响[①]

诺门坎在今天中蒙边境东部地区，1939 年 5 月至 9 月，日本军队与苏联及外蒙古军队于此发生了一场大规模武装冲突，史称诺门坎事件。有关这一事件的研究，国内外已经有很多成果。苏联及俄罗斯学者认为，日本挑起诺门坎事件目的是为侵略外蒙古地区，以及进一步侵占苏联远东及西伯利亚地区。日本学者多数认为，这是因边境线解释不同而发生的大规模武装冲突，少数认为是日本要扩大侵略"满蒙"地区，进一步侵略苏联。在我国，厉春鹏等五人撰写了《诺门罕战争》(吉林文史出版社 1988 年 12 月版)一书，该书非常翔实地记述了整个事件发展过程，是研究该事件有价值的资料。本书认为，诺门坎事件不是孤立的，应该从日本侵华战争的大角度来分析。诺门坎事件爆发的真正原因是日本扩大侵华战争所需要的一种策略，而不是要进攻苏联，另外日本挑起诺门坎事件也有明显希望借此造成反苏烟幕，以换取西方国家继续推行绥靖主义政策的目的。但是日本在诺门坎事件遭到了可耻惨败，此后被迫放弃对苏强硬政策，而且在苏德战争中不敢轻易参加对苏作战。本书就此粗略论述如下。

(一) 诺门坎事件爆发原因

诺门坎事件爆发之前，1938 年 7—8 月，日本与苏联在中苏边境张鼓

① 本节发表于《历史教学》2003 年 10 期。

峰地区爆发了大规模武装冲突，结果日军遭到惨败。为什么日军在发动全面侵华战争期间，明显兵力不足的情况下，不断发动这种大规模军事冲突呢？这种兵力明显不足的进攻，能是真正目的的进攻吗？这就是本书分析诺门坎事件爆发原因的着眼点。

考察诺门坎事件，我们应该将它置于日本发动全面侵华战争的大背景下，"九一八"事变后，日本的侵略势力很快与在中国拥有巨大利益的苏联势力形成对峙；尤其是在中国东北地区的中东铁路问题上，虽然按协定该铁路由中苏共同管理，实际上苏联方面拥有巨大利益。

针对"九一八"事变，苏联于 1931 年 9 月 21 日和 9 月 25 日，分别在《消息报》和《真理报》发表社论，指责日本为侵略行为。但是 10 月 28 日，日本驻苏联大使广田弘毅向苏联代理外交人民委员加拉罕提出："据说苏联向马占山军队提供了物资援助，如果苏军沿中东铁路出动，会刺激在满的日军，那么日军为了保护侨民与铁路不得不采取必要行动。"第二天，加拉罕答复说："苏联政府尊重与中国政府缔结的条约，尊重他国的主权，所以采取严正的不干涉政策。"11 月 14 日，苏联外交人民委员李维诺夫再次发表声明，重申上述"不干涉"政策。[①] 很显然，苏联这种"不干涉"政策，实质上是默认日军的侵略行径。

此后，苏联又进一步提出两国缔结互不侵犯条约建议。1931 年 12 月 31 日，日本新组建的犬养毅内阁外相、前驻法国大使芳泽谦吉回国就任，途经莫斯科。苏联外交人民委员李维诺夫为芳泽举行了招待会，会上提出苏联对外政策的基础是"保持与所有邻国和平、友好关系"，基于这样方针，苏联已与一系列有关国家缔结了互不侵犯条约或中立同样条约，有的正在缔结交涉中，因此苏联提议日苏两国缔结互不侵犯条约，并进一步解释说："目前外国军国主义冒险分子策划破坏苏日两国关系，如果我们两国能够缔结这样条约，将具有重大意义。"[②]对此芳泽谦吉没有

① 西春彦監修:《日本外交史》第 15 巻，東京，鹿島平和研究所出版会，昭和 45 年，第 128 頁。
② 平井友義:《三十年代ソビエト外交の研究》，有斐阁，平成五年，第 166 頁。

表示反对，提出这一问题很重要，须提交内阁研究。

1932年1月12日，苏联驻日本大使托诺夫斯基拜会日本首相犬养毅，再就缔结互不侵犯条约之事探询。犬养毅表示，这个问题是第一次听说，需要与外相认真研究，同时提出日苏之间纠纷的焦点是渔业问题，如果苏联肯在这方面给予友好态度，这些也就自然解决了。苏联方面很快做出答复。托诺夫斯基在与外务省次官永井松三会谈上表示，如果日本方面同意缔结两国互不侵犯条约，苏联将在包括渔业问题在内的有关经济问题上采取友好态度。同时，他还提议两国就缔结互不侵犯条约立即举行正式会谈。对此，永井松三没有明确表态。

日本的消极态度，并没有使苏联放弃努力。1932年11月9日，苏联代理外交人民委员加拉罕会见日本代理驻苏联大使天羽英二，提出“苏联准备同日本缔结互不侵犯条约，也准备以同样内容与满洲国缔结互不侵犯条约”，并提议就上述内容立即开始交涉。但是，日本仍然坚持不理睬对策。直到1932年12月13日，也就是苏联提出建议近一年左右时间，日本才做出正式答复。日本外相内田康哉在会见苏联驻日本大使托诺夫斯基时讲：“关于日苏缔结互不侵犯条约谈判之事，日方感到时机尚未成熟，两国应该在解决各种悬案的基础上再进行这方面谈判。”①苏联提议就被日本正式拒绝。

日本完成对中国东北的侵略，为进一步扩大侵华打下基础。于是1936年7月24日，日本内阁做出决定，“为确保我国安全以及大陆政策的顺利推行，我们必须联合其他国家牵制苏联的力量，以减少我方的威胁。为此我们决定与别国缔结条约。”②1936年11月25日，日德两国正式签订《反共产国际协定》及附属秘密协定书。苏联真正认识到，一味地妥协、让步，反而使日本方面更加猖狂，因此苏联改变了对日政策。以1937年“七七事变”爆发为契机，苏联放弃“不干涉”政策，转变为公开支

① 工藤美知尋:《日ソ中立条約の研究》、南窓社会，1985年，第24頁。

② ボリス・スラヴィンスキー、著、加藤幸廣訳:《日ソ戦争への道——ノモンハンから千島占領まで》，東京，共同通信社，1999年，第40頁。

持中国人民抗日战争。1937 年 8 月 21 日，苏联政府与中国政府签订《中苏互不侵犯条约》，不仅从精神上支持中国人民的全面抗日战争，还向中国政府提供大量军事物资援助，向中国派遣志愿飞行员，直接参加中国人民全面抗日战争。苏联的目的就是通过支持中国人民抗日战争，牵制日本军事力量，打破东西两个法西斯国家的夹击。

日本发动“九一八”事变的一个借口，就是反苏反共，防止“满蒙”地区赤化，并以此换取西方国家的绥靖主义政策，所以日本不能接受苏联提出的缔结互不侵犯条约的建议。但是日本发动七七事变后，与美英等国家关系越来越恶化。由于日本没有能够按照西方国家所希望那样，占领中国东北后继续北上进攻苏联，而是南下与他们争夺中国关内，特别是长江流域及东南沿海地区的势力范围，使他们逐渐认识到日本侵华战争的真正目的，就是要独占中国，排斥西方国家在华利益，所以西方国家也开始逐渐放弃对日本侵华战争的绥靖主义政策。面对上述变化，日本当局除加强在中国全面侵略战争之外，对苏联进一步采取强硬政策。对苏联强硬政策的目的，一是想继续利用以攻为守，迫使苏联继续“不干涉”。日本方面曾经解释为：“苏联之所以不敢进行挑衅，主要我方在军事上，采取了对苏进攻体制所致，因此我方没有必要放弃这一有利的形势，否则只会使苏联坚持强硬的立场，给我方对苏交涉带来不利影响。”① 二是制造更大规模的反苏反共的烟幕，以转移西方国家的视线，进一步换取西方国家的绥靖主义政策。在日本看来，苏联是它对付英美等国的工具，“作为帝国鉴于国际政局，在对外政策上可以利用苏联的余地还存在”②。这种强硬政策的主要表现，就是在中苏与中蒙边境地区不断挑起武装冲突，其中诺门坎事件就是规模最大的一次，这就是诺门坎事件爆发的根本原因。

诺门坎事件的直接起因，是周边各国对该地区边界线的解释有矛

① 森岛守人著、联泰译：《阴谋、暗杀、军刀》，黑龙江人民出版社，1980 年版，第 104—105 页。
② 日本国際政治学会编：《日露・日ソ関係の展開》(国際政治 31)，有斐阁，1966 年，第108 頁。

盾。日本主张，边境线应该在哈拉哈河一线上。其根据是1918年出版的中国军方参谋部地形考察队绘制的比例尺为十万分之一的外蒙古边界图，还有1906年沙俄外贝加尔测量队绘制的比例尺为八万分之一的地形图。苏联及外蒙古方面主张，哈拉哈河归属外蒙古，双方的边界线是通过哈拉哈河东侧和北侧。其根据是在1734年哈尔加族人与哈拉哈族人相互争夺地盘时，由清政府裁决而划定的分界线。实质上此时中国政府尚未正式承认外蒙古为独立国家，所以也就不存在什么所谓边界线划定问题。

（二）日本放弃对苏强硬政策

张鼓峰事件惨败后，日军参谋本部总结教训，认为该作战计划“落后时代”，选择地点上有错误，苏联在靠近沿海地区的防御是坚固的，所以决定今后应该选择“敌人没有预想到进攻”的地区进行攻击。① 随后日本参谋本部确立了中蒙边境地区发动武装冲突计划。

“九一八”事变后，苏联一方面对日本侵华行径采取默认、妥协政策，避免直接刺激日本引火烧身，另一方面也开始加强了对外蒙古地区的控制。苏联认为外蒙古地区经济落后，人口稀少（当时人口80万左右），很容易被日本占领。如果日本占领外蒙古地区，不仅构成对苏联西伯利亚地区的直接威胁，而且极容易切断苏联西伯利亚大铁路，造成苏联东部地区与西部地区联系中断。特别是日本在完成了占领中国东北地区后，又把侵略魔掌伸向中国绥远及察哈尔地区，使苏联方面更加感到日本要进攻外蒙古地区。1934年11月27日，苏联与外蒙古缔结了“绅士”协定，规定外蒙古受到第三国攻击时，苏联承担全部支援义务。为了进一步控制外蒙古地区，1936年3月12日，苏联与外蒙古缔结相互援助条约，规定苏联在外蒙古领土驻扎军队。对于苏联方面单方面与中国边疆

① ボリス・スラヴィンスキー、著、加藤幸廣訳:《日ソ戦争への道——ノモンハンから千島占領まで》，東京，共同通信社，1999年，第168頁。

地区签订条约的行为，当时中国国民政府提出严重抗议，但是苏联方面并没有停止对外蒙古地区的控制。

实际上中蒙边境地区冲突，从 1935 年就已经出现了，为此 1935 年 6 月至 8 月，在满洲里市举行了所谓“满蒙边境会议”，实质上伪“满洲国”与当时的外蒙古都是中国领土的一部分，何谈两国边境问题？该会议背后的真正对手是日苏两国，会议不欢而散。此后中蒙边境冲突不断，但是都没有形成一定的规模。1939 年 4 月 23 日，日本关东军司令官植田谦吉根据《满苏国境纷争处理纲要》，发出作战命令第 1488 号，要求由于外蒙古与苏联已经缔结条约，所以该纲要也适用于外蒙古。在国境线不明确地区，各边防部队司令官有权自行确定“满”蒙的边界线。对于苏联及外蒙古军队敢于越过边界线的“不法行为”，各边防部队应该信赖上级司令部，不用担心后果，在现场以必胜信念“彻底惩罚”。①

1939 年 5 月 11 日，诺门坎事件爆发，按日方资料记载，外蒙古边防军数十人越过哈拉哈河进入东岸，伪“满洲国”边防军立即给予回击。②按苏联方面资料记载，当天日军袭击了外蒙古边防军哨所。③ 我们这里无须考证哪方先开第一枪，但初期日军明显占了优势，说明日军方面是有所准备的。另外，有关日军参战的人数，据日本学者林三朗《关东军与苏联远东军》记载，日军先后投入兵力为 15 975 人，损失 12 220 人，其中战死 4 786 人、受伤 5 455 人、失踪 639 人、患病 1 340 人，损失率达 80%。④ 据俄罗斯学者鲍利斯·斯拉布斯基《通向日苏战争之路——从诺门坎到占领千岛》记载，如按照日本方面正式发表，日军投入诺门坎战斗为 76 000 人，其中战死、伤病达 18 000 人；但按照苏联方面资料统计，

---

① 林三郎著、吉林省社科所日本问题研究室译：《关东军与苏联远东军》，吉林人民出版社，1979 年版，第 105 页。

② 林三郎著、吉林省社科所日本问题研究室译：《关东军与苏联远东军》，第 106 页。

③ ボリス・スラヴィンスキー、著、加藤幸廣訳：《日ソ戦争への道——ノモンハンから千島占領まで》，東京，共同通信社，1999 年，第 169 頁。

④ 林三郎著、吉林省社科所日本问题研究室译：《关东军与苏联远东军》，第 123 页。

日军仅战死至少18 300人、被俘虏为464人。① 据中国学者厉春鹏等人著《诺门罕战争》记载，根据参战的日军第6军军医部编制的诺门坎事件日军伤亡调查表，日军死亡为7 696人、负伤为8 647人、失踪为1 021人、共计为17 364人。据1966年10月12日，日本靖国神社举行诺门坎事件战役慰灵祭的报道中，阵亡日军为18 000人。该作者认为，诺门坎事件中日军各种伤亡人数应该超过4万。② 可以看出，诺门坎事件中日军的损失是非常惨重的，对日本影响是巨大的，甚至到第二次世界大战后都难以忘怀。

诺门坎事件中有一个明显特征，就是日苏双方都不希望把武装冲突扩大成为两国之间的全面战争。如在诺门坎事件最为激烈时，日本东京方面也严格限制关东军不准使用飞机对外蒙古地区的苏联飞机场进行轰炸，担心因此引起日苏之间全面战争。同样苏联在全面大反击时，没有按照常规乘胜追击，而是追击到中蒙边境线就立即停止，也担心会引起日苏之间全面战争。所以本书认为，无论从日本侵华战争的全局看，还是从诺门坎事件本身看，仅能说诺门坎事件是日苏之间一场大规模武装冲突，还不能说是一场真正意义的两国之间军事战争。

此事件期间对日本打击更大的是，8月20日苏军开始大反攻后，在战斗进入白热化之际，8月23日日本最信赖的同盟国德国竟然与苏联缔结《苏德互不侵犯条约》，使日本企图利用东西两线牵制苏联的战略计划彻底破产。

诺门坎事件惨败，说明日本对苏强硬政策已经无法坚持下去了。1939年下半年，中国全面抗日战争已经进入第三年，日本的速战速决计划根本没能实现，在中国战场上越陷越深。据统计，从1937年到1939年，日本投入中国关内战场的兵力从16个师团增至34个师团。与此同时，在中国东北的兵力从5个师团增至9个师团，而苏联在远东的兵力，

① ボリス・スラヴィンスキー、著、加藤幸廣訳:《日ソ戦争への道——ノモンハンから千島占領まで》，東京，共同通信社，1999年，第175頁。

② 厉春鹏等:《诺门罕战争》，吉林文史出版社，1988年版，第353页。

从20个师增至30个师(苏联的师兵力相当于日本的师团兵力的75%)①,日军已经无力对苏采取大规模的军事行动。以诺门坎事件为标志,日本开始放弃了对苏强硬政策,进入寻找调整日苏关系的新阶段。

(三) 日本不敢轻易加入苏德战争

这件事件,也暴露出日军装备远逊于苏军,1940年7月,日本首相近卫文麿在会见德国驻日本大使鄂图时讲:“日本要想达到诺门坎事件中苏军的技术、武装、机械化水平,至少需要两年时间。”②因此,苏德战争爆发后,在德军处于有利形势下,日本也未敢轻易参加对苏作战。

苏德战争爆发前,日本已经从德国获得情报,1941年6月3日、4日,希特勒和德国外长里宾特洛甫分别会见日本驻德国大使大岛浩,希特勒讲:“德苏关系现在越来恶化,德苏战争大概是不可避免了。”里宾特洛甫讲:如果日本“感到在南进中有困难的话,欢迎日本北进协助德国进攻苏联”③。大岛浩大使将此转告东京方面。6月14日,日本陆军省、参谋本部对此进行研究,并制定了《适应形势转变的国防国策》,决定对待即将爆发的苏德战争,日本方面应该以南北两方面进行战争准备为基础,在北方如果苏德战场出现对日本有利时机时,日本才能参加对苏作战。

6月22日,苏德战争爆发。6月25日至7月1日,日本军界和政府就苏德战争爆发与国策问题召开会议。外相松冈洋右从苏德战争爆发的当天就极力主张:“苏德开战的今天,日本应与德国协力讨伐苏联。”④

---

① 日本防卫厅防卫研修所战史室编:《战史丛书:9卷支那事变陆军作战3册》,1975年版,第147页。

② ボリス・スラヴィンスキー、著、加藤幸廣訳:《日ソ戦争への道——ノモンハンから千島占領まで》,東京,共同通信社,1999年,第179頁。

③ 日本国際政治会、太平洋戰争原因研究部編:《太平洋戰争への道》5,東京,朝日新聞社,1963年,第305—308頁。

④ 日本国際政治会、太平洋戰争原因研究部編:《太平洋戰争への道》5,東京,朝日新聞社,1963年,第319頁

日本军界则坚决反对，海军在坚持"北守南进"的原则下，接受陆军的南北备战主张。7 月 2 日，在天皇参加的御前会议上，日本军界的南北备战政策得到最后批准，其对北方备战准备计划方案，即"关东军特别大演习"（简称"关特演"）计划。

7 月 7 日，日本陆相东条英机正式下令实施"关特演"计划。据日军参谋本部估计，当时苏联远东军约有 30 个师，兵力约 70 万人，坦克约 2 700辆，飞机约 2 800 架。从张鼓峰事件、诺门坎事件中，日军了解到苏军战斗力极强，所以准备等待苏联远东军往西部调转达到过半数时，再以优势兵力发动进攻。按参谋本部估计，日军发动对苏进攻时的兵力，应不少于 25 个师（日军师的兵力约比苏军师的兵力多 25%）。而当时驻中国东北、朝鲜的日军仅有 14 个师。因此还要从日本本土调入 7 个师，从中国关内调入 4 个师。另外再从中国关内抽调 6 个师作为总预备队。

日本一直关注苏德战场的发展变化，7 月 12 日，参谋本部得到的情报说，苏联远东军兵力向西部转移很少，特别是日军准备攻击的乌苏里江流域和黑龙江流域地区尚未出现移动迹象。① 根据上述情报，日军参谋本部有人提出，对苏联作战的关键是时间问题，苏联远东和西伯利亚地区的冬季很难开展大规模作战，因此不必非要等待苏联远东军减少一半才开战，而应以 7 月 15 日苏联部长会议上决定把首都迁移到乌拉尔地区这一政治事态作为进攻的开始。也有人提出，"本年没能认真地进行备战，所以进入严冬发动北方攻势必然会遇到极大困难。本年内应该认真地进行战争准备，等待明年春季来到再作决定"②。在苏德战场，由于遇到了苏军的顽强抵抗，德军进攻速度明显放慢。日军参谋本部内部关于何时对苏开战的争论也趋向缓和。8 月 9 日，日军参谋本部做出决定："无论苏德战场如何变化，取消在 1941 年内解决北方问题的计划，专

① 日本国際政治会、太平洋戰争原因研究部編：《太平洋戰争への道》5，東京，朝日新聞社，1963 年，第 321 頁。

② 日本中央公论社主编：《历史和人物》增刊，1983 年，第 63 页。

心致力于解决南方的方针。”①

苏德战争爆发初期，可以说是日本实施长久以来梦想的“北进”计划的最佳时机，但日军却不敢轻举妄动，原因就是日军对苏军实力的惧怕，这种惧怕来自诺门坎事件。如美国历史学家 D. 马库西利讲：“张鼓峰事件和诺门坎事件所展示的苏联力量，带来良好结果，向日本显示出与苏联的真正战争将会带来毁灭。”英国研究者 M. 曼基特修也同样讲：“在诺门坎事件中苏联胜利，在很大方面给予重要影响。如 1941 年 6 月德国进攻苏联时，日本政府不敢协助德国，就有这方面的经验。”②

1942 年，德军调集主力部队准备 8 月发动斯大林格勒战役前夕，7 月 20 日，日本驻德国大使大岛浩向东京报告，德国外长里宾特洛甫表示，希望随着苏德战场的进展，日本方面能够参加对苏作战。7 月 25 日，日本大本营政府联席会议，决定“对北方坚持既定方针，全力准备，极力防止对苏战争发生”。同时训令大岛浩大使转告德国政府，“鉴于目前形势下，北方移兵会缓和对美英的压力，扩大新的正面战争”，拒绝了德国方面的要求。③

在斯大林格勒战役最危急时刻，德国方面再次要求日本方面参加对苏作战，但是，1943 年 1 月 24 日，日本大本营政府联席会议再次拒绝德国的要求，认为“对苏保持静态，从日德意三国战争指导上是有利的”。日本的理由是：(1) 在东亚地区美英方面反攻越来越激烈，作为日本缓和对美英的压力而扩大在北方新的战争，会造成美英进一步对日本反攻的余地。(2) 日本对苏联进攻，在地势上不能攻击其核心地区，极大可能转化为长期持久战争。因此响应德国的呼吁是非常困难的。(3) 美国肯定

① 服部卓四郎著、张玉祥等译：《大东亚战争全史》第 1 卷，商务印书馆，1984 年版，第 162 页。

② ボリス・スラヴィンスキー、著、加藤幸廣訳：《日ソ戦争への道——ノモンハンから千島占領まで》，東京，共同通信社，1999 年，第 179 頁。

③ 服部卓四郎著、张玉祥等译：《大东亚战争全史》第二卷，商务印书馆，1984 年版，第 701 页。

会在日苏之间挑起争端，苏联也了解目前的形势。[①]

综上所述，诺门坎事件是日苏之间一场大规模武装。日本方面挑起诺门坎事件的真正原因是为侵华战争需要，目的就是针对苏联方面的援华行为，对苏联采取以攻为守迫使其放弃援华政策。另外，日本方面挑起诺门坎事件，也是为了造出更大的反苏烟幕，以换取西方国家继续对其侵华行径采取绥靖主义政策。然而在诺门坎的惨败使日本真正认识到苏军实力，对此后的日苏两国关系产生了重大影响。日本不得不放弃对苏强硬政策，而且在苏德战争中始终不敢轻易参加对苏作战，错过了“北进”的最佳时机。

二、20世纪30年代日本侵华与中日苏三国关系变化[②]

30年代日本发动侵华战争后，中日苏三国关系随即发生了变化。日本一方面对苏联采取谨慎政策，避免苏联“干涉”侵华，另一方面却打出反苏反共防止“赤化”的旗号，以换取西方国家的绥靖主义政策，与此同时也企图利用反苏反共名义拉拢中国蒋介石集团投降，进一步发展为对苏采取以攻为守的强硬政策。苏联则一方面对日本侵华战争采取“不干涉”，避免刺激日本引火烧身，另一方面却控制及占领中国边疆地区扩大自己的防线，加强本国边防实力，进一步发展公开援华以牵制日本力量。可以看出30年代日苏关系矛盾焦点在中国，日本要独占中国防止苏联插手，而苏联要控制中国防止自身成为日本进攻的基地。当然中国也要利用日苏矛盾维护本国独立及领土完整。本书对此论述如下。

(一)

1931年9月18日，日本发动了侵略中国东北的“九一八”事变后，随

① 服部卓四郎著、张玉祥等译:《大东亚战争全史》第二卷，商务印书馆，1984年版，第703页。

② 本节发表于《南开学报(哲学社会科学版)》2004年4期。

即与在中国东北拥有巨大利益的苏联形成对峙局面。因为在中国东北有一条纵横全境的铁路——中东铁路，原为沙俄侵华时期所修筑，但是沙俄在1904—1905年日俄战争失败后，被迫将其南部铁路及势力范围割让给日本。这样在中国东北以长春为界，出现了沙俄控制的铁路(仍称中东铁路)及势力范围(称“北满”)，日本控制的铁路(改称“南满”铁路)及势力范围(称“南满”)的对峙局面。苏维埃政权建立后，1924年5月中苏两国签订条约，此后中东铁路由中苏共同管理，但实际上苏联方面仍然保持着巨大利益。

1931年9月22日，日军参谋总长电令关东军司令官本庄繁：“不准进入长春、洮南以北地区，出兵哈尔滨必须由内阁决定。”同日，日本内阁作出决定，“间岛及哈尔滨方面即便告急，也不准采取使用兵力到现场保护侨民的措施”[①]。可以看出，日本在发动“九一八”事变之初，虽然打出防止中国东北“赤化”的反苏反共旗号，但是对苏联在华势力却采取比较慎重对策。日本在军事进攻犹豫不决时，转而开始进行试探性外交活动。1931年10月28日，日本驻苏联大使广田弘毅会见苏联副外交人民委员加拉罕，他讲：“据说苏联向中国马占山军队提供了物资援助，如果苏军沿中东铁路出动，会刺激在满的日军，那么日军为了保护侨民与铁路的安全，不得不采取必要的行动。”次日，加拉罕对此明确否认，同时解释说：“苏联政府尊重与中国政府签订的条约，尊重他国的主权，所以采取严正的不干涉政策。”11月14日，苏联外交人民委员李维诺夫再次发表声明，重申这种“不干涉”政策。[②] 在苏联“不干涉”政策下，日军很快完成了对中国东北的大规模军事占领行动。

苏联实施“不干涉”政策后并没有感到安全，为了进一步确保日本不把侵略矛头指向自己，又向日本提出缔结两国互不侵犯条约。1931年12月31日，原日本驻法国大使芳泽谦吉在回国就任外相途经莫斯科时，

① 西春彦監修:《日本外交史》第15卷，東京，鹿岛平和研究所出版会，昭和45年，第126頁。
② 西春彦監修:《日本外交史》第15卷，東京，鹿岛平和研究所出版会，昭和45年，第128頁。

李维诺夫在举行的欢迎宴会上讲，苏联对外政策的基础是"保持与所有邻国的和平友好关系"，所以希望能够缔结日苏互不侵犯条约。他对此解释说："在目前外国军国主义及冒险分子策划破坏苏日关系时，我们两国如果能够缔结这样一个条约，将具有重大意义。"[①]芳泽谦吉表示，此事重大须交内阁讨论。1932 年 1 月 12 日，苏联驻日本大使托诺夫斯基拜会日本首相犬养毅，就缔结两国互不侵犯条约之事询问。犬养毅回答说，此事是第一次听说，需要与外相进行慎重研究，实际上日苏之间纠纷的焦点为渔业问题，如果苏联肯在此方面给予友好态度，这些也就自然解决。此后托诺夫斯基拜会日本外务省次官永井松三，提出如果日本同意缔结两国互不侵犯条约的话，苏联准备在包括渔业问题在内的经济问题上采取友好态度，并且提议两国就此立即举行会谈。日本方面对此仍然采取消极态度。

针对苏联方面提议，1932 年 8 月 27 日，日本内阁作出决议，对苏联采取"不即不离关系"，保持行动的自由。尽管日本方面采取消极态度，但是苏联方面并没有放弃努力。1932 年 11 月 9 日，加拉罕会见日本驻苏代理大使天羽英二，提出"苏联准备与日本缔结互不侵犯条约，也准备以同样的条件，与满洲国缔结互不侵犯条约"[②]。但是无论苏联方面提出多么优惠条件，日本方面仍然不予理睬。1932 年 12 月 13 日，日本外相内田康哉会见托诺夫斯基，他讲："关于日苏就缔结互不侵犯条约谈判之事，日方感到时机还不成熟，两国应该在解决各种悬案基础上再进行此方面谈判。"[③]这样日本就正式拒绝了苏联的提议。日本拒绝苏联提议的根本原因，就是日本在发动"九一八"事变时，打出防止中国东北"赤化"的反苏反共旗号，目的是为了换取西方

① 日本国際政治学会编:《日露・日ソ関係の展開》(国際政治 31)，有斐阁，1966 年，第106 頁。

② 日本国際政治学会编:《日露・日ソ関係の展開》(国際政治 31)，有斐阁，1966 年，第 124 頁。

③ 日本国際政治学会编:《日露・日ソ関係の展開》(国際政治 31)，有斐阁，1966 年，第 132 頁。

国家对日本侵华行径采取绥靖主义政策。如果接受苏联提议显然与此是矛盾的。

1932年3月1日,日本在中国东北扶植了伪“满洲国”后,为了彻底清除苏联在此势力,日本把下步目标确定在中东铁路。1932年8月29日,日本驻苏联大使广田弘毅正式向苏联副外交人民委员加拉罕提出收买中东铁路。1933年5月2日,苏联外交人民委员李维诺夫正式通知日本新任驻苏联大使田为吉,苏联政府同意出售中东铁路。此时苏方同意出售中东铁路的原因:一是仍然坚持避免与日本发生冲突政策,不希望因中东铁路问题而导致两国矛盾加剧。二是中东铁路因日方破坏活动,已经无法正常营运。1933年6月26日,在日本的安排下,苏联与伪“满洲国”的代表就出售中东铁路问题于东京举行谈判。在第一次报价时,苏联提出2.5亿金卢布,而伪“满洲国”却还价为5 000万日元,合2 000万金卢布,仅为苏联报价的8%。对于收买中东铁路问题,日本统治集团内,以中下级军官为主的“皇道派”主张,“中东铁路已成囊中之物,不必收买,留在苏联手中可以随时挑衅”。而以高中级军官为主的“统制派”主张,“目前日本国力、军力均敌不过苏联,应该收买中东铁路,对苏联采取和平态度,集中力量经营满洲国,力图扩大日本在华的势力”。[①] 显然后者主张占了上风。为了迫使苏联在价格上让步,日本采取武力威胁手段。1933年9月,伪“满洲国”以“扰乱治安”为名,逮捕了中东铁路6名苏方主要人员。为避免因中东铁路问题而引发日苏矛盾加剧,1934年1月8日,苏联驻日大使尤列涅夫向日本外相广田弘毅表示,“只要满洲国释放苏方人员,苏联准备降低价格出售中东铁路”。1934年2月24日,伪“满洲国”释放苏方人员,2月26日,双方谈判再度举行。经过双方相互一定让步后,1935年3月23日,最终达成一致价格为1.4亿日元并且签订协定书。3月28日,苏联将中东铁路移交给伪“满洲国”。

可以看出,在日本侵略中国东北时,苏联采取“不干涉”政策,进一步

---

① 森岛守人著、联泰译:《阴谋暗杀军刀》,黑龙江人民出版社,1980年版,第106页。

提议缔结两国互不侵犯条约，目的是尽量避免日本把侵略矛头指向自己。而日本虽然打出防止中国东北“赤化”的反苏反共旗号，但是对苏联却采取比较谨慎政策，避免与苏联矛盾加剧。

(二)

在日本侵略中国东北时，苏联一方面采取“不干涉”政策，避免与日本矛盾激化，另一方面也采取了防范措施，其主要为恢复及发展与中国关系，乘机控制或占领中国边疆少数民族地区，同时加强自己在远东地区的军事力量。

在“九一八”事变爆发前一年，1929 年 5—12 月，中苏之间爆发了“中东铁路事件”。中国东北地区当局以苏联进行共产国际活动为名，实施驱赶苏联势力的武力行动，结果苏联动用大批武力反击，使中国东北军失败，12 月双方签订《伯力协定》，恢复苏联势力在事件爆发前的状态。中东铁路事件造成了中苏外交关系中断。“九一八”事变爆发后，苏联采取主动行动，恢复与中国的外交关系。

“九一八”事变爆发后，苏联副外交人民委员加拉罕向在莫斯科就中东铁路问题谈判的中国代表莫德惠直接提出，立即举行恢复两国邦交谈判的建议。对于苏联来说，由于存在日本进攻远东地区的巨大危险，中国实际上成为苏联安全的第一道重要防线。中国虽为一贫弱之国，但与苏联相邻，拥有广阔国土和众多人口，又具有反抗外来侵略的光荣斗争传统，所以在削弱和牵制日本力量，阻止其北进方面，中国能够发挥远东地区其他国家无法代替的作用。然而中国政府对于苏联的提议初期并不积极，其原因：一是蒋介石政府仍坚持“安内攘外”政策，认为苏联是中国共产党的后台，不与苏联接触为好。二是蒋介石政府把解决“九一八”事变的希望寄托在西方国家的“国际联盟”，希望利用“以夷制夷”方法解决。结果西方国家对“九一八”事变采取绥靖主义政策，使蒋介石政府大失所望。在这种形势下，苏联方面抓住时机，特别是苏联政府向蒋介石政府表示：“承认中国革命的领导权在国民党不在共产党”①，使蒋介石政府减少了顾虑。1932 年 12 月 12 日，中苏两国交换备忘录，恢复两国外交关系。

在中国新疆地区，苏联极力扶植亲苏的地方势力发展。1931 年 10 月 1 日，苏联与新疆地方政府主席金树仁代表签订秘密协议，规定苏联产品降低关税进口新疆，使苏联产品垄断新疆市场，苏联有权在新疆开设经营电报、电话等通信业务，作为交换条件，苏联向金树仁政权提供包括飞机在内的各种军事援助。1933 年 4 月后，苏联又开始扶植盛世才地方政权。1933 年 10 月，苏联为盛世才政权提供大批武器、弹药。1934 年 1 月，配备有坦克、飞机、大炮的 7 000 名苏军进驻新疆，协助盛世才治理。新疆也成为苏联实际控制地区。

在中国外蒙古地区，苏联则完全继承了沙俄时期政策，极力推动外蒙古地区脱离中国中央政府统治。苏联认为外蒙古地区经济落后，人口稀少（当时仅 80 万左右），很容易被日本占领。如果日本占领外蒙古地区，不仅构成对苏联西伯利亚地区的直接威胁，而且极容易切断苏联西伯利亚大铁路，造成苏联东部与西部联系中断。1934 年 11 月 27 日，苏联与外蒙古地方政府缔结“绅士”协定，规定外蒙古地区受到第三国攻击时，苏联要承担全面支援外蒙古义务。为了进一步控制外蒙古地区，1936 年 3 月 12 日，苏联与外蒙古地方政府签订相互援助条约，规定苏联有权在外蒙古地区驻扎军队。

对于苏联与中国地方政权单独签订协议及条约的行为，当时中国政府提出最强烈抗议，宣布不承认这些协议及条约。苏联在日本侵华之际，对中国新疆与外蒙古地区的控制及占领政策，一方面是要把对日防线扩大到中国以减少自己的损失，另一方面不可否认有乘机吞并中国边疆地区之嫌，事实上真正造成外蒙古地区独立脱离中国，就是日本侵华时期苏联所为。

---

① ボリス・スラヴィンスキー、著、加藤幸廣訳:《日ソ戦争への道——ノモンハンから千島占領まで》，東京，共同通信社，1999 年，第 45 頁。

苏联在加强对中国新疆与外蒙古地区控制的同时，也开始加强本国在远东地区的军事防御实力。特别是1934年苏联TB3重型轰炸机问世后，很快被部署在海参崴百余架。该机为当时世界上最先进的轰炸机，不仅载弹量大，而且航程远，可以轰炸日本各地区并且安全返航。1938年1月，日本《中央公论》发表了署名片冈少佐的文章，指出该飞机可以轰炸日本大城市，造成的火灾可以超过1923年东京大地震的十倍。随着苏联加强远东地区边防力量政策的实施，到1937年初，苏军步兵的25%、大炮的17%、坦克的22%被调集到远东地区，构筑了强大的抗击日本入侵的防御体系。与此同时，苏联的远东军力量与日本关东军力量的对比也发生了变化。如表2-2所示。[①]

表2-2　日本关东军与苏联远东军兵力对比

	师团数			飞机数		
时间	日本	苏联	兵力对比(%)	日本	苏联	兵力对比(%)
1931.9	3	7	42.9	30		
1932.9	5.5	10	55	90	200	45
1933.11	4.5	9.5	47.2	90	350	25.7
1934.6	4.5	13	34.6	90	500	18
1935.12	5.5	17	32.3	90	950	9.4
1936.12	5.5	19	28.9	180	1 200	15

随着苏联乘机在中国扩大势力范围，特别是苏联远东兵力与日本侵略中国东北兵力差额的不断扩大，日本越来越感到"近来苏联在远东地区拥有庞大的军事力量，已经构成对我方的威胁"[②]。另外，1935年7月，共产国际在莫斯科举行了第七次代表大会，会议作出决定，号召各国无产阶级起来联合一切进步力量，建立更加广泛的民族统一战线，共同

① 日本防卫厅防卫研修所战史室编：《战史丛书第9卷——支那事变陆军作战第3册》，1975年版，第215页。

② 日本国際政治会、太平洋戰争原因研究部編：《太平洋戰争への道》5，東京，朝日新聞社，1963年，第265頁。

反对法西斯势力。共产国际的这一号召,使日本法西斯势力更加恐惧。然而侵占中国东北地区,并不是日本侵略者的最终目的,其要侵占全中国乃至全世界才为终止。早在1927年,臭名昭著的“田中奏折”就公然叫嚣:“欲征服中国,必先征服满蒙;欲征服世界,必先征服中国。”

为了扩大在中国的侵略势力,特别是要南下进入中国关内的更广阔地区,日本最担心的是中国边界另一侧的强大社会主义苏联。为此,1936年7月24日,日本内阁作出决定:“为了确保我国安全及大陆政策的顺利推行,我们必须联合其他国家牵制苏联的力量,以减少对我方的威胁。为此我们决定与德国缔结条约。”①

1936年11月25日,日德两个法西斯国家在柏林正式签订了《反共产国际协定》,其特别值得注意的是,在签订该条约的同时,双方还签署了附属秘密协定书,其主要内容为,“两缔约国的主管机关对于交换有关共产国际活动的情报,并对共产国际的揭发及防止措施,应紧密合作”。“两缔约国的主管机关对于在国内或者国外,不论直接或者间接服务于共产国际,或者助长其破坏工作者,应在现行法的范围内,采取严格措施。”②

从《反共产国际协定》及附属秘密协定书的内容看,日德两个法西斯国家皆要利用对方来牵制苏联,便于自己在中国或欧洲的扩张。但是这两个法西斯国家又不敢公开承认其内容,担心苏联及有关国家反对而导致自己更加国际孤立化。协定签订的当天,日德两国皆发表声明,指出协定不是以特定某一国家为目标,仅是针对共产国际的“破坏活动”而采取的防范措施。苏联在事先已经获知有关内容,11月16日,苏联驻日本大使尤列尼夫会见日本外相有田八郎,就此事进行询问,有田外相对此并没有完全否认,但又解释说,其仅为日德两国为共同防御“赤化”而签订,并不影响日苏两国友好关系。可以说,《反共产国际协定》的签订,标

① 工藤美知尋:《日ソ中立条約の研究》、南窓社会,1985年,第40頁。
②《国际条约集》(1934—1944),世界知识出版社,1961年版,第111—112页。

志着日本在外交上完成了对苏联的牵制。

(三)

在完成上述准备工作后,日本终于发动了全面侵略中国的七七事变。1937年7月7日,日本借口在卢沟桥地区“演习”的一名日本士兵“失踪”,制造了震惊世界的七七事变。随即由驻中国东北、朝鲜的日军和日本本土调派的大批军队投入侵略战争,攻占平津两地,接着把战火推进到中国长江三角洲地区的沪宁地区,开始全面侵华战争。然而日本发动全面侵华战争,更加激起了全体中国人民的愤慨。在民族危急时刻,7月8日,中国共产党率先发表号召抗战的宣言,号召全国人民、政府和军队团结起来抵御日寇的侵略。蒋介石和国民党在共产党及全国人民的推动和压力下,被迫接受了第二次国共合作,参加到抗日民族统一战线中,中国人民开始了全面抗日民族解放战争。

对于苏联来说,自1936年11月日德两国签订《反共产国际协定》后,感到自己处于东西两个法西斯大国的夹击之中。为了扭转这种不利的局面,以日本发动七七事变为契机,苏联开始放弃了对日侵华行径的“不干涉”政策,转而公开支持中国人民的抗日战争,以达到利用中国牵制日本,限制或避免日本发动对苏的北进攻击。

1932年中苏恢复邦交后,两国就进一步发展关系,特别是苏联如何支援中国抗日问题不断进行交涉,但都没有实质性进展。1936年11月,日德《反共产国际协定》签订后,苏联方面感到形势的严峻性后,采取积极对华政策。1936年11月,苏联驻华大使鲍格莫洛夫与中国外长张群举行会谈,鲍格莫洛夫提议两国就缔结互不侵犯条约与通商条约举行会谈。对此张群指出,中苏关系现阶段,没有一方侵略另一方的可能性。如果要进一步发展两国关系,就应该缔结相互协作与相互援助条约。

为了确定《反共产国际协定》签订后的苏联对远东政策,1937年3月,苏联把驻华大使鲍格莫洛夫,驻日大使尤列涅夫召回国专门讨论,最后苏共中央作出决定:第一,我们认为缔结双方承担义务的中苏互不侵犯条约的时期尚早，现阶段应该缔结具有广泛意义的友好条约。第二，我们认为与南京政府缔结友好条约是合适的。双方中一方在受到攻击时，另一方不得采取有利于第三国的措施。要求在条约中明文规定，双方有义务全面促成太平洋地区相互援助条约形成，在该条约生效时，中苏友好条约自动废止。①

此后苏联对远东政策重点之一，就是极力促成太平洋地区相互援助条约形成。1937 年 3 月 10 日，李维诺夫在记者招待会上讲，“该条约会使日本最终停止侵略，确保远东地区和平”。“日本不能对抗其他太平洋各国的联合，迟早日本也会参加。”然而中国方面对此存有疑虑。3 月 11 日，中国驻苏大使蒋廷黻与李维诺夫举行会谈，蒋廷黻提出“是否最初以中苏条约形式作为创立的核心，在中苏条约的基础上，其他太平洋地区国家加盟”。李维诺夫解释说，“即使形成太平洋地区联合的机会很少，我们也不应因中苏条约而使这种机会完全破坏”②。李维诺夫所言反映出，此时苏联不希望在日本侵华期间公开站在中国一边，形成苏联单独支持中国与日本对峙局面。

1937 年 4 月 12 日，苏联驻华大使鲍格莫洛夫与中国外长王宠惠举行会谈。鲍格莫洛夫提议就中苏互不侵犯条约进行交涉，同时提出中国应该主动向太平洋地区各国提议缔结太平洋地区相互援助条约。如果该条约没有结果时，苏联可以考虑中苏之间缔结相互援助条约的可能性。苏联有关缔结太平洋地区相互援助条约的建议，不仅没有得到有关国家的响应，而且中国对此也不积极，因为中国方面希望能够缔结两国之间相互援助条约。

七七事变爆发后，1937 年 7 月 16 日，中国立法院院长孙科会见鲍格莫洛夫，提议两国就缔结相互援助条约举行会谈，并且要求转告莫斯科方面。对此李维诺夫表示，“中国方面如果促成这个问题，就等于现在把

① ボリス・スラヴィンスキー、著、加藤幸廣訳:《日ソ戦争への道——ノモンハンから千島占領まで》,東京,共同通信社,1999 年,第 87 頁。

② 罗志刚:《中苏外交关系研究》(1931—1945),武汉大学出版社,1999 年版,第 87 页。

苏联挤进对日战争"①。1937 年 7 月 19 日,陈立夫与鲍格莫洛夫举行会谈,陈立夫讲,中国政府无论何时都准备缔结两国相互援助条约。对此鲍格莫洛夫再次阐明苏联政府主张,即首先有必要实现太平洋地区相互援助条约形成,同时缔结中苏互不侵犯条约,其后再就两国之间缔结相互援助条约交涉。对此陈立夫指出,缔结太平洋地区相互援助条约的目的是为抵抗日本侵略,因此中国与苏联的利益是一致的。中国是日本进攻的第一个目标,苏联是第二个目标,第三国不会关心。当中国与苏联被攻击后第三国才会感到危机。为此中国与苏联最好首先就缔结相互援助条约举行会谈。

1937 年 8 月 2 日,鲍格莫洛夫向蒋介石转达了苏联政府的立场,苏联认为"缔结相互援助条约,现阶段比以前更不适合,因为条约意味着我们对日本直接宣战"。同时进一步提出,"作为提供军需物资的必需条件,要预先缔结两国互不侵犯条约"②。这样,中国方面在没有得到西方国家支持,实际上出于单独与强大日本侵略者进行对抗形势下,不得不放弃自己坚持的缔结相互援助条约主张,被迫接受苏联提议缔结互不侵犯条约。1937 年 8 月 21 日在南京,苏联驻华大使鲍格莫洛夫与中国外长王宠惠签订了《中苏互不侵犯条约》,其特别值得注意的是,双方在签订该条约的同时,以交换谈话记录形式,达成了"绅士"协定,规定"在互不侵犯条约有效期间,中国不得与任何国家签订所谓反共协定",苏联政府在"中国与日本战争状态期间,不得与日本缔结互不侵犯条约"。③ 可以说,《中苏互不侵犯条约》的签订,是对《反共产国际协定》签订的回应。《中苏互不侵犯条约》对于独自进行抗击日本侵略者的中国人民是政治上的支持,同样对于苏联来说,首先打破了日本企图拉拢蒋介石集团参加反苏反共协定的美梦,其次利用支持中国人民抗日可以牵制日本力

① ボリス・スラヴィンスキー、著、加藤幸廣訳:《日ソ戦争への道——ノモンハンから千島占領まで》,東京,共同通信社,1999 年,第 117 頁。

② 罗志刚:《中苏外交关系研究》(1931—1945),武汉大学出版社,1999 年版,第 111 页。

③ 平井友義:《三十年代ソビエト外交の研究》,有斐阁,平成五年,第 114 頁。

量，确保苏联远东地区安全。

《中苏互不侵犯条约》签订后，为中国向苏联购买武器装备创造了条件。1937年9月9日，在莫斯科，以军事委员会参谋次长杨杰为团长的中国军事代表团，与苏联方面代表团举行第一次会谈。会谈在非常友好的气氛中进行，苏联决定尽快为中国方面提供所需各种军事物资，并且同意向中国派遣教官，帮助中国利用苏式武器及训练军队。1938年3月1日，中苏两国代表在莫斯科商定苏联第一笔援华5 000万美元贷款协定，时间为1937年10月31日计算，贷款年息为3%，从1938年10月31日起，中国政府在五年内每年以同等数目1 000万美元偿还贷款并交付已使用贷款的利息。偿还主要为中国特有的矿产品及农副产品，偿还品种及数量由苏联方面决定。1938年7月1日，中苏双方商定了苏联第二笔援华5 000万美元贷款协定，内容与第一笔贷款相同。1938年8月中旬，两笔贷款协定正式签字生效。苏联这两笔贷款共分五批动用，到1939年9月1日全部用完。在前三批供货中军用飞机占了很大比例。中国空军曾驾驶着苏式飞机参加1937年12月南京保卫战。同样中国方面也克服各种困难，尽可能满足苏联要求，特别是苏联方面急需的各种战略稀有金属，如锡、钨、锑等，帮助苏联解决了物资供应上的部分困难。①

在苏联援华中另一个重要内容为，苏联政府派遣大批军事专家和空军志愿飞行员来华，协助中国人民抗日战争。1937年11月底，德拉特文作为苏联驻华大使馆武官到达中国，同时兼任中国军队军事总顾问。1938年5月底至6月初，苏联第一批军事顾问来到中国，约27人，到1939年10月，苏联军事顾问达80人，分布在中国军队各个兵种及有关机构。1937年10月，苏联志愿飞行员奔赴中国，此后有大批志愿飞行员和技术人员抵华。到1939年夏，在中国的苏联志愿飞行员和航空机械

① 罗志刚：《中苏外交关系研究》(1931—1945)，武汉大学出版社，1999年版，第144页。

师已经达400余人。①

(四)

七七事变爆发后,中苏关系明显得到加强,特别是苏联在政治、军事、经济等方面支援中国,与此同时,中国人民在民族危急时刻走向全民族大联合,出现了全民族共同抗日的统一战线。另外,由于日本没有按西方国家所希望那样,占领中国东北后继续北上进攻苏联,而是南下与它们争夺中国关内,特别是长江流域及东南沿海地区的势力范围,使它们对日本侵华行径越来越表现出不满。面对这一形势,日本统治当局除了加强在中国的全面侵略战争外,对苏联采取了更加强硬政策。日本这种强硬政策,一是要继续利用对苏强硬政策,迫使苏联方面再一次对日本侵华行径采取"不干涉"政策,即以攻为守的目的。二是要利用对苏强硬政策,制造更大规模的反苏反共烟幕,以转移西方国家的视线,进一步换取西方国家对日本侵华行径推行绥靖主义政策。

日本对苏强硬政策主要表现为,在伪"满洲国"与苏联、外蒙古相接触地区挑起大规模武装冲突。实际上,随着日本侵略势力扩展到上述地区后,双方的各种冲突就已经不断出现,但是规模都比较小。然而日本在发动全面侵华的七七事变后,一方面把大量军事力量投入中国关内战场,另一方面又在上述地区挑起大规模武装冲突,这难道真如一些学者,特别是苏联学者所认为是,日本要"北进"进攻苏联吗?本书认为,这是日本对苏强硬政策的表现。这种大规模武装冲突最典型为张鼓峰事件与诺门坎事件。

日军挑起张鼓峰事件时,正是中日两国军队进行大规模武汉会战的关键时刻。张鼓峰位于今天吉林省珲春市与俄罗斯相邻地区。1938年7月31日晚,日本以苏军入侵为由发动大规模武装进攻,并取得初期胜利。然而经过几天调兵遣将后,8月6日苏军以数倍兵力展开大反攻。8

① 罗志刚:《中苏外交关系研究》(1931—1945),武汉大学出版社,1999年版,第146页。

月 10 日在莫斯科，日本驻苏大使重光葵被迫与苏联外交人民委员李维诺夫，正式签订停战协议，苏军又恢复原来控制局面。据日方资料统计，日军参战的第 19 师团各部队伤亡达 1 440 人(其中死亡 526 人)，在张鼓峰事件的最激烈战斗时，参战的步兵第 75 连队伤亡达 708 人(其中战死 241 人)，即该连队官兵半数以上遭到伤亡。①

日本学者一般认为张鼓峰事件是驻外军官独断开战问题。日本驻朝鲜第 19 师团在事件之前就已经制定："如果苏方不按我方要求执行，我方断然以武力将苏军驱逐到边境线以外"的方针。② 第 19 师团长尾高龟藏中将独断决定开战，结果遭到惨败，本应该实行军法处理，但是事件过后他却正常调转了结此事。日军驻外军官独断决定开战，实质上并非真正的独断决定，而是得到军方上层人士的默许。例如，在张鼓峰事件爆发之前，日军参谋本部作战课课长已经制定了以第 19 师团为主力的攻击苏军作战计划。日本统治集团上层人士所担心的是，下层军官不了解整个对外侵略计划，盲目扩大那些计划中规定不应该扩大的战火，使整个对外侵略计划受到影响。对苏军发动武装挑衅，是日本发动对华全面战争计划中的一环，日本统治阶级集团上层并没有制止一系列的武装挑衅事件。另外，日本统治集团对于驻外军官独断决定开战事件，主要看其是否有扩大的必要，或者是否有扩大的条件来决定的。如果有这种必要或条件就极力支持，例如日军发动的"九一八"事件、七七事件等。如果没有这种必要或条件，就极力限制在一定的范围内，例如日军发动的一系列对苏军的武装挑衅事件。所以不能完全孤立地看待日军驻外军官的独断决定开战问题。

张鼓峰事件惨败后，日本军方对此进行总结教训，认为选择挑起冲突的地点错误。因为苏联在靠近沿海地区的防御是坚固的，所以应该选择"敌人没有预想到进攻"的地区进行攻击。这样，日本方面选择的下一

---

① 林三郎著、吉林省社科所日本问题研究室译:《关东军与苏联远东军》，吉林人民出版社，1979 年版，第 86 页。

② 日本国際政治学会编:《日露・日ソ関係の展開》(国際政治 31)，有斐阁，1966 年，第111 頁。

个目标为苏军防御比较弱的中蒙边境，即诺门坎地区。诺门坎地区是内蒙古海拉尔以南约 200 公里的地区。1939 年 4 月，日本关东军司令官植田谦吉向所属部队下令，各边防部队司令官有权自行确定"满"蒙的边界线。对于苏联及外蒙古军队敢于越过边界线的"不法行为"，各边防部队应该以"彻底惩罚"。如果在袭击并歼灭越境的苏军或外蒙古军时，可以"暂时进入联国境内"。① 在关东军司令官的指示下，1939 年 5 月 11 日，日军在"满"蒙边界诺门坎地区，以外蒙古军入侵伪"满洲国"为由，对外蒙古军队发动进攻，很快苏军参加战斗。

5 月 13 日，日军驻海拉尔第 23 师团调动军队扩大参战人员，日军很快攻入外蒙古地区并扩大占领区。为了打击日军侵略势力，苏联方面决定派遣朱可夫指挥战斗，经过一段时间的调兵遣将，充分准备后，从 8 月 20 日起向日军发动了大规模反攻。苏军投入诺门坎事件的兵力，是日军参战兵力的三倍。当时苏军能在远离铁路干线终点 750 公里的开阔地带完成大兵团作战的后勤补给工作，使日本陆军感到惊慌失措。结果日本军队再一次遭到更大惨败。8 月 31 日，苏蒙军队追击到中蒙边境地区停止战斗，诺门坎武装冲突就此结束。关于诺门坎事件中日本方面参加作战的人数，在各国学者发表的著作中记载存在不同。如日本学者林三朗著《关东军与苏联远东军》中认为，在诺门坎事件中，日军参战人员为 15 975 人，共战死 4 786 人、伤 5 455 人、失踪 639 人、患病 1 340 人，损失率达 80%。② 俄罗斯学者鲍利斯・斯拉布斯基著《通向日苏战争之路》记载，按照日本方面正式发表，日军投入诺门坎战斗为 76 000 人，其中战死、伤病达 18 000 人；按照苏联方面资料统计，日军战死至少 18 300 人、被俘虏为 464 人。③ 中国学者厉春鹏等五人著《诺门罕战争》记载，根据

① 平井友義:《三十年代ソビエト外交の研究》，有斐阁，平成五年，第 106 頁。

② 林三郎著、吉林省社会科学研究所译:《关东军与苏联远东军》，吉林人民出版社，1979 年版，第 123 页。

③ ボリス・スラヴィンスキー、著、加藤幸廣訳:《日ソ戦争への道——ノモンハンから千島占領まで》，東京，共同通信社，1999 年，第 175 頁。

参战的日军第 6 军军医部编制的诺门坎事件日军伤亡调查表，日军死亡为 7 696 人、负伤为 8 647 人、失踪为 1 021 人、共计为 17 364 人。据 1966 年 10 月 12 日，日本靖国神社举行诺门坎事件战役慰灵祭的报道，阵亡日军为 18 000 人。本书认为，诺门坎事件中日军各种伤亡人数应该超过 4 万。[①] 可以看出，有关日军参加诺门坎事件的兵力及伤亡人数，各方面的统计数字差距很大。当然日本学者要尽量把统计数字说小，而俄罗斯学者则尽量把统计数字说大，我们中国学者也只能根据日苏两国资料而估计。本书不想就此问题做出一个估计数字，但是不可否认的是，在诺门坎事件中日军的损失是惨重的。

在诺门坎事件中有一个明显特征，就是日苏双方都不希望把武装冲突扩大成为两国间的全面战争。如在诺门坎事件最为激烈时，日本东京方面也严格限制关东军不要使用飞机对外蒙古地区的苏联飞机场进行轰炸，担心因此引起日苏间全面战争。同样苏联在全面大反击时，没有按照常规乘胜追击，而是追击到中蒙边境线就立即停止，也担心会引起日苏间全面战争。所以本书认为，无论从日本侵华战争的全局看，还是从诺门坎事件本身看，仅能说诺门坎事件是日苏间一场大规模武装冲突，还不能说是一场真正意义的两国间战争。

日本为发动全面侵华战争，事先与法西斯德国缔结了《反共产国际协议》，然而就在 8 月 23 日，即诺门坎事件中苏军向日军发动大规模反攻的第三天，日本最可信赖的盟国，竟与苏联签订了《苏德互不侵犯条约》。该条约的签订，标志着日本妄图利用德国牵制苏联，减少苏联对自己压力，便于推行扩大侵华战争的阴谋破产。诺门坎事件中日军的惨败，不仅说明日本对苏武装挑衅政策的失败，而且也说明借对苏强硬政策来掩护其侵华行径已无法坚持下去了。以诺门坎事件停战为标志，日苏两国进入调整关系的新阶段。

综上所述，30 年代由于日本不断扩大在华侵略范围，使东北亚地区

① 厉春鹏等著:《诺门罕战争》，吉林文史出版社，1988 年版，第 353 页。

中、日、苏三国关系发生变化。日本在发动“九一八”事变后，一方面对苏联势力采取谨慎地排除政策，避免刺激引来苏联“干涉”，另一方面又打出反苏反共旗号，以换取西方国家对其行径的绥靖主义政策。苏联在“九一八”事变爆发后，一方面对日本侵华行经采取“不干涉”政策，进而提出缔结两国互不侵犯条约，以避免日本北进侵略，另一方面主动改善与中国关系，利用中国牵制日本减少自己的压力，与此同时乘中国危难之际控制中国新疆、占领中国外蒙古，扩大自己防线，在自己远东领土加强军事力量。苏联所为使日本采取与德国缔结《反共产国际协定》，企图东西两侧牵制苏联力量便于各自扩大侵略，并终于发动了七七事变。为摆脱东西夹击趋势，苏联采取公开支持中国人民抗日的外交政策，目的是利用中国牵制日本力量。对此日本采取了对苏强硬政策。中国蒋介石政府本质上是反苏反共的，日本发动侵华战争后，其将希望寄托在西方国家“干涉”上，但是在这种希望破灭后，被迫与苏联缓和关系，希望借用苏联帮助坚持抗日战争。当然中国方面希望苏联能够提供更多帮助，而苏联仅提供援助却绝不直接参战。最终因日本对苏强硬政策的失败，日苏两国进入调整关系的新阶段，与此同时中国人民抗日战争进入更困难时期。在 30 年代的中、日、苏三国关系转化过程中，中国由于国际地位的限制，始终处于一种被动地位。

三、“四国联盟”构想与日本对苏中立政策①

“四国联盟”构想是第二次世界大战初期由德国提出的，在德、意、日、苏四国之间建立联盟的策略。由于这一构想未能实现，所以常常被人们忽略。如果我们认真分析一下，就不难看出，虽然四国联盟未能实现，可是它对这个时期的国际关系变化起了重大的推动作用，表现最明显的是日本对苏联政策的转变，本书试图对此做粗略论述。

① 该节发表于《吉林师范学院学报》1993 年 2 期。

（一）日本对苏强硬政策的失败

“九一八”事变以后，日本在不断扩大侵华战争的同时，对苏联采取了强硬政策。其主要原因：首先，社会主义与法西斯主义是水火不相容的。与中国毗邻的社会主义苏联，被日本看作是侵略中国的严重障碍。其次，日本看到了美英等帝国主义国家妄图使其成为反苏反共先锋的阴谋。日本为了取得美英等帝国主义国家对其侵略活动的纵容和支持，需要打起反苏的旗号。

日本法西斯敢于对苏联采取强硬政策还有一个很重要的因素就是德国的支持。1936 年 11 月，日德两个法西斯国家签订了《防共协定》，目的就是从东西两侧牵制苏联力量，以便于自己在东方或西方的侵略扩张。1939 年 4 月 25 日，日本法西斯在中蒙边界诺门坎地区发动了大规模的对苏武装挑衅，双方战斗异常激烈。8 月 20 日苏军以绝对的优势兵力向日军展开反击，8 月 23 日即日本急需“防共”盟友德国的支持时，德国却与苏联签订了《苏德互不侵犯条约》。苏德互不侵犯条约的签订，使日本对苏强硬政策受到了极大的打击。这样日本在遭到军事上惨败的同时，外交上也陷入绝境。8 月 30 日日本只好向苏联乞求停战。

自 1937 年日本发动全面侵华战争以来，它的兵力在中国战场上越陷越深。1939 年日本投入中国关内战场的兵力竟达 34 个师，本土与朝鲜仅保留 2 个师。与此同时在中国东北地区，日本关东军仅有 9 个师团，而同期的苏联远东军却拥有 30 个阻击师。① 日本军队已经无力对苏采取更大规模的军事行动。

诺门坎事件，使日本对苏强硬政策已经无法再坚持下去了。那么在坚持侵华战争的前提下，日本下一步将采取什么样的对苏政策，就成了日本统治者面临的一个难题。

---

① 中国二战史学会编：《第二次世界大战史论文集》，三联书店，1984 年版，第 185—186 页。

(二) 德国"四国联盟"策略的提出

1939年3月,德国完成吞并奥地利,侵占捷克斯洛伐克后,希特勒感到他在欧洲大陆发动更大规模侵略战争的条件已经成熟。于是他一方面更加紧备战,另一方面开始了为签订德意日三国军事同盟的活动。希特勒的目的是,利用日本不仅要牵制苏联力量,而且还要在远东地区牵制英法力量,以便于他在欧洲大陆进行侵略扩张。当时希特勒在一次高级军官会议上叫嚣:"对波兰军事行动的诸政治条件已经具备,在地中海方面英法与意大利的对立,在亚洲日英关系的紧张(特别是天津租界事件),对于三国同盟的交涉,德国要坚持以牵制英国为目标。……德国为了防止欧洲大陆上的霸权国家英国,加强三国同盟是十分必要的。"①可是德国加强三国同盟的主张并没有马上得到日本的响应。日本陆军认为,加强三国同盟"对于解决侵华战争长期化,在外交措施上有积极意义。不仅对苏联,而且对英国的牵制,可以迫使英国停止援华行动"②。但是日本海军与外务省则认为,日本此时不具备同苏联以外第三国开战的条件。日本方面这种迟迟不定态度,急坏了担心贻误战机的德国。这样德国为了集中力量对付首要之敌英国,采取了主动靠近苏联的策略,苏德双方签订了互不侵犯条约。苏德互不侵犯条约的签订,使日德关系出现危机。1939年9月1日,德国以入侵波兰为开端,挑起了第二次世界大战。日本为了报复德国,于当天宣布:"帝国不介入欧洲战争,专心致力于对华问题。"③日本对德国发动第二次世界大战的这种冷淡态度,使德国极为不安。因为此时德国不仅急需日本在远东地区牵制英国、苏联的力量,而且更需要日本来防止美国参战。在这种形势下,德国外长

① 日本国際政治会、太平洋戰争原因研究部編:《太平洋戰争への道》5,東京,朝日新聞社,1963年,第67頁。

② 日本国際政治会、太平洋戰争原因研究部編:《太平洋戰争への道》5,東京,朝日新聞社,1963年,第73頁。

③ 西春彦監修:《日本外交史》15卷,東京,鹿島平和研究所出版会,1970年,第208頁。

里宾特洛甫提出了“四国联盟”的策略。

里宾特洛甫认为，如果签订一个同苏德互不侵犯条约一样的日苏互不侵犯条约的话，既可以解决日苏之间的矛盾，又可以解决因苏德互不侵犯条约而造成的日德之间的矛盾，进一步协调德意日及苏联的四国关系，在联合抗英的基础上，就可以形成“四国联盟”。在柏林，里宾特洛甫多次会见日本驻德国大使大岛浩，里宾特洛甫就苏德互不侵犯条约解释说：“英法对德国实行包围政策，在德波纠纷中采取强硬态度，德国在生死攸关之际必须调整对英法的政策，由于至今还没能签订德意日三国同盟条约，使得德国只能签订这样一个互不侵犯条约，使苏联能在此期间保持中立。”就日本来讲，“如果德国在这次战争中失败，西方的民主国家将会结成同盟来阻止日本的一切扩张，特别是将取缔日本在中国的统治地位。如果能进一步加强德日关系，日本的地位将会得到巩固”。德国认为：“在反英问题上，德意日三国的利益与苏联的利益是一致的。如果能结成德意日及苏联的四国联盟。那么在未来的国际政局中将取得决定性作用。”如果日本同意，德国愿意为日苏关系的调整发挥巨大作用。① 在莫斯科，德国驻苏联大使舒伦堡多次会见日本驻苏联大使东乡茂德。在东京，德国驻日本大使鄂图更是变本加厉地向日本各界人士兜售这种“四国联盟”的策略。德国这种“四国联盟”宣传攻势，必然给处于对苏政策盲目状态的日本以极大的影响。

（三）“四国联盟”构想与日本对苏政策的转变

日本对苏采取强硬政策失败以后，下一步将采取什么样的对苏政策，日本统治集团内部出现明显分歧。阿部信行、米内光政等人主张对苏采取消极态度，仅就边界冲突与苏联谈判，另一方面极力与美国调整关系，以维持日本在华侵略扩张。近卫文麿、松冈洋右等人则主张对苏

① 日本国際政治会、太平洋戰争原因研究部編：《太平洋戰争への道》5，東京，朝日新聞社，1963年，第233—226頁。

采取积极态度，这一派人就是接受了德国的“四国联盟”的影响。

近卫文麿、松冈洋右等人认为：“当今世界的国际斗争，实际上是要求改变世界现状和要求维护世界现状的国家之间的斗争。英法美是要求维护现状的势力，而日德意苏是要求改变现状的势力，因此四国联盟就是极为必要的。”就日本当前的形势看，首要的问题是解决长期侵华战争。中国政府之所以不投降，就是因为有西方国家和苏联的援助。如果日本与苏联搞好关系，既可使苏联放弃援华，又可使日本实施“北守南进”计划。只有“北守南进”才能切断西方国家对华援助，“那么不出半年即可解决中国战争”。同样，“日德意苏四国的联合力量，在外交上、军事上、经济上决不次于英法美的力量”。日本还可以利用“四国联盟”的威力，“南进”占领英法美在东南亚地区的殖民地，利用东南亚地区丰富的战略资源来维持日本对外侵略扩张机器的运转。① 日本对苏强硬政策的失败，为日本主张与美国调整关系一派人上台创造了条件。自 1939 年 8 月 30 日起，阿部、米内先后掌握了日本内阁，然而日本对美调整关系并没有收到效果，美国要求日本从中国全部撤出侵略军队，这是日本坚决不肯让步的。与此同时在欧洲，德国侵占了波兰后，又侵占了北欧、西欧。法西斯德国这种战争初期的胜利，极大地刺激了日本军界。日本军界此时提出“不能误了这班车”口号。在军界的支持下，1940 年 7 月，近卫文麿上台，组成了历史上所称的第二届近卫内阁，松冈洋右被任命为外相。

第二届近卫内阁成立后，马上开始了积极的对苏外交活动。1940 年 9 月 10 日，外相松冈洋右会见德国访日特使斯特玛，斯特玛对松冈表示德国愿为调整日苏关系而努力。② 这样 1940 年 9 月 27 日，日本与德意两国签订了三国同盟。日本的目的：首先以接受德国提出的三国同盟要求来换取德国在日苏关系调整中的中介作用。因为日本已经得知苏联

---

① 堀内謙介監修：《日本外交史》第 21 卷，東京，鹿岛平和研究所出版会，昭和 46 年，第 225—226 頁。

② 工藤美知尋：《日ソ中立条約の研究》，南窓社会，1985 年，第 66 頁。

方面曾表示欢迎德国来调节日苏关系的消息。[①] 其次，日本想利用日德意三国同盟的威力，迫使苏联尽快接受日苏关系调整，进一步实现“四国联盟”，以便于日本更大规模地对外侵略扩张。日德意三国同盟签订后，日本便开始了直接的对苏交涉。1941 年 3 月，日本外相松冈洋右亲自出访欧洲。松冈首先来到德国，然而此时这个“四国联盟”的设计师德国，不仅放弃了“四国联盟”策略，而且还下令积极准备对苏开战。柏林的会谈使松冈外相大失所望。4 月 11 日松冈外相走访完意大利后，来到了莫斯科。此时德国已经开始大举进攻东南欧地区，苏德战争的爆发迫在眉睫。这样在苏德战争的威逼下，苏联很快接受了日本的主张，4 月 13 日日苏两国签订了《日苏中立条约》。日苏中立条约的签订，标志着日本对苏中立政策的确立。

综上所述，我们可以看出德国的“四国联盟”宣传，在日本对苏中立政策的转变过程中起了重大作用。首先，德国的“四国联盟”宣传，为第二次世界大战初期对苏政策处于盲目困惑中的日本，指出了一条确实可行的对苏路线。其次，德国的“四国联盟”策略实施，为第二次世界大战初期的日本谋求对苏中立政策起了一定的沟通媒介作用。最后，虽然德国在日本对苏中立政策即将大功告成的前夕，放弃了“四国联盟”策略，但是它实际上已为日苏中立谈判的很快成功，铺设了一定的通路。三国同盟的签订，实际上当时已经起到了对苏构成一定威胁的作用。这是苏联当时能很快主动让步并与日本签订中立条约不可忽视的因素。“四国联盟”的宣传，在日本实际上起到了超越其设计者本身的愿望的作用。此后的日本并没有再次随着德国对苏政策的转变而转变，致使在整个苏德战争中，日本对苏联始终保持着中立状态，这也可以说是德国搬起石头砸自己的脚。“四国联盟”虽然没有实现，但是在几乎整个第二次世界大战中，日本与德、意、苏三国实际上处于非战的状态中。对于日本来说，实际上已经达到了它所追求的“四国联盟”的初步目的。

---

① 西春彦監修:《日本外交史》15 卷，東京，鹿岛平和研究所出版会，1970 年，第 216 頁。

四、中立：日本对苏政策的选择(1939—1941)[①]

第二次世界大战是以中苏美英为核心的世界反法西斯联盟战胜以德意日为首的法西斯轴心国集团的战争，可是在几乎整个大战中却出现了日本与苏联的中立状态。是什么原因使日本由对苏强硬转变到谋求日苏中立？本书试图对此略述一点粗浅认识。

(一) 日本对苏政策的转变

日本1931年发动"九一八"事变后，它一方面将侵略战火进一步扩向中国华北，另一方面开始了北侵苏联的叫嚣。对于日本来说，不仅社会主义与法西斯主义水火不容，而且与中国比邻的社会主义国家苏联存在的本身，就是对它侵略中国的严重障碍。另外，日本也看到了美英等帝国主义国家妄图使其成为反苏反共的先锋的阴谋，日本为了取得美英等帝国主义国家对其侵略活动的纵容与支持，便于它向华北地区侵略扩张，便打起反苏的旗号。1936年11月，日本与法西斯德国缔结了"防共协定"，目的是利用德国牵制苏联，减轻苏联对日的军事压力。1937年，日本在发动全面侵华战争后，在所谓"满苏""满蒙"边界线上不断地挑起同苏联的军事争端，以期达到以攻为守、声北击南的目的。诺门坎事件就是其中规模最大，也是最后一次对苏武装挑衅活动。

1939年4月25日，日本关东军司令官植田谦吉命令所属日军，在"满苏""满蒙"边界线上双方有争议的地区，各边防部队司令官有权自行确定国界线。对于苏联及外蒙古军队越过边界线的"不法行为"，各边防部队应以"彻底惩罚"。这样1939年5月11日日军便以苏蒙军队"入侵"伪满边界为名，在"满蒙"边界的诺门坎地区发动了对苏蒙军队的大规模武装挑衅。日军先后投入56 000人，可事与愿违，日军遭到了苏军更加

---

① 本节发表于《世界历史》1990年2期。

强大的猛烈还击，日军损失惨重。据统计，诺门坎事件中日军共战死8 440人、伤8 776人，死亡率达30%以上。① 8月30日日军面对残局，被迫乞求停战。

诺门坎事件的停战，标志着日本对苏武装挑衅策略的失败。实际上日本对苏的强硬政策已经无法坚持下去了。

1939年下半年，欧洲局势发生了巨变，同日本缔结“防共协定”的德国，为了发动第二次世界大战，防止东西两线作战，于1939年8月23日，即诺门坎事件正值白热化，日本急需德国支持的时候，竟然同苏联签订了互不侵犯条约。苏德互不侵犯条约，沉重打击了日本妄图利用德国牵制苏联，减少苏联对日压力，以实行对苏武装挑衅的计划。这样日本在军事上遭到失败后，又在外交上宣告破产。

1939年下半年，中国的全面抗日战争已进入了第三年。自1937年日本发动全面侵华战争以来，不仅速战速决的侵华战略没能实现，反而在中国战场越陷越深。据统计，1937年日本投入中国关内战场的兵力为16个师团，在日本国内与朝鲜仅为两个师团，到了1939年日本投入中国关内战场的兵力竟达34个师团，在日本国内与朝鲜仅为两个师团。② 与此同时，日本在中国东北的兵力却增加很少。日本投入中国东北的兵力1937年为5个师团，1938年为8个师团，1939年为9个师团。同时期的苏联远东军，1937年为20个阻击师，1938年为24个阻击师，1939年为30个阻击师。③ 日本关东军与苏联远东军兵力的比较，说明中国人民英勇抗战，牵制了日本陆军的绝大部分兵力，日本军队已经无力对苏联采取大规模的军事行动，日本靠同苏联对抗掩护和维持其侵华战争的政策已经走进死胡同。

1939年下半年，在日本国内，由于长期的侵华战争，不仅造成经济上的困难重重，而且政治上也出现动荡不安。在财力上，据统计，1937年至

① 工藤美知尋:《日ソ中立条約の研究》、南窓社会，1985年，第57頁。

② 中国二战史研究会编:《第二次世界大战史论文集》，三联书店1984年版，第185—186页。

③ 防卫厅防卫研修所编:《战史丛书(90)支那事变陆军作战(3)》东京1975年版，第147页。

1939 年，日本的直接军费开支平均每年占国家预算总支出的 73%，合计三年国家预算支出总额达 213.11 亿日元，接近日本自 1868 年明治维新到 1936 年近 70 年间国家预算总支出的一半。[①] 在人力上，1937 年日本兵员总数为 108 万人，到了 1940 年猛增到 154 万人。[②] 再加上国内数百万人直接从事军事生产，必然造成国内其他工业、农业生产上人力的严重缺乏而无法生产。在物力上，军事开支的猛增，必然造成社会物力巨大浪费和民用物资的匮乏。与此同时，日本连年侵华战争，致使日本人民生活水平日益下降。如 1939 年日本政府明令规定劳动日延长到 12 至 14 小时。而工人实际工资却在 1937 年至 1941 年间下降了 16%。再如，从 1939 年起日本实施木炭定量供应开始，它的生活必需品定量范围越来越大，到了 1940 年日本居民成人每日主食定量仅约合 6 市两。[③] 为了生存，日本人民被迫掀起反抗斗争。据统计，仅 1939 年日本劳工运动就爆发了 1 120 次，佃农运动爆发了 3 578 次。[④] 反映在日本政界，发动全面侵华战争的第一届近卫文麿内阁，对内既不能摆脱政治上、经济上的困难，对外又不能使中国放弃抗战，只得于 1939 年 1 月辞职。继任的平沼骐一郎内阁，面对着国内外日益尖锐起来的矛盾同样束手无策，任职 8 个月后同样宣告辞职。日本统治集团内部出现了危机。

日本速战速决的侵华战略破产，苏德互不侵犯条约签订和日本国内各种矛盾的激化，即表明日本对苏挑衅行动已经无法继续下去，更表明这种挑衅丝毫也无助于它的侵华战争。因此日本为了集中力量解决“中国问题”，只好收起对苏挑衅行动。以 1939 年 8 月 30 日诺门坎事件的停战为标志，日本改变了对苏强硬政策，进入了谋求调整两国关系的新时期。

---

① 朝云新闻编集局编：《防卫手册》，1980 年版，第 423—433 页。

② 朝云新闻编集局编：《防卫手册》，1980 年版，第 428—429 页。

③ 吕万和：《简明日本近代史》，天津人民出版社，1984 年版，第 324 页。

④《四川大学学报》1981 年第 7 期，第 88 页。

(二) 调整日苏关系——日本南进的需要

“南进”是日本自明治维新以来制定的向东南亚地区进行侵略扩张的一项基本国策。

第二次世界大战的爆发,为日本实施南进政策提供了有利的条件。1939 年 9 月德国侵占波兰后,遂于 1940 年 4 月又迅速占领北欧,5 月直入西欧。5 月 14 日荷兰投降,6 月 22 日法国投降,5 月 27 日至 6 月 4 日英国撤回了溃不成军的欧洲远征军,凭借着海峡天险在做最后的抵抗。在这样的条件下,英法荷等国已无暇东顾,其所属的东南亚殖民地,一时就成了“无主”的“政治真空”地带。

1940 年 4 月,日本米内内阁外相有田八郎在记者招待会上公开谈道:“对于随着欧洲战争之激化而可能导致的各种改变荷印(荷属东印度群岛)现状的事态,帝国政府深表关心。”①这种赤裸裸地叫嚣,暴露了日本垂涎于东南亚及其丰富的战略资源的侵略野心。

日本是一个资源贫乏的国家。据战后日本防卫厅统计,1935 年至 1938 年间日本主要战略物资对外依赖进口情况是:铁矿石为 87%、铜为 43%、铅为 92%、锌为 74%、锡为 71%、锰为 63%、铝为 55%、石油为 92%,镍、棉花、羊毛、橡胶皆为 100%。② 而这些战略物资主要依赖美国和英法荷所属的东南亚殖民地供应。1940 年,英属马来亚的橡胶产量占世界第一位,荷属东印度群岛的锡产量占世界第二位,而对日本最有诱惑力的是石油和大米。据统计,1940 年日本石油需要量是 500 万吨,而荷属东印度群岛的石油产量为 800 万吨,1940 年日本需要从东南亚地区进口 900 万吨大米来维持国内的需要。③ 随着日本侵华战争的不断扩大,特别是日本侵犯了中国长江流域及华南地区美英等国的殖民利益

① 幅内謙介監修:《日本外交史》第 21 卷,東京,鹿岛平和研究所出版会,昭和 46 年,第 227 頁。

② 防卫厅防卫研修所编:《战史丛书(40)海上护战》,1971 年版,第 2 页。

③ 服部卓四郎著、张玉祥等译:《大东亚战争全史》1 卷,商务印书馆,1984 年版,第 80 页。

后，日本与美英的矛盾越来越大，也使日本更加急于在战略物资供应上摆脱对美英等国的依赖。为此，日本必须趁西方国家无暇东顾之机，控制或占领东南亚地区，以期建立起自己自给自足的战争体系，确保它侵略政策的实施。进一步，日本还可以驱逐东南亚的美国势力，占领澳大利亚，称霸西南太平洋，然后挥师西进印度洋与德国法西斯在中东或印度洋会师，实现日德意法西斯称霸全球的美梦。

另外，此时日本实施南进政策，更重要的目的是要尽快结束侵华战争。1940 年 7 月 2 日日本御前会议上，参谋总长衫山元讲：“在日本目前形势下，帝国除直接对重庆政权施加压力外，还要向南方扩展，切断从背后支援重庆政权的美英势力与重庆政权的联系，这是解决事变极为必要的措施。”①日本政府一直认为，中国人民之所以坚持长期抗战，主要是外来援助的结果。当时外来援助路线主要有三条，两条在中国南方，即通过缅甸和法所印度支那进入中国云南省的美英援华路线，一条是中国西北，从苏联进入中国新疆，苏联援华路线。日本要尽速迫使中国政府投降，在他们看来，就必须首先切断西方国家的援华路线，而要达到这个目的，就要南进控制或占领缅甸和法属印度支那。

1940 年 7 月 22 日，力主南进的第二届近卫文麿内阁成立。7 月 27 日新内阁在制定了：“在中国事变处理完毕前，应在不至于同第三国开战的限度内采取对策，但在内外方面形势的发展一旦对我特别有利时，为了解决南方问题可以行使武力”②的方针后，9 月 23 日日本便迈出了武力南进的第一步，悍然出兵法属印度支那北部。

日本的积极南进，引起了美国的极力反对。对于美国来说，东南亚地区是它全球战略的重要一环。自美西战争以来，美国一直以菲律宾为基地向中国及远东地区扩张，进而扩展到印度洋地区，因此如果日本的南进阴谋得逞，美国的东方霸权计划势必落空。另外，东南亚地区也是

---

① 服部卓四郎著、张玉祥等译：《大东亚战争全史》1 卷，商务印书馆，1984 年版，第 156 页。

② 服部卓四郎著、张玉祥等译：《大东亚战争全史》1 卷，商务印书馆，1984 年版，第 38 页。

美国不可缺少的原料供应地。据统计，1940 年美国从东南亚地区进口物资占其进口总额的比例是：麻为 100%、植物棉为 95%、锴为 100%、橡胶为 91%、云母为 87%、桐油为 86%、奎宁为 86%、锡为 76%、毛为 46%，还有革、铬、锰等原料。[①] 1940 年美国与亚洲国家贸易额超过了它与拉丁美洲国家贸易额的一倍多。美国是绝对不会放弃包括东南亚在内的已经获得的亚洲巨大利益的。1940 年 4 月美国国务卿赫尔针对有田的南进叫嚣发表声明，强调不允许改变荷印现状。

美国为了维护它在东南亚及远东地区的利益，针对日本不断的南进扩张，采取了逐渐加强限制对日出口政策。1940 年 7 月 2 日美国总统罗斯福签署了“国防法”，规定凡军需物资，除石油、废铁外，对外输出需经批准。7 月 26 日美国政府又下令对石油、废铁出口也需经批准。9 月 26 日即日本武力南进的第三天，美国政府宣布禁止废铁对日出口法令。

美国的禁运措施对日本的侵略扩张计划无疑是一个致命打击。废铁的禁运将会造成日本军火生产所需的钢铁短缺，同时也将预示着石油禁运为期不远了。1939 年日本所需石油的 90%来自美国，[②]一旦美国石油禁运，日本的石油供应必将出现危机。当时日本海军一天约消耗 12 000吨石油，如果没有石油供应，日本海军两年后就将完全瘫痪，[③]这就意味着作为岛国的日本对外扩张政策的破产。

这样日本在对外扩张的道路上，同时出现了三大对手——中国、苏联和美国，就当时日本国力来讲，除中国战场外，它根本没有能力同时与苏美两国抗衡。但是为了解决侵华战争问题，为了寻找侵华战争所必需的战略物资的充足和稳定的供应，它必须在苏美之间权衡利弊，选择对抗的目标，决定是南进还是北进。从苏美同日本的利害冲突来说，苏联主要关注的是欧洲战局，并没有直接威胁到日本的对外扩张，而美国决

①《四川大学学报》1981 年第 2 期，第 89 页。

② 华东师范大学编：《第二次世界大战起源研究集》，华东师范大学出版社，1985 年版，第 30 页。

③ 服部卓四郎著、张玉祥等译：《大东亚战争全史》1 卷，商务印书馆，1984 年版，第 174—175 页。

意要阻止日本南进，它的禁运措施对日本的对外扩张构成了直接威胁。另外，日本南进，可以得到东南亚丰富的战略物资，而北进西伯利亚则一时解决不了日本的燃眉之急。再就日美与日苏的力量对比看，1940 年美国陆军兵员是 267 767 人，日本陆军兵员是 1 350 000 人，日本是绝对优势。美国海军作战舰只是 138.2 万吨，日本海军是 94.4 万吨，[①]但是美国战略重点在欧洲和大西洋地区，在亚太的军事力量相当薄弱，虽然美国也在不断增加它驻东南亚地区的兵力，但直到 1941 年 12 月太平洋战争时，日本在太平洋地区的海空军力量仍然比美英荷三国的总和还多。而北方的苏联远东军与日本关东军的比例为 2.5∶1，[②]苏联占绝对优势。在这种形势下，从解决中国战场这一主要目的出发，日本最后选择了美国这一对手，决定实施其南进政策。与此同时，日本就需要用和平的方式解决同苏联的纠纷和阻止苏联援华，尽力减少或完全避免同苏联发生正面冲突，以确保日本全力推行南进政策。这就是日本国内上下盛行一时的“北守南进”论。日本南进政策的实施，促使了日本对苏政策的调整。

（三）日苏中立条约的签订

日本政界就如何调整日苏关系问题，明显地形成两大派，即主张同苏联缔结条约派与反对同苏联缔结条约派（以下简称缔约派与反对派）。缔约派主要代表人物是第二近卫内阁首相近卫文麿、外相松冈洋右、日本驻意大利大使白鸟敏夫、驻德国大使大岛浩、驻苏联大使东乡茂德。反对派主要代表人物是阿部内阁首相阿部信行、外相野村吉三郎、米内内阁首相米内光政、外相有田八郎。

缔约派强烈要求缔结日苏互不侵犯条约，但对于如何缔结条约问题，内部又出现分歧，以近卫、松冈、白鸟及大岛等人为代表，主张以日德

① 中国二战史研究会编：《第二次世界大战史论文集》，三联书店，1984 年版，第 701 页。

② 防卫厅防卫研修所编：《战史丛书(90)支那事变陆军作战(3)》，第 147 页。

意三国同盟为基础，利用三国同盟的威力来迫使苏联对日让步缔结条约。以东乡等人为代表则反对利用三国同盟来调整日苏关系，主张直接与苏联调整关系，缔结条约。

近卫、松冈、白鸟及大岛等人的主张是受到德国关于“四国联盟”宣传的影响。1939 年 9 月 1 日，德国挑起了第二次世界大战。战争前夕 8 月 30 日上台的阿部内阁，遂于当天宣布“帝国不介入欧洲战争，专心致力于解决对华问题”的声明。[①] 日本这种外交态度，对于德国是极大打击。此时德国急需日本在远东牵制英国、苏联的力量，防止美国参战。于是德国外长里宾特洛甫便提出，如能缔结一个同苏德互不侵犯条约一样的日苏互不侵犯条约的话，既可解决日苏矛盾，又可解决因苏德互不侵犯条约而引起的日德矛盾，进而协调形成日德意苏联合抗英的“四国联盟”的主张。[②] 对于德国来讲，战前它想利用日本除牵制美英外，更重要的是牵制苏联，保持东线的暂时平静，因此 1938 年后，德国一直要求日本再签订一个军事同盟条约。但是日本迟迟不做最后决定，这样它同苏联签订了互不侵犯条约。对于日本来说，既利用德国牵制苏联，便于它侵华，但是它又怕与德国签订军事同盟会更加剧与美英的矛盾，不利于它侵华，因此对德采取保持一定距离对策。然而苏德互不侵犯条约却使它大失所望。这样在柏林，里宾特洛甫多次会见日本驻德大使大岛浩，宣称“如果德国在这次战争中失败，西方的民主国家将会结成同盟，阻止日本的一切扩张，特别是将取缔日本在中国的统治地位。如果进一步加强和巩固日德友好关系，日本的地位将会巩固”。接着他又说：“在反英问题上，德意日三国利益与苏联利益是一致的，如果结成德意日苏四国联盟共同反英，这将会在未来的国际政局中起决定作用。”里宾特洛甫又表示德国愿为调节日苏关系发挥中介作用。[③] 在东京，德国驻日大

① 藤村道生：《世界现代史(1)——日本现代史》，山川出版社，1975 年版，第 198 页。
② 日本国際政治会、太平洋戰争原因研究部編：《太平洋戰争への道》5，東京，朝日新聞社，1963 年，第 235 頁。
③ 崛内謙介監修：《日本外交史》第 21 卷，東京，鹿岛平和研究所出版会，昭和 46 年，第 226 頁。

使鄂图更是积极地向日本上层人物宣传里宾特洛甫的主张。德国的“四国同盟”主张，不仅促进了日本对苏政策的转变，而且对日本的对苏联关系如何调整也产生了极大的影响。

德国的“四国同盟”宣传，迎合了此时近卫、松冈、大岛及白鸟等人的主张。因为此时日本不仅需要摆脱因侵华战争而造成的国际孤立地位，而且更需要外来力量支持它与美英等国力量抗衡，使它确保实施南进政策，解决侵华战争问题。他们在里宾特洛甫主张基础上又提出：“当今世界的国际斗争，实际上是要求改变世界现状和要求维护世界现状的国家间的斗争。美英法是要求维护现状的势力，而日德意苏四国是要求改变现状的势力，因此四国联盟就是极为必要的。”就双方实力而言，“日德意苏四国的联合力量，在外交上、军事上、经济上，决不次于美英法的力量”。就侵华战争而言，“目前重庆政权有两个支柱或两只脚，即美英和苏联”。如果南进切断美英这只脚，剩下就是苏联，如果日苏关系得到改善，苏联就会放弃援华，那么不过半年，既可解决中国战争，又可确保实施“北守南进”计划。① 对于调整日苏关系，他们认为应首先缔结三国同盟，再利用三国同盟的威力来迫使苏联签订互不侵犯条约和“四国同盟”条约。同时他们也感到接受德国积极主张的三国同盟，意味着可以换取德国在日苏关系调整中的积极作用。因为在大战爆发不久，从德国传来1939年8月30日里宾特洛甫与斯大林会谈上，斯大林明确表示希望与日本友好并且希望德国从中帮助的消息，②这就更增加了他们的信心。与此相反，东乡等人则认为：“调整日苏关系与所谓三国同盟没关系。如果缔结日苏互不侵犯条约，第一可以削减重庆政权的抗日意志，第二可以使美国反省一下对日的强硬态度，有利于开展日美协调外交。”③

① 日本国際政治会、太平洋戦争原因研究部編：《太平洋戦争への道》5，東京，朝日新聞社，1963年，第238頁。

② 日本国際政治会、太平洋戦争原因研究部編：《太平洋戦争への道》5，東京，朝日新聞社，1963年，第234頁。

③ 西春彦監修：《日本外交史》15卷，東京、鹿島平和研究所出版会、1970年，第240頁。

反对派的主张同缔约派的主张相比较，在对苏态度上，表现出了极为消极的倾向。他们认为“如果全面调整日苏两国边境争端问题，实际上就可取得与互不侵犯条约相同的结果”。而且“互不侵犯条约是很远的事，有没有多大作用”。反对派对“四国联盟”的主张更是极力反对，他们认为“借用苏联力量来抗衡美英力量的主张是非常幼稚的。不仅在物资上，而且在精神上也不会起到与美英抗衡的作用，特别是在国际关系方面，日本还没有这样的先例。因此也是极其危险的”①。反对派认为，日本应与美国调整关系，解决日美间因日本侵华所造成的矛盾，以摆脱国际孤立的地位。

诺门坎事件中日军惨败，使日本对苏强硬政策严重受挫，为日本主张与美国调整关系的反对派上台创造了条件。于是在大战初期出现了反对派控制政权的局面。阿部内阁一方面就所谓“满蒙”边境问题与苏联进行谈判，9 月 16 日双方正式签订诺门坎停战协定；另一方面派野村外相与美国就日本侵华问题进行谈判，但是由于美国坚持要求日本从中国撤出全部侵略军，而日本则坚持它的侵华政策，遂使谈判很快陷入僵局。1940 年 1 月 16 日阿部内阁被迫辞职。继任的米内内阁，实际上仍坚持了前内阁的对外政策。然而米内内阁正处于希特勒德国在欧洲对英法等国取得巨大胜利时期，日本上下把这种形势称为南进的“千载难逢”的良机，因而“不能误了这班车”的叫嚣盛极一时。日本陆军公开支持缔约派的主张，鉴于反对派内阁反对缔结日苏互不侵犯条约，为了求得问题的解决，日本陆军便提出缔结日苏中立条约的对策。1940 年 5 月陆军起草了《日苏中立条约》草案，其共四项条款：（一）日本国政府及苏维埃社会主义共和国联邦政府以 1925 年 1 月 20 日双方签订的两国关系基本法则为其关系的基础。（二）缔约国的一方，在受到破坏和平的一个或几个第三国攻击时，另一方在此期间应保持中立。（三）缔约国的一方应尊重另一方有特殊密切关系的地区的和平与安全。（四）本协定从签

① 工藤美知尋：《日ソ中立条約の研究》、南窓社会，1985 年，第 66 頁。

字之日起生效,有效期为五年。[①] 陆军的草案得到海军的支持,迫于压力,走投无路的米内内阁不得不通过此案。

1940 年 7 月 2 日,日本驻苏大使东乡代表日本政府向苏联外长莫洛托夫递交了日方草案,然而在草案中,东乡又加入了"双方应维护和平友好关系,相互尊重领土完整"的字样,反映出东乡等人坚持日苏互不侵犯条约的思想。莫洛托夫接到草案后,马上表示,缔结中立条约"符合日苏两国的利益"。同时指出:"鉴于英法荷的近况,在南洋方面日本面临着军事上、经济上的问题,对于在国际间起着举足轻重作用的日苏两国,从相互利益和权益考虑,加强相互间稳定关系,是符合这种现实的变化。"[②]这说明,苏联不仅同意缔结日苏中立条约,而且对日本的"北守南进"政策也表示赞成。苏联就是要利用日本南进,日美英矛盾的加剧来减少日本对苏的压力。在这次会见中,当东乡大使询问苏联是否放弃援华这个日本最关心的问题时,莫洛托夫爽快地回答:"这个问题对于苏联来说并不重要,因为苏联现在正忙于自己的国防。"[③]这无疑是给日本一个默许。苏联的明朗态度,更激发了日本军界和缔约派的热情。于是 7 月 6 日陆军便以陆相畑俊六辞职,拒绝推举继任人选的办法,迫使米内内阁于 7 月 22 日垮台。

1940 年 7 月 22 日在陆海军的支持下,主张对苏缔约的第二届近卫内阁成立。可是新内阁马上又遇到来自苏联方面的阻力。苏联想利用日本急于"北守南进"的愿望,收回 1925 年日苏基本条约附属议定书(乙)中,关于日本在苏联领土库页岛北部开采石油、煤炭的权利。[④] 对于苏联的要求,日本驻苏大使东乡认为同缔结日苏中立条约相比,是"失小

① 日本国際政治会、太平洋戰争原因研究部編:《太平洋戰争への道》5,東京,朝日新聞社,1963 年,第 252—253 頁。

② 日本国際政治会、太平洋戰争原因研究部編:《太平洋戰争への道》5,東京,朝日新聞社,1963 年,第 257 頁。

③ 工藤美知尋:《日ソ中立条約の研究》,南窓社会,1985 年,第 111 頁。

④ 西春彦監修:《日本外交史》15 卷,東京,鹿岛平和研究所出版会,1970 年,第 109 頁。

利大”，主张接受。① 但是海军表示反对，海军认为库页岛的石油，对于缺少石油供应的海军来说是不可缺少的。② 外相松冈也表示：“放弃利权来换取日苏缔约是不可能的。”③这样调整日苏关系的工作便陷于搁浅状态。这样外相松冈便提出了首先缔结日德意三国同盟，然后利用三国同盟的威力，利用德国对苏的影响来迫使苏联接受日苏缔约和“四国联盟”的主张。

1940 年 9 月松冈会见了德国特使斯特玛，斯特玛表示德国愿意为调整日苏关系而努力，④这就更增加了松冈的信心。可是日本海军表示反对缔结三国同盟，海军担心如果日本和德意缔结同盟会引起美英等国的强烈反对，使日本卷入新的战争。海军认为日本现在还不具备同美英开战的条件，但是海军又因石油问题而积极主张南进，在这种矛盾心理下，迫于当时日本国内力主缔约的政治压力，海军只能像丰田贞次郎次官表示的那样——“不得不赞成”。⑤ 新内阁将连接三国同盟与调整日苏关系的东乡大使撤回，任命陆军中将建川美次为新的驻苏大使，以推动他的对苏外交政策。

松冈在完成了外交方案的准备工作后，1941 年 3 月 12 日离开东京，前往欧洲处理对苏问题。3 月 26 日松冈途径莫斯科来到德国首都柏林。此时欧洲的德国法西斯势力已经进入巴尔干，并把矛头指向苏联。希特勒不仅放弃了四国同盟政策，而且下令积极准备对苏开战。柏林会谈使松冈大失所望，德国毫无关心调整日苏关系之意，却暗示近期会爆发苏德战争。松冈利用三国同盟威力，借助德国调整日苏关系的方案遂告破

① 西春彦監修：《日本外交史》15 卷，東京，鹿島平和研究所出版会，1970 年，第 217 頁。

② 日本国際政治会、太平洋戰争原因研究部編：《太平洋戰争への道》5，東京，朝日新聞社，1963 年，第 278 頁。

③ 日本国際政治会、太平洋戰争原因研究部編：《太平洋戰争への道》5，東京，朝日新聞社，1963 年，第 279 頁。

④ 日本国際政治会、太平洋戰争原因研究部編：《太平洋戰争への道》5，東京，朝日新聞社，1963 年，第 280 頁。

⑤ 日本国際政治会、太平洋戰争原因研究部編：《太平洋戰争への道》5，東京，朝日新聞社，1963 年，第 205 頁。

产。4月11日松冈走访意大利后，再返回了莫斯科。此时德国已经开始大举进攻东南欧地区，苏德战争迫在眉睫。松冈感到此时苏联会更急于调整日苏关系，以避免东西两线作战。所以松冈在第一次与莫洛托夫会谈时，提出无条件缔结日苏互不侵犯条约，但是莫洛托夫毫不让步坚持原来立场。于是第二次会谈时，松冈又提出无条件缔结日苏中立条约，莫洛托夫再次加以否定。眼看谈判陷入僵局，松冈失望地准备离开莫斯科的前一天晚上，斯大林会见了松冈并许诺："关于库页岛利权问题，几个月后再努力解决。"①这样消除了日苏缔约中的障碍，双方于4月13日晚正式签订了《日苏中立条约》，其主要内容为：(一)缔约国双方保证维护相互间的和平与友好邦交，相互尊重对方领土完整与神圣不可侵犯性。(二)缔约国一方受一个或几个第三国敌对攻击时，另一方应始终遵守中立。(三)该条约自双方批准之日起生效，有效期五年，在期满前一年如缔约国双方均未宣告废弃本约，则有效期自动延长五年。② 接着双方发表声明："苏联保证尊重满洲国的领土完整和不可侵犯，日本保证尊重蒙古人民共和国的领土完整和不可侵犯。"③

从日苏缔约的曲折过程可以看出，日本缔约派始终坚持缔结互不侵犯条约，而非中立条约。日本之所以坚持缔结日苏互不侵犯条约，一是要阻止苏联援华和确保它"北守南进"政策实施，二是希望能实现日德意苏四国联盟，使它增加同美英等国抗衡的力量。而苏联则担心日苏两国关系过于密切会导致苏联与其他国家的恶化，④造成未来战争中树敌过多的困境。

从日苏中立条约的内容及声明来看，她实际上是互不侵犯条约与中

① 日本国際政治会、太平洋戰争原因研究部編：《太平洋戰争への道》5，東京，朝日新聞社，1963年，第209頁。

② 鹿岛和平研究所編：《日本外交主要文書・年表》(1)(1941—1960年)，東京，原書房1983年，第52頁。

③ 鹿岛和平研究所編：《日本外交主要文書・年表》(1)(1941—1960年)，東京，原書房1983年，第53頁。

④ 西春彦監修：《日本外交史》15卷，東京，鹿岛平和研究所出版会，1970年，第216—217頁。

立条约的混合体，它适应了日苏双方的要求。对于日本来说，“遵守中立”，可以使苏联放弃援华。尊重满洲国的领土完整和不可侵犯，可以使它实施“北守南进”政策。这也就达到了日本所要追求的主要目的。然而日苏中立条约的签订并没给日苏两国的和平带来可靠的保证，随着第二次世界大战形势变化，日苏两国关系仍不断面临着严峻的考验。

五、日本坚持对苏中立政策的选择(1941—1945)①

1941年4月13日日苏两国正式签署了中立条约。日苏中立条约的签订，是在中日、中苏、中美、日美、日德、苏德等多角关系相互作用下，日苏两国相互妥协的结果。但是随着第二次世界大战的不断扩大，苏德战争、太平洋战争相继爆发，苏联的敌人德国是日本的同盟，日本的敌人中美两国又是苏联的同盟国，而且日苏两国又分别是两大敌对集团的主要成员。面对这样错综复杂的局面，伴随着双方形势的变化，日苏中立关系几度濒临破裂的危险，日本如何在不断摇摆、动荡的形势中艰难地将对苏中立政策的选择坚持下去？本书略述一点粗浅认识。

(一) 苏德战争的爆发与日本对苏政策

1941年6月22日爆发的苏德战争是对日苏中立条约的第一次考验。主张把日本和德国紧紧拴在一起的代表人物松冈洋右外相仿佛把他刚刚亲手签订的日苏中立条约忘得一干二净，当天上奏天皇：“苏德开战的今天，日本应与德国协力讨伐苏联。”②6月24日，苏联驻日本大使斯麦塔宁会见松冈外相，就苏德战争中日本是否遵守中立条约询问松冈外相。松冈回答说：“日本外交的基础是三国同盟，如果这次战争与这个

① 本节发表于《河北师院学报》1991年2期。

② 日本国際政治会、太平洋戰争原因研究部編:《太平洋戰争への道》5，東京，朝日新聞社，1963年，第211頁。

基础发生矛盾，中立条约将会失去效力。”[①]显然，这就是说日本不会遵守中立条约。另一方面，日本陆军为了确保其方针的实施，便与海军进行协商。海军在坚持“北守南进”的原则下，接受了陆军的方针。这样日本陆海军在对苏德战争的方针上取得了一致。

1941 年 6 月 25 日至 7 月 1 日，日本统帅部与政府间就苏德战争的形势变化与国策问题召开了会议。会上松冈与军界展开了激烈的争论。松冈针对军界对待苏德战争的方针指出：“如果军界确认苏德战争将会在短期内结束，那么日本不应该南北都不动。如果确认苏德战争能在短期内结束，就应该先向北进。如果德国打败苏联后，再谈解决对苏问题，那么日本会在外交上陷入被动。如果尽快对苏开战，美国不会参战的。……如果像统帅部方针那样采取观望的态度，日本将要遭到英美苏的包围。不入虎穴，焉得虎子。”[②]然而参谋总长衫山元却对其解释说：“现在中国战场牵制着绝大部分日本军队。（松冈所言）实际上也是做不到的。作为统帅部，首先应该考虑的是战争的准备。现在还不能谈是否参战。仅就关东军而言，它的战争准备就必须花费四十至五十天，将现在的兵力转变为战时体制，进一步到发动进攻，还必须花费时间。然而这段时内，苏德战争的进展情况也就判明了。”松冈没能说服统帅部的军官们，这样于 7 月 2 日御前会议上，日本最后以军界的主张为基础，制定了新的国策，即南北双方皆进行战争准备，在南进的同时密切关注北方的变化，如果苏德战场出现对日本有利形势时，日本就参加对苏作战。

新的国策确定后，日本在关注苏德战场变化的同时，开始了积极的备战活动。日军参谋本部估计，苏联远东兵力约为三十个阻击师，二千八百架飞机，一百零三艘潜艇。而日本关东军的兵力为十三个师团，八百架飞机。双方兵力相差甚大。因此他们确定苏联远东兵力减少到一半到十五个阻击师（与日本动员师团人数相比，一个阻击师约为日本一

---

① 工藤美知尋：《日ソ中立条約の研究》、南窓社会，1985 年，第 104 頁。

② 服部卓四郎著、张玉祥等译：《大东亚战争全史》1 卷，商务印书馆，1984 年版，第 150 页。

个师团人数的75%,约等于日本的十一个师团)时,才能作为日本参战的条件。另外,为了确保对苏开战后顺利进展,日本还必须增加关东军兵力,使其达到对苏联远东军兵力的二倍即二十二个师团。[①] 这就出现了所谓"关东军特别大演习",即大规模地调兵于中国东北,准备对苏开战。

7月2日,日本驻德国大使大岛浩来电,在苏德战场上"苏联军队的后防精锐师团已经大部分被消灭或正处于被包围中,马上就要被完全消灭,……苏联军队进行的不是世人所说的退却作战,而是短期内战争就要结束"。7月4日,日本驻苏联大使建川美次郎来电,苏联准备迁都,到处是战败的景象。[②] 可是7月21日参谋本部得到报告,苏联兵力西移的很少,特别是日本准备攻击的乌苏里江流域和黑龙江流域地区还没有移兵的迹象。[③] 面对这些报告,参谋本部内部出现了是否仍坚持苏联远东军减少一半为开战条件的争论。有人提出对苏作战重要的是时间,西伯利亚的冬季很难开展大规模作战,因此不必拘泥于非要等待苏联远东军减少一半为开战条件,应以7月15日苏联部长议会上决定把首都迁移乌拉尔地区这一政治事态作为进攻的开始。[④] 但是苏德战场进行一个月后,德军的进攻速度明显不如初期快,这种主张也就消失了。

此时在南方,随着日本南进的扩大,日美矛盾更加剧烈。7月29日,日本迫使法国维希政权签订了日本与法属印度支那共同防务协定,同日日军侵入了印度支那南部,美国事先得知这一行动后于7月26日宣布冻结日本在美国资产,8月1日宣布禁止石油等战略物资对日出口。日本最担心的石油禁运的厄运终于来临。在北方,日本虽然以"关东军特

① 日本国際政治会、太平洋戰争原因研究部編:《太平洋戰争への道》5,東京,朝日新聞社,1963年,第320頁。

② 日本国際政治会、太平洋戰争原因研究部編:《太平洋戰争への道》5,東京,朝日新聞社,1963年,第321頁。

③ 日本国際政治会、太平洋戰争原因研究部編:《太平洋戰争への道》5,東京,朝日新聞社,1963年,第322頁。

④ 日本国際政治会、太平洋戰争原因研究部編:《太平洋戰争への道》5,東京,朝日新聞社,1963年,第322頁。

别大演习”为名将大批部队调入中国东北，但是作为进攻苏联的主力军——日本陆军的绝大部分，至今仍深陷于中国关内战场，这就使日本绝对不敢轻举妄动。8月9日参谋本部做出决定：“无论苏德战场如何演变，取消在1941年内解决北方问题的计划，专心致力于南方方针。”①另一方面，近卫首相也以驱逐积极主张北进的松冈外相为目的，于7月18日解散了第二届近卫内阁，成立了第三届近卫内阁，新任的外相是海军大将丰田贞次郎。7月25日苏联驻日本大使斯麦塔宁再次就日本是否遵守中立条约询问丰田外相时，丰田外相给予肯定回答，同时丰田也要求苏联必须做到：（一）不得把苏联的远东领土割让，卖给或者出租给第三国，或者在此提供军事基地。（二）如果苏联与第三国缔结军事同盟的使用范围涉及东亚或与第三国缔结以日本为目标的同盟，给日本带来直接威胁，这就完全违反了中立条约，因此日本是绝对不能允许的。② 对于日本上述要求，苏联迫于苏德战场压力，很快于8月13日由斯麦塔宁大使代表苏联政府给予肯定的回答。日苏双方紧张一时的关系又平静下来。

（二）太平洋战争与日本对苏政策

历史表明，战争形势对日本有利时，日本要破坏中立，然而战争形势对日本不利时，日本又要拼命维护中立。1941年10月，“决心对美一战”的东条英机内阁成立。东条在积极准备对美开战的同时，最关心的就是苏联是否遵守中立条约。只有苏联遵守中立条约，日本避免两线作战，才能保证对美开战的顺利进行。为了确保苏联遵守中立条约，东条内阁提出了以日苏中立关系的特殊地位，为苏德两国媾和进行调节，消除日苏两国的间接敌对状态方案。11月15日，日本大本营会议通过了“据苏

---

① 服部卓四郎著、张玉祥等译：《大东亚战争全史》1卷，商务印书馆，1984年版，第162页。

② 工藤美知尋：《日ソ中立条約の研究》、南窓社，1985年，第110頁。

德两国的意向,促使两国媾和"的决议。[①] 然而苏德战场愈演愈烈,日本所谓媾和方案,只能像1941年4月3日大岛浩大使来电所说那样"苏德两国无实现单独媾和的可能性"[②]而夭折。

1941年12月7日,日本以偷袭的形式,挑起太平洋战争后,虽然仅半年内就完成了占领东南亚的计划,可是从1942年6月中途岛战役后,日本就丧失了在太平洋战场上的海空优势,并且日益走向下坡路。在东南亚,日军的武装占领,没有吓倒东南亚人民,相反却迫使东南亚人民拿起武器进行反抗,日本军队不仅战略物资很难保证,而且还要忙于对抗各地的抵抗斗争。在中国,日本海外总兵力的一半仍然深陷中国难以自拔。然而在这种形势下,1942年8月发动斯大林格勒战役的德国却极力要求日本参加对苏作战。参加对苏作战无疑意味着日本将会陷入更加被动的局面。于是日本只好多次对德国表示:"帝国目前形势下,对苏采取积极方针,势必造成帝国力量的过度分散,不仅对大局不利,而且会减少帝国在东亚对美英的压力,从而增加美英对欧洲作战能力的危险。此外,也将会给美国对日反攻创造有利条件。"[③]实际上是完全拒绝了德国的要求,日苏中立条约也继续维持下去。

随着中途岛战役后日军在太平洋战场上的地位日益恶化,维持日苏中立条约对日本来说,也就陷入越来越困难的局面。日本不仅对苏联单方面违反日苏中立条约的行为无力制止,甚至发展到主动让步换取苏联对日中立状态。如1942年4月至1944年11月,美国飞机轰炸完日本后,先后有七次在返回途中着陆于苏联远东领土堪察加地区,日本虽然不断提出抗议,但是苏联方面仅以美国飞机是突然故障情况下着陆,苏联按照国际惯例扣留机上人员来应付日本。日本除提出抗议照会外,也只能听之任之。再如,苏联为了补充在苏德战场上的消耗与恢复战斗

① 服部卓四郎著、张玉祥等译:《大东亚战争全史》2卷,商务印书馆,1984年版,第699页。
② 服部卓四郎著、张玉祥等译:《大东亚战争全史》2卷,商务印书馆,1984年版,第700页。
③ 服部卓四郎著、张玉祥等译:《大东亚战争全史》2卷,商务印书馆,1984年版,第702—703页。

力，需要得到巨大的物资援助。美国根据租借法提供给苏联的援助，其中有相当数量的物资是通过北太平洋航线进入西伯利亚的。这些运输货物的船只，有苏联的，也有太平洋战争爆发后美国转让或者租借给苏联的。1943 年 4 月 28 日和 29 日，日本以太平洋战争爆发后属于美国船只为敌对国船只为理由，先后两次扣留了三艘航行于宗谷海峡的苏联运输船。[①] 然而在苏联方面提出强烈抗议后，日本为了维持日苏中立，只好乖乖地迅速开释扣留的船只，对于此后类似事件，日本也只好采取视而不见，听之任之的态度。另一方面，1943 年 6 月 19 日日本大本营会议决定：“帝国为了保持日苏间的平静，使苏联严守中立……将库页岛北部的石油及煤炭利权有偿转让给苏联。”[②]1944 年 3 月 30 日，日苏两国政府正式签署了协议。

“中立”本身意味着双方的砝码相等，双方承受着同样的压力，但是如果这种平衡失去的话，“中立”就会倒向一侧而受到破坏。随着第二次世界大战的进展，日本在太平洋战场越来越处于不利的地位，而苏联在对德战争中已明显处于优势的条件下，尽管日本极力维持日苏中立状态，但是苏联的对日态度却逐渐强硬。1944 年 11 月 6 日在苏联召开纪念十月革命胜利 37 周年大会上，斯大林首次发表了谴责日本是破坏世界和平的侵略国家的演说。接着 1945 年 2 月，在苏美英三国首脑举行的雅尔塔会议上，苏联决定在欧洲战场结束的二至三个月后对日开战。然而此时蒙在鼓里的日本，还在极力选择访苏特使，以进一步维持日苏中立状态。1945 年 4 月 5 日，在苏联取得对德战争最后胜利的前夕，苏联外长莫洛特夫会见了日本驻苏大使建川美次，通知苏联政府决定废弃日苏中立条约。1945 年 8 月 9 日在中美等国取得对日战争最后胜利的前夕，苏联宣布对日开战。这样日苏中立状态就彻底结束了。

日本的日苏中立政策是适应它扩大侵略战争的需要而制定的，现在

---

① 工藤美知尋：《日ソ中立条約の研究》、南窓社会，1985 年，第 148 頁。

② 服部卓四郎著、张玉祥等译：《大东亚战争全史》2 卷，商务印书馆，1984 年版，第 823 页。

日苏中立条约在有利于反法西斯联盟的情况下废除，正如历史表明的那样，它预示了日本帝国主义彻底失败的日子已指日可待了。日苏中立条约的签订，对于苏联抗击德国法西斯入侵，保卫社会主义国家，最后战胜德国法西斯起了重要作用。同时，日苏中立条约的签订，也对日本法西斯维持它在华的侵略和发动太平洋战争起了重要作用。

六、“关特演”计划述评[①]

“关特演”即关东军特别大演习，是日本侵略军在苏德战争初期准备进攻苏联的计划。过去中、日史学界对这个计划研究不多。研究“关特演”的制定与放弃，有助于深入探讨苏德战争初期的日本军事战略以及日本南进、挑起太平洋战争的原因。

（一）“关特演”计划的制定

1941 年 4 月 13 日，日苏两国签订中立条约，表面上看两国关系已经缓和，但日本统治集团内部却在考虑新的对苏战争。1941 年 4 月 10 日，德国外长里宾特洛甫会见日本驻德国大使大岛浩，里宾特洛甫说：“由于苏联的所作所为，使德国可能在今年内对苏联发动进攻。”[②]4 月 16 日大岛电告东京，然近卫文麿内阁以此情报真假难辨为由给予否定。5 月 15 日，日军参谋本部也对近来收到有关苏德开战情报进行研究，认为德国在攻英战役结束前，不会发动对苏战争。6 月 3 日、4 日，希特勒和里宾特洛甫分别会见大岛浩，再次向他透露出苏德战争即将爆发的情报。希特勒说：“德苏关系现在越来越恶化，德苏战争大概是不可避免了。”里宾特洛甫说：如果日本“感到在南进中有困难的话，欢迎日本北进协助德国

---

① 本节发表于《军事历史》1992 年 2 期。

② 日本国際政治会、太平洋戰争原因研究部編：《太平洋戰争への道》5，東京，朝日新聞社，1963 年，第 305 頁。

进攻苏联"①。会见之后,大岛浩再次电告东京。

对于大岛浩再次来电,日本内阁仍然持否定态度。6 月 6 日外相松冈洋右上奏天皇:"德苏关系,六分协定,四分开战。"②日本军界则确信苏德战争即将爆发,但关于日本在苏德战争中应采取什么政策分歧很大。日本陆军此时在中苏、中蒙边界已形成与苏军对峙局面。日本陆军内部主要有三种主张:第一,把军事重点放在南方,利用苏联对日本北方威胁削减之机,加强武力南进,以解决战略物资;第二,把军事重点放在北方,不论苏联远东军兵力是否削减,都应与德军相呼应,占领苏联远东领土,以确保日本北方的安全;第三,此时不介入对苏战争,也不介入对英战争,应等待时机,在北方、南方都要加强准备,提高战斗力。6 月 14 日陆军省、参谋本部决定以第三种主张为基础,制定了《适应形势转变的国防国策》作为陆军对待苏德战争的政策,即以日军同时在南北两方面进行战争准备为基础。在北方如果苏德战场出现对日本有利时机时,日本就参加对苏作战。日本陆军对这一政策解释说:"解决北方问题,必须要大规模地行使武力,为此所需要的战略物资,尤其是液体燃料,实际上必须求于南方,因此断然地强行解决北方问题是危险的。"③

6 月 18 日,参谋本部制定了南北准备战争的方案:

(一) 准备(警戒)态势

对北方:原驻中国东北与朝鲜的 14 个师,并从日本国内调入 2 个师。

对南方:驻中国关内的 24 个师等待时机。

中国战场:保持 22 个师。

---

① 日本国際政治会、太平洋戰争原因研究部編:《太平洋戰争への道》5,東京,朝日新聞社,1963 年,第 308 頁。

② 日本国際政治会、太平洋戰争原因研究部編:《太平洋戰争への道》5,東京,朝日新聞社,1963 年,第 309 頁。

③ 服部卓四郎著、张玉祥等译:《大东亚战争全史》1 卷,商务印书馆,1984 年版,第 145 页。

（二）预定进攻态势

对北方：将日本国内5个师和从中国关内抽调4个师转用北方，另外从中国关内抽调6个师作为预备队

对南方：再增加日本国内5个师，另外从中国关内抽调6个师为总预备队。

6月22日，德国以突然袭击方式，对苏联发动全面进攻。26日，日本关东军参谋长吉本贞一中将向其部下通令："有关随着苏德开战，关东军加强备战的事项，称之为关东军特别大演习。"①

6月25日至7月1日，日本军界和政府就苏德战争爆发与国策问题召开会议。外相松冈洋右从苏德战争爆发的当天起就极力主张："苏德开战的今天，日本应当与德国协力讨伐苏联。"②而在日本军界内部，海军在坚持"北守南进"的原则下，接受陆军南北备战等待时机的政策。这样在会议上，松冈外相与军界展开了激烈的争论。参谋总长衫山元反驳松冈说："现在中国战场牵制着日本陆军绝大部分，外相所言实际上是做不到的。作为统帅部首先考虑的是战争准备，现在还不能谈是否参战。仅就关东军而言，它的战争准备就必须花费40至50天，把现在的兵力转变到战时体制，进一步到发动进攻，还必须花费时间。然而在这段时间内，苏德战争的进展情况也就判明了。"③松冈立即对苏作战的主张被否定。7月2日在天皇参加的御前会议上，日本军界的南北备战政策得到最后通过，也就是说，参谋本部的南北准备战争方案得到天皇的认可。在参谋本部方案中，其北方备战方案，即"关特演"计划。

（二）"关特演"计划的放弃

1941年7月7日，日本陆相东条英机正式下令实施"关特演"计划。

① 日本中央公论社主编：《历史人物》1983年增刊，第50頁。

② 日本国際政治会、太平洋戰争原因研究部編：《太平洋戰争への道》5，東京，朝日新聞社，1963年，第211頁。

③ 服部卓四郎著、张玉祥等译：《大东亚战争全史》1卷，商务印书馆，1984年版，第156页。

据日参谋本部估计，当时苏联远东军约有 30 个师，兵力 70 万，坦克 2 700 辆、飞机 2 800 架。日军从张鼓峰战役、诺门坎战役中了解到苏军战斗力极强，所以日军准备等待苏联远东军西调到过半数时，再以优势兵力发动进攻。按参谋本部估计，日军发动对苏进攻时的兵力，应不少于 25 个师（日军师的兵力约比苏军师的兵力多 25%左右）。而当时驻中国东北、朝鲜的日军仅有 14 个师。因此还要从本土调入 7 个师，从中国关内调入 4 个师，另外再从中国关内抽调 6 个师作为总预备队。在战略物资方面，关东军所拥有的弹药可满足 30 个师 2—3 个月作战消耗；粮食可供 16 个师 2 个月之需；汽油可供 16 个师 5 个月之用。为了准备对苏战争，不得不从日本本土运去大批作战物资。

另一方面，7 月 2 日，大岛浩电告东京，在苏德战场上"苏军的后方精锐师团已经大部分被消灭或正处于被包围中，马上就要被完全消灭"。7 月 4 日，日本驻苏大使建川美次郎亦电告东京，苏联准备迁都，到处都是战败的迹象。但是 7 月 12 日参谋本部得到的情报说，苏联远东军兵力西移很少，特别是日军准备攻击的乌苏里江流域和黑龙江流域地区尚未有移兵迹象。[①] 根据上述情报，日军参谋本部有人提出对苏作战的关键是时间问题，西伯利亚的冬季很难开展大规模作战，因此不必非要等待苏联远东军减少到一半才开战，而应以 7 月 15 日苏联部长会议上决定把首都迁移到乌拉尔地区这一政治事态作为进攻的开始。也有人提出"本年没能认真地进行备战，所以进入严冬发动北方攻势必然会遇到极大困难。本年内应该认真地进行战争准备，等待明年春季来到再作决定"[②]。在苏德战场，由于遇到苏军顽强抗击，德军进攻速度明显放慢，日本参谋本部内关于何时对苏开战的争论也趋于缓和。

北方的变化未能按日军所预料的那样发展，而在南方日军又遇到极大的阻力。随着日军逐步推行南进政策，日美矛盾愈来愈尖锐。7 月 26

① 日本国際政治会、太平洋戰爭原因研究部編：《太平洋戰争への道》5，東京，朝日新聞社，1963 年，第 321—322 頁。

② 日本中央公论社主编：《历史人物》1983 年增刊，第 63 頁。

日日本迫使法国维希政权签订了日本与法属印度支那共同防御协定，7月29日日军入侵印度支那南部。美国逐做出强烈反应，于7月26日宣布冻结日本在美国的资产，8月1日又宣布禁止向日本出口石油等战略物资。这样日本所最担心的石油“禁运”厄运终于来临。据统计，当时日本海军一天大约要消耗石油1.2万吨，如果没有美国的石油供应，日本当时的石油储备仅够海军使用两年。这也就意味着，两年后日本对外侵略的战争机器将被迫停止运转。另外，日本加紧对蒋介石政权的诱降活动，也始终没有结果。

面对上述形势，日本统治集团不得不考虑新的对策。8月9日，参谋本部决定：“无论苏德战场如何演变，取消在1941年内解决北方问题的计划，专心致力于解决南方的方针。”①后又制定《帝国陆军作战纲要》。其主要内容是：(1)以驻中国东北、朝鲜的16个师来实行对苏警戒。(2)对中国继续按既定方针作战。(3)以11月末为目标，作好对南方开战的准备。以8月9日的决定为标志，日军逐步放弃执行“关特演”计划。

(三)“关特演”计划略评

“关特演”计划，从7月2日御前会议决定，到8月9日参谋本部宣布放弃执行，前后仅一个多月，但是它反映出日本侵略者举棋不定的矛盾心态和对外侵略扩张野心的贪得无厌。

“关特演”计划的制定和实施，建立在日本统治集团确信德国法西斯会在苏德战争中很快取得胜利的基础上，这是其必然失败的根本原因。日本侵略者并没有认识到社会主义苏联在共产党领导下，举国一致，并获得国际社会的广泛支援，形成巨大的反侵略力量。日本是个小国，人力、物力有限，发动和扩大侵华战争耗费了大量的人力物力，制定南北同时备战方案本身就是错误的。“关特演”计划，日军北进的条件是苏联将

① 服部卓四郎著、张玉祥等译：《大东亚战争全史》1卷，商务印书馆，1984年版，第162页。

远东军兵力半数以上西调，而日军北进的主要力量是陆军，其陆军的绝大部分兵力深深陷入中国战场。据日军参谋本部战备课预计，如果日军发动对苏进攻，“25 个师、6 个月后推进到贝加尔湖附近就到了极限，分配的汽油用完，作战就得中止，战争无法进行到底”①。因此，实施“关特演”计划，日本缺少雄厚的战略物资基础。另外，日军在当时条件下，能在短期内运送大量物资装备及兵力，从军事角度看是成功的。然而军队的备战在忙乱中进行，物资装备十分不足，部队远途调来无法妥善安置，又面临严冬的威胁，日本发动战争困难重重显而易见。即使不发动对苏战争，如此多的兵力集中于中国东北，在当时的条件下，也很难度过严冬，这也是日军很快放弃执行“关特演”计划的原因之一。“关特演”计划的放弃，促使日本最终坚持对苏采取中立政策，同时也促使日本加快南进准备，很快挑起太平洋战争。

① 日本中央公论社主编：《历史人物》1983 年增刊，第 60 頁。

第三章　日本对苏“北方领土”问题政策

所谓“北方领土”一词是日本方面所言，意思为日本国土的北部，或者日本国的北部领土。日本提出的所谓“北方领土”问题，是指日本曾占领并统治的库页岛南部和千岛群岛归属问题。日本提出的所谓“北方四岛”为，齿舞群岛、色丹岛、国后岛、择捉岛，俄罗斯方面称之为“南千岛”。日本方面提出所谓“北方四岛”问题，在俄罗斯方面被称为“南千岛”问题，就是有关齿舞群岛、色丹岛、国后岛、择捉岛的归属问题。日本方面所谓“北方四岛”为“固有领土”主张，日本解释为在第二次世界大战结束前，一直被日本统治的，或者说“从来没有被外国人统治的”领土。

实质上所谓“北方领土”概念或者名称，在 1955—1956 年日苏两国举行恢复邦交谈判之前是根本不存在的。日本方面在过去的长期历史中，也称之为“南千岛”，但是 1955—1956 年日苏两国举行恢复邦交正常化谈判过程中，日本方面获知苏联方面准备放弃齿舞群岛、色丹岛后，为了进一步要求苏联方面归还国后岛、择捉岛时，日本方面制造了所谓“北方领土”概念或者名称。据日本学者长谷川毅《北方领土问题与日俄关系》(筑摩书房 2000 年 4 月 10 日出版)记载，当时日本外务省次官发布通告：“今后为回避南千岛称呼，采用称呼为北方领土。”①此后，日本方面在

① 長谷川毅:《北方領土問題と日露関係》,東京,筑摩書房,2000 年,第 70 頁。

各种媒体及地图上也把"南千岛"名称一律取消,改称为"北方领土"。日本此举的目的就是,为了回避1951年9月《旧金山对日媾和条约》已经宣布放弃的对千岛群岛所有主权及利权。

此前,日本也承认千岛群岛划分为南千岛与北千岛,即以得抚岛与择捉岛之间为界,以南被称为"南千岛"即所谓北方四岛,以北被称为"北千岛"。即使二战结束后很长时间内,日本主张齿舞群岛、色丹岛为北海道延长部分,而国后岛、择捉岛仍被承认为"南千岛"。这样使人很自然地理解为,"南千岛"当然属于千岛群岛范围内,日本宣布放弃千岛群岛也当然应该包括"南千岛"。日本方面对于主张"南千岛"不属于"千岛群岛"范围的解释为,在1875年日俄两国签署的《库页岛、千岛群岛交换条约》中,日本是以所属库页岛南部换取俄罗斯所属的"北千岛"的,所以"南千岛"应不属于日本在《旧金山对日媾和条约》中宣布放弃的"千岛群岛"范围内。

日本"北方领土"问题的出现,绝不是孤立的问题,而是历史上日本与俄国,有关领土问题长期争夺发展演变的结果。

一、鸠山一郎在战后日苏复交中的作用①

1956年10月《日苏联合宣言》的签订,一方面标志日苏两国战争状态的结束,两国间恢复外交关系;另一方面由于苏联转变对日态度,使日本当年12月加入联合国,提高了国际地位。日苏复交是战后日本外交战略上有远见之举,但是在当时"冷战"初期的国际局势下,在旧金山体系下的日本却遇到极大的阻力。本书就当时的日本首相鸠山一郎在日苏复交中所起的重要作用略加论述。

(一)

鸠山一郎力主调整日苏关系,最终推翻吉田茂内阁代之组阁,使日

① 该节发表于《求是学刊》2000年1期。

苏交涉变成现实，有利于扭转日本外交的被动局面。

1952 年 4 月《旧金山和约》正式生效，日本在法律上恢复了独立地位。但是苏联反对由美国主导的《旧金山和约》，故拒绝在和约上签字，使两国关系并未因此而宣布结束战争状态。恢复独立后的日本，对外政策的重要内容就是要进一步确立自己的国际地位。1952 年 6 月，日本政府首次向联合国递交申请书，结果在 9 月安理会讨论时，作为常任理事国的苏联动用否决权，使日本的愿望落空。这样一来，日本要想加入联合国就必须过苏联“关”，调整日苏关系成了日本对外政策的重中之重。

1945 年 8 月苏联对日宣战后，苏联在出兵中国东北打击日本关东军的同时，出兵占领了日本固有领土北方四岛，即国后、择捉、齿舞、色丹。另外，苏军在对日作战中共俘日军 575 000 人，除死亡外，余下及若干平民分别押在苏境内的拘留所。虽然经过协商苏联将其绝大部分遣返并宣布遣返工作结束，但是日本政府于 1955 年 5 月查明，在苏境内判明姓名并确实生存者 1 452 人，判明姓名但生死不明者 11 279 人，合计 12 731 人。① 被俘人员盼望早日遣返回国，其家属也无不翘首以待，日本政府面临着国内舆论的巨大压力。北太平洋渔场是世界著名三大渔场之一，也是日本的主要渔场。1945 年 8 月苏军占领千岛群岛后，垄断了该渔场，对敢于进入的日本渔船严加缉拿。据统计，1946 年—1956 年先后扣押日本渔船 559 艘、渔民 4 928 人，其中近半数的扣押是 1955—1956 年所为。② 渔业问题直接影响到日本的国计民生，故举国上下要求政府尽快解决渔场问题。

战后的日本从 1946 年 5 月起，先后出现五届吉田内阁，特别是从 1948 年 10 月的第二至五届吉田内阁连续执政达六年多，吉田内阁面对国际上东西两大阵营“冷战”对峙，国内处于美军占领的局面，选择了屈从美国，以牺牲部分国家主权的代价，换得结束占领，实现媾和，获得国

① 石丸和人、松本博一、山本剛士:《動き出した日本外交》戦後日本外交史(2)，東京，三省堂，1983 年，第 34 頁。

② 宋成有、李寒梅等:《战后日本外交史》，世界知识出版社，1995 年版，第 172 页。

家独立的外交路线。旧金山体制的基本结构是日美两国国际地位和国家实力的悬殊差距，决定了日本在该体制中的从属地位，决定了日本的外交是美国远东战略组成部分。吉田内阁对美一边倒的外交路线，在东西两大阵营对峙下，必然形成与苏联的对立，日本要进一步确立自己国际地位的外交政策就形成一条死路。在这种背景下，日本国内形成了强大的反吉田内阁，他们要求调整日苏关系，其代表人物为鸠山一郎。

鸠山一郎(1883—1959 年)，战前曾任文部大臣，战后创建自由党并在 1946 年大选中获胜，因其被占领当局革除公职，无奈中把已经到手的政权交给吉田茂。1951 年 8 月，鸠山革除公职的处罚被取消后重返政界，面对新的国内外形势，他提出了自己的主张。

鸠山一郎在对外政策上，主张调整日苏关系。他在 1952 年 9 月参加竞选发表重返政界的第一次讲演起，就利用各种场合宣扬自己的主张。他自己曾归纳为：

> 我坚决主张日苏邦交必须正常化的第一个理由，就在于始终不懈地寻求和平。战争结束以来，防止战争和确立世界和平是我日本国民的心愿。但遗憾的是日苏关系仍停留在战争状态尚未结束之下。在对立的"两个世界"中间，如果我国一直保持这样的状态，那就无论再经过多少时间，也不能完成"国民的心愿"。我认为日本惟有使日苏关系恢复正常，进而成为两大阵营之间的桥梁，才能达到和平与避免战争的重大作用。
>
> 第二个理由就是提高日本的国际地位和完成独立自主。我国虽然签订了旧金山和约，但还没有参加联合国，单就这点来说，也无可否认我国的国际地位是不稳定的。所以我们认为要实现参加联合国，加强日本在国际上的地位和发言权，使日本作为一个独立国家，与任何国家都保持平等地位，目前首先必须恢复日苏邦交。
>
> 我认为，政治的关键毕竟在于坚决保卫国民的生命与福利。因

此在战后已十余年,一想到迄今还被扣留在异国的许多人和他们家属的心情,真是不胜悲痛之至。这是促进我产生同苏联复交的心情的第三个理由。①

鸠山的主张符合日本战后的现实,因而得到广大国民的支持。1952年10月1日大选中,鸠山以全国得票率最高而进入国会。为了实现自己的主张,鸠山决心推翻吉田内阁。1953年3月,他率领支持者从吉田茂控制的自由党内分离出来,组成自由党分党。但是,由于自由党分党实力有限,在4月大选中自由党仍然获胜,11月29日鸠山宣布其解散,重归自由党内。此举受挫,鸠山并未灰心。1954年11月,自由党鸠山派、三木武吉的日本自由党、重光葵的改进党,在反吉田内阁的旗帜下,联合组建"日本民主党",鸠山任该党总裁。当年12月8日,鸠山为首的民主党终于推翻了吉田内阁,次日鸠山一郎组建了民主党第一届鸠山内阁。

鸠山内阁成立后,立即在外交上实施对苏调整政策。12月10日外相重光葵发表施政方针声明,提出"希望恢复与中苏两国的正常关系"②。当时在东京还保留占领时期设立的苏联代表团,因苏联拒绝在《旧金山和约》上签字,两国尚无外交关系,故吉田内阁时期不承认苏联代表团资格,断绝交往。但是,鸠山首相并未顽固地坚持这一立场,于1955年1月在首相官邸多次接见苏联代表团临时团长多姆尼茨基,两人就日苏关系调整问题首先接触。鸠山对此解释说,"为了结束同苏联之间的战争状态,日本必须采取主动的行动"③。在鸠山首相与多姆尼茨基接触的基础上,日苏两国于1955年4月最终确定复交会谈地点为英国伦敦,时间为当年6月1日。

① 鸠山一郎著、复旦大学历史系译:《鸠山一郎回忆录》,上海译文出版社,1978年,第221—222页。

② 石丸和人、松本博一、山本剛士:《動き出した日本外交》戦後日本外交史(2),東京,三省堂,1983年,第10頁。

③ 吉泽清次郎、叶冰译:《战后日苏关系史》,上海人民出版社,1977年版,第8页。

日苏两国复交会谈的确定，表明鸠山内阁在日本原有的外交路线上，又增加了新的途径，为扭转日本外交路线上的被动局面创造了条件。

(二)

鸠山一郎在日苏复交会谈中，特别是关于领土问题的交涉上，采取有理有节的策略，顾全大局果敢地采取妥协措施，为会谈最后成功扫除了障碍。

1955 年 6 月 1 日，日苏复交会谈在伦敦如期举行，日方代表为驻英大使松本俊一，苏方代表为驻英大使马立克。从会谈之初双方所持的立场看，关于日本加入联合国问题苏方表示同意；关于北太平洋渔场问题苏方表示同意谈判；关于遣返被俘人员问题苏方予以回避；关于领土问题苏方则采取针锋相对的态度。

6 月 14 日苏方提出的和约草案中，对遣返被俘人员问题避而不谈。尽快使被俘人员返回家园，是鸠山调整日苏关系的重要原因之一。于是日方提出该问题应为日苏复交会谈的先决问题，对此苏方表示在苏境内仅剩下服刑战犯，如果缔结和约就全部释放。显然苏联是利用日本迫切希望解决该问题的心态来压服其就范。

伦敦会谈从 1955 年 6 月 1 日开始，到 9 月 13 日中断，1956 年 1 月 17 日再度举行，到 3 月 20 日破裂，其原因就是关于领土问题之争。

在领土问题上，日方首先提出，“从历史上看，齿舞群岛、色丹岛、千岛群岛和南库页岛是日本的领土。当此恢复和平之际，建议就其归属问题坦率地交换意见”。然而苏方则要求，“日本国承认苏联对包括一切附属岛屿在内的千岛群岛和南库页岛的完整主权，并且放弃对上述地区的一切权利、权利根据与要求”。①

据 1875 年 5 月《日俄相互割让领土条约》，日本将南库页岛转让给

① 鹿岛和平研究所编：《日本外交主要文書・年表》(1)(1941—1960 年)，東京，原書房 1983 年，第 718 頁。

俄国，俄国将千岛群岛转让给日本。然而由于1905年日俄战争中俄国战败，据1905年9月《朴次茅斯和约》，俄国将南库页岛割让给日本。1945年8月苏联对日宣战后，先后攻占南库页岛与包括北方四岛在内的千岛群岛。1946年2月苏联通过立法手段，宣布将上述地区划归自己的版图。

苏方的观点为，据《雅尔塔协定》《波茨坦公告》，盟军第1号通令和盟军最高统帅部第677号训令，南库页岛和包括齿舞、色丹在内的千岛群岛归属问题已经解决。《雅尔塔协定》规定，"南库页岛及邻近一切岛屿须交还苏联"，"千岛群岛须交苏联"。《波茨坦公告》规定，"日本之主权必将限于本州、北海道、九州、四国及吾人所决定其他小岛之内"。①

日方的观点为，《波茨坦公告》和乞降书都未规定要将日本的部分领土归属于同日本作战的一个国家。盟军第1号通令和盟军最高统帅部第677号训令仅规定日军投降的技术措施，与领土归属问题毫不相干。战后领土主权变更要在和约中加以规定，这是国际惯例。然而《雅尔塔协定》将有争议的领土划归苏联，另外日本不是该协定的当事国，故不能接受。战后涉及日本领土问题的唯一国际条约是《旧金山和约》，虽然日本接受放弃千岛群岛与南库页岛的主权规定，但是放弃地区究竟属于何国并未作规定。另外，苏联不是该和约的签字国，所以对苏联放弃与否，日本尚有充分的发言权。

为了打破僵局，8月5日苏联表示"将齿舞、色丹移交日本"②。鉴于苏联的退让，日本进一步加大要求。8月30日日方提出，"自本条约生效之日起，日本国完全恢复对择捉岛、国后岛、齿舞群岛和色丹岛的主权"。关于千岛群岛与南库页岛，"尽快通过包括苏联在内的盟国与日本国之间的谈判决定其归属"。上述地区苏联军队与官员，在条约生效后90天

① 鹿島和平研究所編：《日本外交主要文書·年表》(1)(1941—1960年)，東京，原書房1983年，第698頁。

② 吉泽清次郎、叶冰译：《战后日苏关系史》，上海人民出版社，1977年版，第26页。

内无条件地撤出。[1] 日本咄咄逼人的态势激怒了苏联,会谈被迫中断。

鉴于苏联有意归还舞齿、色丹两岛,日本便把目标重点投向国后、择捉两岛。日方提出略有妥协建议,"国后、择捉两岛交原居民和平经营,苏联军舰与商船可以自由通行其附近海峡,在此条件下归还日本"[2]。苏联对此拒绝,会谈破裂。

为了迫使日本尽快接受苏联方案,伦敦会谈破裂后的第二天即3月21日,苏联单方面决定,日本渔民在北太平洋渔场捕鱼须得到苏联的批准。此举对日本渔业冲击巨大,日方很快派遣农林相河野一郎赴莫斯科参加两国渔业部长会谈,很快双方签订了有关渔业条约,但前提为日苏复交或缔结和约后才能生效。无疑苏联又在向日本施加压力。

1956年7月31日,重光葵外相与谢皮洛夫外长在莫斯科就复交问题举行更高级别会谈。会谈中日方再度提出妥协建议,日本放弃对页岛南部与千岛群岛的领土要求,换取苏联立即归还国后、择捉两岛。[3] 然而苏方仍然拒绝。在这种形势下,8月11日晚重光外相在日本代表团内部,提出"不折不扣地接受苏联方案"。得知此事的鸠山首相立即否决重光的主张。

此时摆在鸠山首相面前的有三种选择:一为暂时搁置领土问题待日后继续谈判,先解决两国结束战争状态、两国复交、全部遣返被俘人员、新的渔业条约生效及加入联合国问题;二为顽固地坚持领土问题的立场,使日苏两国交涉停滞不前;三为不折不扣地接受苏联方案。

鸠山首相根据日本的国力与国际地位,在顾全大局的前提下,明智地选择了第一种对策。1956年9月11日鸠山首相致信于苏联部长会议主席布尔加宁,提出暂时不缔结和约,搁置领土问题待日后继续谈判。

① 鹿岛和平研究所編:《日本外交主要文書·年表》(1)(1941—1960年),東京,原書房1983年,第720頁。

② 石丸和人、松本博一、山本剛士:《動き出した日本外交》戦後日本外交史(2),東京,三省堂,1983年,第84頁。

③ 石丸和人、松本博一、山本剛士:《動き出した日本外交》戦後日本外交史(2),東京,三省堂,1983年,第112頁。

先就结束两国间战争状态、相互设立大使馆、立即遣返被俘人员、渔业条约生效、日本加入联合国这五项内容会谈，9 月 29 日苏联第一副外长葛罗米柯复信，明确表示同意暂时不缔结和约，搁置领土问题待日后继续谈判。这样就灵活地处理了领土问题，为日苏复交会谈最后成功扫除了障碍。

（三）

鸠山一郎作为有远见的政治家，虽然在推进对苏调整政策中遇到来自国内外的压力，但是始终坚定不移，最后以自己主动退出政界的代价，换取《日苏联合宣言》正式生效，为战后日本走进国际社会打开了大门。

鸠山首相在推进对苏联调整政策中，遇到来自国内最大的压力是本党内。在对苏联调整政策上，自由党与民主党历来相对立，1955 年 11 月两党合并后，原自由党又成了执政党内的反对派。其认为“现在急于求和平的是苏联，从这种形势看，对方应该提出有利于日本的条件来求得邦交正常化。当今的重点应该为对美、对东南亚关系，如果基本问题不全部解决就不应该与苏联恢复邦交正常化”①。其在领土问题上，顽固地坚持全面解决为前提，否则不与苏联复交的观点。

日本国内最大的在野党社会党，虽然始终支持鸠山内阁的对苏联调整政策，认为这“是日本获得真正独立、中立的第一步”②，但是在领土问题上提出，苏联归还齿舞、色丹、千岛群岛与南库页岛，要与美国归还小笠愿、冲绳相联系，又使鸠山内阁推进对苏联调整政策增加难度。

日本财界对鸠山内阁推进对苏联调整政策持反对态度。其认为与苏联恢复邦交正常化，实质上是向共产主义的“门户开放”，是民族意志薄弱，从失去更多的日本现状看是极其危险的。③ 在战后初期社会主义

① 岩永健吉郎：《戦後日本の政党と外交》，東京大学出版社，1985 年，第 70 頁。
② 岩永健吉郎：《戦後日本の政党と外交》，東京大学出版社，1985 年，第 53 頁。
③ 岩永健吉郎：《戦後日本の政党と外交》，東京大学出版社，1985 年，第 43 頁。

国家蓬勃发展形势下，日本财界实质上是恐惧这一浪潮冲击到日本国内。

在鸠山内阁中，持不同观点的是外相重光葵。重光认为，“我国的立场应以《旧金山和约》为大前提，不超出这一基本线。与苏联就两国关系正常化问题进行会谈，在时间和方法上要十分慎重研究”①。在领土问题上，先期主张“领土问题和北太平洋渔业安全保障等具体问题应与恢复邦交同时解决”。后期主张“迄今已作了最后的努力，除不折不扣地接受苏联方案外，别无他法”。② 首相与外相的观点不同，在推进对苏调整政策上的难度可想而知。

在国际上，鸠山内阁遇到最大的压力来自美国。美国在日本北方领土问题上的态度，完全以本国利益为准绳，随机应变。在旧金山和会时，日本代表也就上述领土问题申述。当时美国仅承认齿舞群岛不属于千岛群岛，而对国后、择捉两岛则承认属于千岛群岛，对色丹岛则采取回避态度。1952 年 2 月 28 日，美国国务卿杜勒斯向记者讲：“我认为对于日本来说，美国明显不能鼓励把千岛群岛归还日本而推翻雅尔塔协定。”③

但是，到 1955 年 10 月，日本为了证明国后、择捉两岛不属于苏联所提出的《雅尔塔协定》和《旧金山和约》所规定的“千岛群岛”的范围内，向参加两个国际协定的美国政府探询。美国答复为，“在雅尔塔谈判中未曾对千岛群岛下过地理上的定义，也未讨论千岛群岛的历史。《雅尔塔协定》即不以让与领土权为目的，也不具有让与的效力”。“不论是对日和约，还是旧金山会议的会议记录都没有对千岛群岛下过定义。”④显然

---

① 五百旗頭真、下斗米伸夫、A・V・トルクノフ、D・V・ストレリツォフ編:《日ロ関係史——パラレル・ヒストリ—の挑戦》，東京大学出版社，2015 年，第 447 頁。

② 石丸和人、松本博一、山本剛士:《動き出した日本外交》戦後日本外交史(2)，東京，三省堂，1983 年，第 114 頁。

③ 石丸和人、松本博一、山本剛士:《動き出した日本外交》戦後日本外交史(2)，東京，三省堂，1983 年，第 34 頁。

④ 鹿岛和平研究所编:《日本外交主要文書・年表》(1)(1941—1960 年)，東京，原書房，1983 年，第 735 頁。

美国此时对日本北方领土问题上态度的转变，是为日苏复交会谈增加障碍。

当日苏复交会谈进入后期关键时刻。1956 年 8 月 19 日，美国国务卿杜勒斯向重光外相表示，《旧金山和约》并没有规定把千岛群岛归属于苏联，因此如果日本接受苏联方案，就等于日本对苏联承认了超出《旧金山和约》的要求。这样美国就可以引用该条约第 26 条款规定而吞并冲绳。显然美国是以威胁的口吻阻拦日苏交涉的进展。美国对日苏复交阻拦，一方面担心旧金山体制下的日本会发展为失控局面；另一方面也担心日苏间北方领土问题的解决，会影响到它对日本冲绳岛军事基地长期占领。

面对来自国内外的压力，鸠山一郎并没有动摇坚持对苏联调整政策的决心。在重光外相莫斯科会谈失败后，鸠山首相提出自己亲自出访苏联，以最后解决日苏复交问题。鸠山此言一出，立即引来国内更大的反对浪潮。在自民党内，多数人认为首相访苏也不会有成果；少数人则要求“首相应该立即下台”。日本财界也极力呼吁“为了收拾政局尽快确定后继首相”。在这种极为不利的条件下，鸠山首相毅然决定以退出政界为交换条件，力求取得各种反对势力的中立或谅解，在任职期内解决日苏复交问题。这样实际上把国内注意力由外交转向内政，围绕着后继首相人选，自民党内各派系展开斗争，客观上减少了鸠山访苏的一定阻力。

1956 年 10 月 2 日，鸠山内阁在没有得到自民党和众参两院的同意下，独断决定首相访苏。10 月 12 日鸠山首相达到莫斯科，在双方达成“为缔结和约继续进行交涉”的共识下，10 月 19 日两国正式签订《日苏联合宣言》，宣布两国结束战争状态，恢复邦交正常化。11 月 27 日，日本众议院在反主流派缺席的情况下，通过《日苏联合宣言》等有关协定。12 月 5 日，日本参议院在附加“领土问题继续审议”的“谅解”下，通过《日苏联合宣言》等有关协定。12 月 7 日，鸠山一郎在完成日苏复交批准手续后，正式表明辞去首相职务，宣布退休。12 月 12 日，日苏两国交换批准书，

《日苏联合宣言》等有关协定正式生效。当天，联合国安理会也一致同意日本加入联合国的申请。

综上所述，鸠山一郎的对苏联调整主张，为日苏复交会谈作了舆论宣传的准备；鸠山一郎推翻吉田茂内阁，与多姆尼茨基接触，为日苏复交会谈举行打下基础；鸠山一郎在日苏复交会谈中，特别关于领土问题的策略，据理力争又顾全大局，果敢妥协，不仅为日苏复交扫除障碍，而且也为此后关于领土问题的交涉留有充分余地；鸠山一郎顶住来自国内外的巨大压力，最后以自身退出政界的代价，换取日苏复交的最终实现，表现出一位有远见的政治家的气概。鸠山一郎在第二次世界大战后的日苏复交中作出重大贡献。日苏复交的实现，为战后日本真正走进国际社会打开了大门。

二、二战后日本对苏"北方领土"问题的形成①

日本对苏"北方领土"问题因其国土北部而得名，所指为日本曾经占领并统治的库页岛南部和包括北方四岛在内的千岛群岛。所谓"北方固有领土"问题，所指为二战结束前日本统治的，"从来没有被外国人统治的"北方四岛，即择捉岛、国后岛、色丹岛、齿舞群岛。本书就二战后日本对苏"北方领土"问题形成做如下论述。

(一) 历史上两国"北方领土"问题的争夺

二战后日本对苏"北方领土"问题的出现，绝不是孤立的问题，而是两国在历史上长期争夺领土所带来的后果。在近代西方殖民扩张史上，当俄国向东方扩展时，日本还处于闭关锁国中，俄国曾多次要求与日本建立通商贸易关系，但皆遭到拒绝。1853 年美国以武力打开日本国门后，1855 年 2 月 7 日，俄国迫使日本签订《日俄友好条约》，其主要为：

① 本节发表于《世界历史》2005 年第 6 期。

"(1)以择捉岛与得抚岛之间为日俄两国边界,择捉岛属于日本,得抚岛及其以北的千岛群岛属于俄国。库页岛不划出特定边界,维持原状。(2)日本向俄国开放函馆、下田、长崎三港。"①其标志两国建立外交关系,又首次划定两国在千岛群岛(俄国称项链岛)两国界线。

1860年俄国强迫中国签订《中俄北京条约》,将包括库页岛在内的中国大片领土侵占。此后俄国从库页岛(俄方称哈萨林岛,日方称桦太岛)北部南下,对库页岛南部日本殖民点采取驱赶政策。日本在与俄国争夺库页岛上显然实力不足,因而转变以退出库页岛争夺来换取俄国对日本征服朝鲜的中立态度。日俄两国经过长期谈判,1875年5月7日签订《库页岛·千岛交换条约》。其主要为:"大日本国天皇陛下,至其后嗣,将现今所领库页岛一部分之权利及属于君主之一切权利让与全俄罗斯国皇帝陛下。自今而后,全库页岛悉属俄罗斯帝国,以拉彼鲁兹海峡为两国境界。""全俄罗斯国皇帝陛下,至其后嗣,作为取得第一款所载库页岛权利之补偿,将现今所领有之千岛群岛,共计十八岛之权利及属于君主之一切权利,让与日本国天皇陛下。自今而后,千岛群岛全岛属于日本帝国。以堪察加地方之洛帕特卡角与占守岛之间的海峡为两国之国界。"②该条约的签订,第一次完整地划分了两国领土,结束了两国长期以来的划分领土问题的争论。这样就形成了日本完全控制千岛群岛,俄国完全控制库页岛的局面。

在上述两国领土问题争夺中,日本在综合国力上明显不如俄国而处于被动局面,也促使其在此后两国领土问题争夺中表现出要报仇雪耻的民族情绪。1868年日本爆发明治维新后,随着综合国力不断增强,日本终于在1904年2月发动了对俄战争,迫使俄国在1905年9月3日签订了《朴次茅斯条约》。其规定:"俄罗斯帝国政府,将库页岛南部及其附近一切岛屿,以及在该地方一切公共营造物及财产,与完全之主权一并让

① 坂本德松、甲斐静馬:《返せ北方領土》,東京,青年出版社,1977年,第239頁。

② 吉田嗣廷:《北方領土》改定新版,東京,時事通信社,昭和48年,第48頁。

与日本国政府。其让与地区之北方边界，定为北纬五十度。”①该条约第一次改变了两国已经划定的国界线现状，迫使俄国将库页岛南部割让给日本。在这次两国领土问题争夺上，日方得到了完全满足，而俄方却感到了莫大耻辱，此后报仇雪耻也成为其对日政策核心。

1917 年 11 月俄国爆发了社会主义革命后，帝国主义国家采取联合武力镇压政策。日本是武力镇压的最主要国家，1919 年 1 月 26 日，日本内阁做出《对俄方针纲要》决议。要求苏俄政府“(1) 发展西伯利亚的资本主义制度，俄国中央政府不得向远东地区扩展，为此要采取一定的抑制措施。(2) 努力防止、消除在俄国远东地区上，除维持秩序之外的军事设施的发展”②。可以看出，日本要把俄国远东及西伯利亚地区从俄国版图上分离出来的野心。

帝国主义国家武装干涉并没有阻止俄国社会主义革命前进，因此各国也就此罢休，1920 年 4 月美国撤军后，在苏俄领土上仅剩下日本军队赖着不走。此时日本不撤军就表明另有企图。日本不撤军必然引起苏俄人民更强烈的反抗，1920 年 5 月 27 日，当地游击队与日军发生武力冲突后，并放火烧毁庙街城(尼古拉耶夫斯克)，使日方人员共计 384 人在大火中烧死。③ 这就是“庙街事件”。其反映出苏俄人民对日军的愤怒心情，然而也为日军继续赖着不走制造了借口。7 月 3 日，日本政府发表声明，宣称作为庙街事件报复措施，决定出兵占领俄国库页岛北部。在两国有关领土问题争夺上，日本再次做出公开改变两国领土现状的侵略行动。

为了收回库页岛北部，苏俄进行了艰苦努力。1925 年 1 月 24 日，两国签订《日苏基本条约》，该条约一方面宣布日本从苏联领土撤军，两国建立外交关系，另一方面也宣布苏联承认《朴次茅斯条约》继续有效，承认因“庙街事件”的损失，日本人获取库页岛北部石油、煤炭及森林的开

① 坂本德松、甲斐静馬:《返せ北方領土》，東京，青年出版社，1977 年，第 241 頁。
② 西春彦監修:《日本外交史》第 15 卷，東京，鹿岛平和研究所出版会，昭和 45 年，第 31 頁。
③ 日本外务省编集:《日本外交文书》大正十二年第一册，第 288 号，第 401 頁。

采利权为补偿。① 这些都深深刺痛了苏联人的心，此后，收回利权及废除不平等条约就成为苏联人追求的对日目标。

1931 年 9 月，日本发动“九一八”事变后，苏联为避战求和被迫放弃在中国东北的巨大利益。1939 年 9 月，第二次世界大战爆发后，两国为了各自利益，在相互妥协下，1941 年 4 月 13 日签订《日苏中立条约》。其规定：“缔约双方保证维持他们之间和平与友好关系，并相互尊重缔约另一方的领土完整和不可侵犯。”②该条约实质上也是两国综合国力由强弱不等转化为大体相等的反映。

1941 年 6 月 22 日，苏德战争爆发后，7 月 2 日，日本制订“关特演”计划，企图在苏联远东军西移半数时发动进攻③，但因条件不成熟而放弃该计划。1941 年 12 月 7 日，日本发动太平洋战争后，为了维持两国的中立关系，1943 年 6 月 19 日，日本决定：“将库页岛北部的石油及煤炭的利权有偿转让给苏联。”④不久双方签订协议书。尽管日本极力维持两国中立关系，但是苏联还是在 1945 年 8 月 9 日宣布对日开战，随即苏联出兵占领了库页岛南部以及包括北方四岛在内的千岛群岛地区。苏联出兵再次改变了两国之间的领土现状。

两国在历史上的领土争夺，不仅使两国间领土问题复杂化，而且也使两国人民增添了民族仇恨感。这就是其形成的历史原因与深刻心理因素。

（二）美国对“北方领土”问题政策的转变

美国对“北方领土”问题政策的转化，是造成该问题形成的重要外界因素。太平洋战争爆发后，美国对苏政策的核心，如当时美国驻苏军事

---

① 日本外务省编集：《日本外交文书》大正十四年第一册，第 313 号，第 488—491 頁。

② 鹿岛和平研究所编：《日本外交主要文书・年表》第 1 卷（1941—1960 年），原书房，1983 年版，第 52 頁。

③ 日本国際政治会、太平洋戰争原因研究部編：《太平洋戰争への道》5，東京，朝日新聞社，1963 年，第 319 頁。

④ 工藤美知尋：《日ソ中立条約の研究》、南窓社会，1985 年，第 171 頁。

代表团团长迪恩讲:"我和哈里曼的主要任务就是要把苏联吸引到对日作战中。"[1]1944年6月美英联军在诺曼底登陆后,10月迪恩报告:"目前斯大林愿意考虑全面介入对日作战计划。"[2]在美国提议下,两国讨论了苏联参加对日作战的政治条件。据美国驻苏大使苏哈里曼报告:"斯大林提出必须完全恢复1905年日俄战争以前俄国在远东地区的地位。提出库页岛南部和千岛群岛返还苏联。"[3]1945年2月8日,雅尔塔会议期间,斯大林与罗斯福举行会谈,罗斯福讲"哈里曼已经向我汇报了你提出的条件"。我认为"战后把库页岛南部和千岛群岛归还苏联毫无困难而言"。[4] 对此斯大林讲,"如果满足了上述政治条件,人民就会知道对日作战是为国家利益,也会使最高苏维埃很容易通过决定"[5]。2月10日,三国首脑签署了《雅尔塔协议》,"三大国首脑已决定击溃日本后应毫无疑问地满足苏联这些要求","库页岛南部及其周边岛屿归还苏联","千岛群岛应该移交苏联"。[6]

《雅尔塔协议》是二战后日本对苏"北方领土"问题的直接起源。该协议规定,苏联参加对日作战,作为回报获得千岛群岛及库页岛南部的主权。但是二战结束后,随着美国对苏遏制政策出台,也改变了原来对《雅尔塔协议》的解释。1945年12月24日,在美英苏三国外长会议上,苏联外长莫洛托夫提出讨论千岛群岛与库页岛南部的归属问题,美国国

---

① ボリス・N・スラヴインスキ:《千岛占領一九四五年夏》,加藤幸廣訳,東京,共同通信社,1993年,第55頁。

② 沃勒・米勒斯:《福雷斯特尔日记——冷战内幕》(Waller Millis. *Forrestal Diaries-the inner History of the Cold War*),伦敦加塞尔有限公司(Cassell & Company LTD.),1952年版,第31页。

③ ボリス・N・スラヴインスキ:《千岛占領一九四五年夏》,加藤幸廣訳,東京,共同通信社,1993年,第58頁。

④ 乔治・T・麦克吉米西:《福兰克林・D.罗斯福总统档案:第14卷,雅尔塔会议》(George T. Mc Jimsey. *Documentary history of the Franklin D. Roosevelt presidency. Volume* 14, *The Yalta Conference*),美国国会信息服务公司2003年版,Document 58,第280页。

⑤ 乔治・T.麦克吉米西:《福兰克林・D.罗斯福总统档案:第14卷,雅尔塔会议》Document58,第281页。

⑥ 乔治・T.麦克吉米西:《福兰克林・D.罗斯福总统档案:第14卷,雅尔塔会议》Document59,第284—385页。

务卿巴逊芝却指出:“这个问题没有必要讨论,在缔结对日媾和条约前,不应该讨论这个问题。”对此莫洛托夫反驳说:“《雅尔塔协议》不是已经决定了千岛群岛和库页岛南部的命运吗?”①苏联认为《雅尔塔协议》最终决定了千岛群岛与库页岛南部的归属问题,而美国则认为《雅尔塔协议》不是最终决定。1946 年 1 月,美国副国务卿艾齐逊发表声明,指出《雅尔塔协议》不过承认苏联对千岛群岛及库页岛南部的战时占领权限,这些领土的最终归属问题现在还没有决定。②

1947 年 7 月,美国开始着手对日媾和问题,但是国内就苏联是否参加对日媾和问题存在争议。国务院认为没有苏联参加也要推进对日媾和,而国防部则认为没有苏联参加对日媾和就丧失了意义。1949 年 12 月 29 日,杜鲁门总统决定,即使苏联不参加也要缔结对日媾和条约,打破了争论局面。1950 年 4 月 19 日,杜勒斯被任命为国务卿顾问,担负处理对日媾和问题。9 月 11 日,杜勒斯制定了《对日媾和七原则》,其有关规定为:“(C)台湾,澎湖群岛,库页岛南部及千岛群岛的地位,交由英国、苏联、中国及美国将来决定,条约生效后一年内不能决定时,交由联合国大会决定。”③可以看出,美国不承认《雅尔塔协议》作为千岛群岛与库页岛南部的最终归属的解释。

美国这种政策变化是由于国内外各种因素导致的。中华人民共和国成立及朝鲜战争爆发,使美国感到远东地区社会主义势力对资本主义势力的威胁在不断加大,使美国军方认识到现在缺少苏联参加对日媾和的现实条件,转而接受国务院主张单方对日媾和。于是美国国务院与国防部制定了共同备忘录,1950 年 9 月 8 日获得美国总统的批准,作为 NSC60/1 正式文件。该文件规定,在对日媾和问题上重要的是“安全保

① 田中孝彦:《日ソ国交回復の史的研究——戦後日ソ関係の起点:1945—1956》,東京,有斐閣,1993 年,第 8—9 頁。

② アジア調査会編:《北方領土を読む》,東京,プラネット出版,平成 3 年,第 76 頁。

③ 鹿岛和平研究所編:《日本外交主要文書・年表》(1)(1941—1960 年),東京,原書房,1983 年,第 120 頁。

障上的要求",不承认苏联对日本本土的接近作为一个方针规定。① 杜勒斯认为,"《雅尔塔协议》是苏联获得千岛群岛与库页岛南部的唯一依据,既然苏联不兑现其他国家应获得利益,那么苏联也不应要求兑现获得那部分利益。"②

1950年9月下旬,杜勒斯以《对日媾和七原则》为基础,开始与有关成员国协商对日媾和问题。9月22日,杜勒斯与英国副外长德尼古举行会谈。德尼古提出,媾和条约应规定千岛群岛与库页岛南部的归属问题,联合国大会无权决定,既然已经在苏联占领下,要想改变本身是不现实的。10月26日,杜勒斯与苏联驻联合国代表马立克进行会谈,杜勒斯提出,"如果苏维埃社会主义共和国联盟在媾和条约上签字,日本就依照条约规定将千岛群岛与库页岛南部让渡给苏联"③。杜勒斯意图是,担心苏联反对《对日媾和七原则》而不参加媾和并把责任推给美方,实际上采取在苏联面前放置"诱饵"的交涉战术。马立克指责这样会使《雅尔塔协议》空洞化。对此杜勒斯说:"美国本希望所有远东委员会国家都在和约上签字,但是如果哪个国家不能参加,而日本打算单独媾和,美国愿意按此执行。"④

杜勒斯在与有关国家协商后,3月初起草制定了"临时备忘录"。其决定在媾和条约上明文规定库页岛南部及周边一切岛屿返还给苏联。千岛群岛引渡给苏联,其地理范围由日苏两国决定。制定对媾和条约解释产生纠纷时的解决条款,同时规定苏联只有在媾和条约上签字时,上述内容才能履行。

临时备忘录内容,与《对日媾和七原则》有很大不同。后者没有规定

---

① 丹尼斯·麦里尔:《杜鲁门总统档案:第5卷,建立日本的多元民主》(Dennis Merrill, *Documentary History of the Truman Presidency. Volume 5, Creatinga Pluralistic Democracyin Japan*),美国大学出版社1996年版,Document 92,第575页。

② 丹尼斯·麦里尔:《杜鲁门总统档案:第5卷,建立日本的多元民主》,Document 118,第671页。

③ 丹尼斯·麦里尔:《杜鲁门总统档案:第5卷,建立日本的多元民主》,Document 96,第594页。

④ 丹尼斯·麦里尔:《杜鲁门总统档案:第5卷,建立日本的多元民主》,Document 96,第596页。

把千岛群岛及库页岛南部让渡给苏联，仅提出这些领土问题归属由四大国决定，决定不了时交由联合国大会最后决定。前者明确写入如果苏联参加媾和会议并在媾和条约上签字时，就把千岛群岛及库页岛南部引渡给苏联。美国发生这种变化的原因为：(1) 杜勒斯为了应付苏联的指责，避免出现美国阻止苏联在媾和条约上签字的现象。另外，当时日本国内出现了很大主张苏联参加“全面媾和”的势力，美国以此避免“全面媾和”势力的猛烈批评。(2) 杜勒斯《对日媾和七原则》中提出交由联合国大会最后决定，受到英国方面尖锐批评，为协调两国政策而不得不放弃。(3) 调整国务院与国防部之间矛盾。1951 年 1 月杜勒斯与国防部官员举行会谈，军方仍担心单独媾和是对苏联挑战，“会提高苏联发动对日本全面行动”。为了调整两个部门之间政策，他不得不决定把千岛群岛及库页岛南部有条件地返还给苏联。(4) 更重要的是，杜勒斯此时实际上认为苏联参加对日媾和会议的可能性极小。他认为即使在苏联面前放置“诱饵”也不会被吃掉，因为苏联已经占领了千岛群岛及库页岛南部。

1951 年 3 月 23 日，美国国务院制定了对日媾和条约草案，即“3 月草案”。其第五条规定：“日本国向苏维埃社会主义共和国联盟返还库页岛南部及周边一切岛屿，向苏维埃社会主义共和国联盟引渡千岛群岛。”第十九条规定为：无论任何国家对本条约不批准，就不能从本条约中获得以往及以后的任何利益。① 这样实际上规定苏联如果不在条约上签字，第五条款就失去效力。

4 月 25 日至 5 月 4 日，美英两国为起草共同草案举行协商会议。英国代表提出苏联即使不参加媾和会议也应把千岛群岛及库页岛南部让渡给苏联，这样可以避免留下将来日苏之间纠纷的种子，提出删除美国“3 月草案”的第 19 条。美国代表则提出如果这样美国国会参议院不会接受，所以拒绝接受。经过双方协商，5 月 3 日两国制定了共同草案。其

① 鹿岛和平研究所編：《日本外交主要文書・年表》(1)(1941—1960 年)，東京，原書房，1983 年，第 391、393 頁。

采用了英国的主张，即，日本向苏联引渡以往行使主权的千岛群岛与库页岛南部及周边诸岛。同时也采用了美国主张，即，如果苏联不在媾和条约上签字就不能适用条约。这样美国“3 月草案”实质内容被美英两国共同草案采用。但是 6 月初，杜勒斯又向英国提出修正案，即在媾和条约中仅规定日本放弃对千岛群岛及库页岛南部的一切权利而不规定放弃领土的所属国。杜勒斯对此解释说，5 月“共同草案”从外观上看给苏联提供了明显利益，所以在向美国国会参议院报告时不合适。对此英国没有表示反对。

杜勒斯提出该修正案，除考虑到美国国会参议院因素外，还考虑其他因素作用。(1) 围绕参加对日媾和问题与苏联交涉，苏联已表明不可能参加媾和会议。这样在苏联面前提供千岛群岛及库页岛南部的法律依据为“诱饵”的作用已丧失。另外，马歇尔担任国防部部长后，与国务院主张的差距缩小，为促使苏联参加对日媾和而在和约上写入千岛群岛及库页岛南部让渡给苏联的必要性降低了。(2) 如果苏联不参加媾和会议时不能获得有关领土，就等于千岛群岛及库页岛南部的主权在法律上仍属于日本。这样造成将来日本向苏联要求归还领土法律依据，招致日苏两国领土纠纷的可能性提高。另外，美国准备与日本缔结安全保障条约，必须避免日苏领土纠纷引起美苏之间发生武力冲突，为此“条约规定库页岛南部和千岛群岛从日本分离出”①。(3) 千岛群岛及库页岛南部归属问题，与所谓“中国问题”有一定联系。英国认为应在和约中规定把台湾返还“中国”，因其已经承认了中华人民共和国。而当年 5 月 29 日国民党政府“驻美大使”顾维均指责草案中明确规定把千岛群岛及库页岛南部归属苏联，而没有明确规定把台湾归属“中华民国”，要求相同对待，明确台湾归属“中华民国”。杜勒斯为此提出有关千岛群岛及库页岛南部条款，与台湾归属问题条款相同处理，即要求日本宣布放弃这些领

① 丹尼斯・麦里尔：《杜鲁门总统档案：第 5 卷，建立日本的多元民主》，Document118，第 671 页。

土一切主权,但是不表明归属国家。对此英国表示接受。

1951年6月14日基于杜勒斯修正案,美英两国制定了"共同草案"修订版,"两国政府决定不能接受苏联政府的固执己见"①。9月4日,旧金山对日媾和会议召开,美英"共同草案"修订版,有关千岛群岛及库页岛南部归属问题条款没有任何修改而直接提交会议。9月8日,《旧金山对日媾和条约》正式签字。该条约第二章领土,第二条款(C)规定,"日本放弃对千岛群岛及由于1905年朴次茅斯条约所获得主权之库页岛一部分及其附近岛屿之一切权利、权利根据与要求"②,但是这些放弃领土最终归属哪个国家没有规定,也没有规定"千岛群岛"的地理范围,这就为将来日苏两国关系发展留下了祸根。

(三)日本政府对"北方领土"问题的政策

日本法西斯发动对外侵略战争是造成战后"北方领土"问题出现的重要原因,如果没有日本对外侵略战争,也就没有苏联出兵占领日本领土。为了尽量减少日本领土丧失,还在军事占领时期,吉田内阁于1945年11月在外务省设置专门机构研究对策。1946年1月26日,该机构提出利用《开罗宣言》所谓"不扩大领土原则",作为媾和条约的一个主要基础,可使日本领土损失尽量减少。有关库页岛南部归属,预料到属于日俄战争后日本获得,按《开罗宣言》规定属于被剥夺的。1946年5月,该机构提出:(1)主张千岛群岛不是日本以侵略手段获得。(2)主张国后岛、择捉岛、色丹岛及齿舞群岛应保持为日本领土。(3)主张千岛群岛北部交由联合国委托统治,以阻止苏联拥有,这样可能根据以后形势变化再次收回。

1949年12月,日本政府有关领土问题见解发生变化,认为日本没有

---

① 丹尼斯·麦里尔:《杜鲁门总统档案:第5卷,建立日本的多元民主》,Document109,第628页。

② 鹿岛和平研究所编:《日本外交主要文書·年表》(1)(1941—1960年),東京,原書房,1983年,第420頁。

参加《雅尔塔协议》,所以千岛群岛及库页岛南部仍视为本国领土。日本政府的这种认识变化来自当时美国对《雅尔塔协议》的不同解释,认为在国际冷战形势下,美国会站在日本一边的。1951 年 1 月,日本外务省制订的对策,就提出千岛群岛及库页岛南部的最终归属交由联合国大会决定。这表明日本支持杜勒斯的《对日媾和七原则》,认为四大国不可能对领土问题做出决定,最后只能由联合国大会决定,从当时美国在联合国的影响作用看,领土问题有可能会向着有利于日本方向解决。

1950 年 3 月,日本接到美国“临时备忘录”后,感到美国可能对日苏领土问题采取不介入方针,便试图劝说美国继续关注领土问题。3 月 16 日,日本向美国递交备忘录,认为仅自己与苏联解决领土问题是不现实的,因此强烈希望美国能够继续直接参加解决。同时提出,如果苏联不在对日媾和条约上签字,媾和条约就不应对千岛群岛及库页岛南部的归属问题做出任何规定。1951 年 3 月底,日本政府制定了两套有关领土返还政策:一是苏联如果不参加对日媾和会议,虽然千岛群岛及库页岛南部仍在苏联占领下,但是日本却保有对该领土的法律主权。二是苏联如果参加对日媾和会议,有关“千岛群岛”地理定义选择对日本有利的定义,即把千岛群岛南部从“千岛群岛”的地理范围中消除。

1950 年 4 月 16 日,吉田茂向来访的杜勒斯提出,在媾和条约中明确规定千岛群岛南部不包括在“千岛群岛”范围内。对此杜勒斯指出,如果把“千岛群岛”定义在媾和条约中规定,就必须要与有关国家进行协商,这样就会使对日媾和条约在签字时间上往后推迟,所以拒绝了吉田茂的要求。吉田茂为回避此事态出现也不得不接受杜勒斯的主张。

1951 年 9 月《旧金山对日媾和条约》签订后,吉田茂内阁虽然依靠美国使日本获得独立地位,但是在对苏关系上面临诸多难题。(1) 加入联合国问题。日本要重返国际社会,三次申请加入联合国皆遭苏联否决而失败。(2) 日本战俘遣返问题。据日本政府 1955 年 5 月调查,仍在苏联境内判明姓名并确实生存者为1 452人，判明姓名但生死不明者为11 279人，合计 12 731 人。[①] 被俘家属强烈要求政府与苏联交涉。(3) 渔业问题。苏联占领“北方领土”后，对闯入该海域日本渔船实施缉拿，日本渔民强烈要求政府与苏联交涉。(4) 北方领土问题。日本各阶层人士要求政府与苏联交涉返还领土。(5) 结束战争状态问题。苏联未在旧金山和约上签字，实际上两国仍然处于战争状态，日本各界人士要求政府与苏联交涉结束战争状态确保安全。然而这一切因吉田茂内阁的“对美一边倒”路线，使其走到了死胡同，这样 1954 年 12 月 9 日，力主恢复对苏关系正常化的鸠山一郎内阁上台。

鸠山内阁上台后，积极开展对苏恢复关系正常化工作。1955 年 2 月 4 日，鸠山内阁审议通过对苏交涉方针，外务省据此制定了具体交涉方针，即“训令十六号”。其规定：“解决领土问题：首先是返还齿舞群岛、色丹岛；其次是返还千岛群岛、库页岛南部。”[②]从日本政府制定的交涉方针看，其把返还齿舞群岛、色丹岛作为最低条件，其他领土问题保留将来谈判返还的形式就可以达成妥协。这样日本在两国谈判初期，就要最大限度向苏联提出返还领土要求。

日本把最大限度领土要求作为初期谈判选择，首先是考虑到国内各种因素。对北方领土问题是日本国内重要政治问题之一，在谈判中必须慎重考虑国内各种势力主张。假如以返还齿舞群岛、色丹岛为条件实现恢复两国关系正常化，必然遭到国内舆论和在野党势力强烈反对，因此有必要让其看到政府是在苏联强硬态度之下不得不采取的退让。其次是考虑国际政治因素，特别是考虑美国能否接受问题。美国在 1955 年 1 月 26 日对日本备忘录中，提出不希望日苏两国谈判脱离《旧金山对日媾和条约》中的有关规定，该和约没有决定千岛群岛及库页岛南部的最终归属问题，日本如果承认苏联拥有这些领土主权，对于美国来说是不能

① 吉田嗣延：《北方領土》改定新版，東京，時事通信社，昭和 48 年，第 208 頁。

② 久保田正明：《クレムリンの使節——北方領土交涉 1955—1983》，東京，文藝春秋，1983 年，第 32—34 頁。

接受的。[①] 所以日本政府对苏交涉，要让美国明白日本为争取苏联做出最大限度让步，进行了最大限度的努力。

(四) 日本政府对“北方领土”问题的抉择

1955 年 6 月 1 日至 1956 年 12 月 8 日，日苏两国举行了战后第一次正式谈判，经历“易两地、升三级”的变化过程，“北方领土”形成遗留问题保存至今。

1955 年 6 月 1 日，两国在伦敦举行大使级正式谈判，谈判很快在领土问题上产生矛盾焦点。日本代表松本俊一首先提出：“齿舞群岛、色丹岛，千岛群岛及库页岛南部，从历史上看是日本领土，应就领土问题交换意见。”[②]苏联代表马立克则提出：“日本国承认苏维埃社会主义共和国联盟对千岛群岛及库页岛南部及周边一切附属岛屿拥有完全主权，放弃对上述地域一切权利、权源及请求权。”[③]这样不仅拒绝了日本提出就领土问题进行交涉的主张，而且还要求日本承认该领土为苏联所有。

马立克就此解释说，日苏领土问题已由《雅尔塔协议》《波茨坦公告》第 8 条款、“总命令第 1 号”等解决完毕。松本俊一反驳说，《波茨坦公告》和投降书都未规定将日本的部分领土归属于对日本作战的某一个国家。盟军“总命令”第 1 号仅是规定日本军队投降问题，完全与领土归属问题无关。《雅尔塔协定》把有争议的领土归属苏联，但日本不是该协定的当事国，所以不能接受。战后唯一涉及日本领土问题的国际条约是《旧金山对日媾和条约》，虽然日本宣布放弃了对千岛群岛及库页岛南部主权，但是放弃领土归属何国并没有决定。另外，苏联不是该条约的签字国，因而对苏联放弃与否，以及放弃的地区归属于谁，日本尚有充分的

① 田中孝彦：《日ソ国交回復の史的研究——戦後日ソ関係の起点：1945—1956》，東京，有斐閣，1993 年，第 100 頁。

② 鹿岛和平研究所編：《日本外交主要文書・年表》(1)(1941—1960 年)，東京，原書房，1983 年，第 716 頁。

③ 鹿岛和平研究所編：《日本外交主要文書・年表》(1)(1941—1960 年)，東京，原書房，1983 年，第 718—719 頁。

发言权，苏联也没有资格将其作为主张的依据。

两国谈判因领土问题处于僵局，在非正式谈判中，马立克询问松本俊一，日本对领土问题的最终要求是什么？松本俊一比较含糊地回答说，首先齿舞群岛、色丹岛为北海道的一部分，这些岛屿应该在日本政府的管辖下。其次千岛群岛及库页岛南部，从历史背景考虑日本政府不能放弃。①可以看出，日本方面在领土返还要求上，后者与前者相比明显要软弱、暧昧。日本代表的回答，使得苏联认定日本在领土问题上的最低线为返还齿舞群岛、色丹岛。为了尽快结束谈判，马立克在正式谈判中明确提出，苏联准备把齿舞群岛、色丹岛引渡给日本，但有条件：一是齿舞群岛、色丹岛在缔结和约时才能引渡给日本，二是日本要承认其他领土苏联拥有主权。

苏联在领土问题上的让步，使日本认为有进一步要求的可能性，于是提出领土问题修正案。即"(1) 国后岛、择捉岛、色丹岛、齿舞群岛，在条约生效时完全恢复日本的主权。(2) 北纬 50 度以南的库页岛及千岛群岛，尽快举行包括苏联在内的有关国家与日本交涉，决定归属"②。对此马立克指责日本对谈判缺少诚意，并提出"有关国后岛、择捉岛为千岛群岛的一部分是没有问题的，这些岛为苏联拥有是明确的，是不允许否定的"。此后松本俊一又提出"国后岛、择捉岛交原居民和平经营，苏联军舰与商船可以自由通行其附近海峡，在此条件下归属日本"③。苏联给予拒绝。

1956 年 3 月 20 日，两国伦敦大使级谈判破裂。次日，苏联政府宣布，日本渔民在北太平洋渔场捕鱼，须得到苏联批准。苏联此举给进入鱼汛前夕准备期的日本以巨大冲击，渔业界纷纷要求政府尽快与苏联交涉。这样日本只好选择与苏联举行渔业谈判，5 月 14 日双方签署《日苏

---

① 田中孝彦：《日ソ国交回復の史的研究——戦後日ソ関係の起点：1945—1956》，東京，有斐閣，1993 年，第 151 頁。

② 重光晶：《北方領土とソ連外交》，東京，時事通信社，昭和五十八年，第 82 頁。

③ 石丸和人、松本博一、山本剛士：《動き出した日本外交》戦後日本外交史(2)，東京，三省堂，1983 年，第 84 頁。

渔业条约》，但是其前提为恢复两国邦交或缔结两国和约时才能生效。这表明苏联以渔业问题向日本施加压力。

1956年7月31日，两国外长级谈判在莫斯科举行。日本外相重光葵又提出新建议：“苏联占领的日本领土齿舞群岛、色丹岛、国后岛、择捉岛，在两国和约生效时必须完全返还日本。日本放弃1905年9月5日《朴次茅斯条约》获得的库页岛一部分及千岛群岛的一切权利。”①日本实际上采用以放弃千岛群岛北部与库页岛南部来换取千岛群岛南部的战术。② 对此苏联表示拒绝。重光葵接着与苏联领导人赫鲁晓夫等举行会谈，结果苏联态度仍没有变化。于是重光葵向随团成员表示，迄今已做了最后努力，除不折不扣地接受苏联方案外，别无他路了。③ 日本内阁在得知重光葵准备接受苏联方案后，立即指令“目前内阁一致强烈反对接受苏联方案”④。

在当时，日本一方面没有制约力使苏联在领土问题上让步，另一方面又需要调整两国关系。面对巨大压力，8月19日，鸠山首相发表谈话，表示自己准备访苏实现恢复关系正常化，结果遭到国内的一片反对声浪。为此鸠山首相决定以退出政界为交换条件，力求取得各种反对势力的中立或谅解，在任职期内解决日苏复交问题。这样实际上把国内注意力由外交问题转向内政问题，围绕着后续首相人选，执政党内各派系立即展开了争斗，客观上减少了鸠山首相访苏的一定阻力。

鸠山首相根据日本当时国家实力与国际地位，在顾全大局的前提下，明智地选择“日本应先就宣布结束两国战争状态问题等进行交涉。

---

① 鹿岛和平研究所編：《日本外交主要文書・年表》(1)(1941—1960年)，東京，原書房1983年，第774頁。

② 鹿岛和平研究所編：《日本外交主要文書・年表》(1)(1941—1960年)，東京，原書房1983年，第773頁。

③ 吉泽清次郎監修：《日本外交史》第29卷，東京，鹿岛平和研究所出版会，昭和48年，第176頁。

④ 吉泽清次郎監修：《日本外交史》第29卷，東京，鹿岛平和研究所出版会，昭和48年，第178—179頁。

两国战争状态结束后,再就领土等政治问题,贸易等经济问题进行交涉"[①]。为确证苏联能够接受该主张,1956 年 9 月 11 日,鸠山首相致信苏联部长会议主席布尔加宁,提出:"本大臣基于过去两国谈判过程考虑,此时有关领土问题谈判改为日后继续进行的条件下,两国首先就实现恢复邦交正常化进行交涉:(1) 两国宣布结束战争状态。(2) 互相设立大使馆。(3) 立即遣返被俘人员。(4) 渔业条约生效。(5) 苏联支持日本加入联合国。如果苏方表示同意请通知。"[②]9 月 13 日,布尔加宁复信,表示同意就上述五项内容举行谈判,但对有关领土问题的处理未作明确表示。[③] 为了确证此事,日本决定派松本俊一赴莫斯科探询,并决定采用交换信件方式以便于日后有据可证。9 月 24 日,松本俊一在莫斯科向苏方递交信件,提出:"通过谈判恢复外交关系后,日本政府仍认为日苏两国关系,应在包括领土问题在内的正式和平条约之基础上,才更加巩固发展,这是我们所盼望的。"[④]苏联第一副外长葛罗米柯复信,"同意在恢复两国正常外交关系后,继续进行包括领土问题在内的缔结和平条约的谈判"[⑤]。这就是所谓"松本俊一与葛罗米柯交换信件"。

10 月 12 日,鸠山首相等人赴莫斯科,两国谈判进入首脑级。然而在谈判中,日本又提出立即返还齿舞群岛、色丹岛问题,对此赫鲁晓夫指责日本,为何在已明确表示谈判中不涉及领土问题时又提出?同时提出苏联返还齿舞群岛、色丹岛要等到美国返还冲绳岛时实现。[⑥] 赫鲁晓夫又

---

① 鸠山一郎著、复旦大学历史系译:《鸠山一郎回忆录》,上海译文出版社,1978 年版,第 231 页。

② 鹿岛和平研究所編:《日本外交主要文書·年表》(1)(1941—1960 年),東京,原書房,1983 年,第 781—782 頁。

③ 鹿岛和平研究所編:《日本外交主要文書·年表》(1)(1941—1960 年),東京,原書房,1983 年,第 782 頁。

④ 鹿岛和平研究所編:《日本外交主要文書·年表》(1)(1941—1960 年),東京,原書房,1983 年,第 783 頁。

⑤ 鹿岛和平研究所編:《日本外交主要文書·年表》(1)(1941—1960 年),東京,原書房,1983 年,第 783 頁。

⑥ 久保田正明:《クレムリンの使節——北方領土交渉 1955—1983》,東京、文藝春秋,1983 年発行,第 208 頁。

在返还两岛问题上增加新条件，使日本更加被动。

为了推动谈判进行，双方经过协商后都做出一定让步，苏联决定放弃返还两岛增加新条件，日本也放弃立即返还两岛主张。于是双方就联合宣言草案讨论，日方就领土问题提出：“同意日本国与苏维埃社会主义共和国联盟恢复外交关系后，就包括领土问题在内的缔结和平条约交涉继续进行。”①对此赫鲁晓夫提出把“包括领土问题在内”部分取消。关于此部分，对日方来说是两国恢复邦交后确保就领土问题继续交涉的明确表述，同时也是获得国内外有关反对势力能够接受的重要条件。但是面对赫鲁晓夫的强硬态度，日本担心如不接受，赫鲁晓夫会再次提出冲绳岛问题。这样日本决定接受苏方主张，认为作为最好的补充方法，就是公开发表“松本俊一与葛罗米柯交换信件”内容。②

1956 年 10 月 19 日，两国正式签署《日苏联合宣言》。其有关规定：“苏维埃社会主义共和国联盟为了满足日本的愿望和考虑到日本的国家利益，同意把齿舞群岛和色丹岛移交日本，但是经谅解，即这些岛屿将在日本和苏维埃社会主义共和国联盟之间的和约缔结后才实际上移交日本。”同时规定，“日本和苏维埃社会主义共和国联盟已同意在重新建立日本和苏维埃社会主义共和国联盟之间的正常外交关系后恢复缔结和约的谈判”③。这样作为两国恢复邦交后的遗留问题，形成了日本“北方领土”问题。

综上所述，二战后形成的日本对苏“北方领土”问题，首先是两国历史上长期争夺演变的结果，这种争夺也造成了两国在心理上相互仇视而

① 田中孝彦：《日ソ国交回復の史的研究——戦後日ソ関係の起点：1945—1956》，東京，有斐閣，1993 年，第 291 頁。

② 鸠山一郎著、复旦大学历史系译：《鸠山一郎回忆录》，上海译文出版社，1978 年版，第 232 页。

③ 鹿岛和平研究所编：《日本外交主要文書・年表》(1)(1941—1960 年)，東京，原書房，1983 年，第 785 頁。

使问题更加复杂化。其次,美国对"北方领土"问题政策的转化是造成该问题形成的最重要外界因素。然而更重要原因是,日本法西斯发动的对外侵略战争所带来的后果。对于日本来说,是在加入联合国、返还领土、渔业保障、遣返被俘人员、结束两国战争状态、恢复邦交正常化等问题相互交织与相互制约下,选择在领土问题上的妥协。暂时搁置领土问题的选择,一方面为两国就此问题继续谈判留下余地;另一方面也冲破了国内外各种反对势力阻拦,促使日苏两国关系向前发展。然而暂时搁置领土问题也造成两国至今无法解决的大难题出现,限制了两国关系发展。

三、美国"冷战"政策与日苏领土问题的形成①

本书所提出的"日苏领土"问题,在日本称为"北方领土"问题,在苏联及今天的俄罗斯称为"南千岛"问题。众所周知,长期以来,日本与苏联及今天的俄罗斯,领土问题阻碍着双方关系的发展。从表面上看,日苏及日俄领土问题是双边关系问题,实质上该问题的形成与美国当时的"冷战"政策有密切关系,可以说战后初期美国的"冷战"政策是日苏领土问题形成的重要外来因素。

(一) 美国对《雅尔塔协定》态度的转变

今天的俄罗斯即原来的苏联宣布自己拥有千岛群岛及库页岛南部领土主权的主要法律依据之一,就是第二次世界大战末期美国、英国、苏联三国首脑签署的《雅尔塔协定》。因此我们讨论日苏领土问题形成,就必须从《雅尔塔协定》开始探讨。

美国总统罗斯福、英国首相丘吉尔与苏联领导人斯大林签署《雅尔塔协定》的主要目的,就是要约束苏联对日参战出兵,以换取两国对日作

---

① 本节发表于《南开学报(哲学社会科学版)》2009 年 3 期。

战的压力。1941 年 12 月 8 日,太平洋战争爆发后,美国对苏政策的核心,如当时美国驻苏军事代表团团长迪恩讲:“我和哈里曼的主要任务就是要把苏联吸引到对日作战中。”①在第二次世界大战期间,出现一种非常奇怪的现象,反法西斯同盟主要国家苏联与法西斯轴心主要成员日本处于中立关系状态,所以如何使苏联放弃对日中立政策,转变为对日开战,成为美英两国对苏政策核心内容。1944 年 6 月,美英联军在诺曼底登陆后,10 月,迪恩向本国政府报告:“目前斯大林愿意考虑全面介入对日作战计划。”②在美国提议下,两国讨论了苏联参加对日作战的政治条件。据美国驻苏大使哈里曼报告:“斯大林提出必须完全恢复 1905 年日俄战争以前俄国在远东地区的地位。提出库页岛南部和千岛群岛返还苏联。”③1945 年 2 月 8 日,雅尔塔会议期间,斯大林与罗斯福举行会谈,罗斯福讲“哈里曼已经向我汇报了你提出的条件”。我认为“战后把库页岛南部和千岛群岛归还苏联毫无困难而言”。④ 对此斯大林讲,“如果满足了上述政治条件,人民就会知道对日作战是为国家利益,也会使最高苏维埃很容易通过决定”⑤。2 月 10 日,三国首脑签署了《雅尔塔协议》,但是当时该协定属于秘密协定,没有对外公布。该协定有关日苏领土问题规定:“三大国首脑已决定击溃日本后应毫无疑问地满足苏联这些要求”,“库页岛南部及其周边岛屿须交还苏联”,“千岛群岛须交予苏联”。⑥

---

① ボリス・N・スラヴインスキ:《千岛占领一九四五年夏》,加藤幸廣訳,東京,共同通信社,1993 年,第 55 頁。

② 沃勒・米勒斯:《福雷斯特尔日记——冷战内幕》(*Waller Millis. Forrestal Diaries-the inner History of the Cold War*),伦敦加塞尔有限公司(Cassell & Company LTD.),1952 年版,第 31 页。

③ ボリス・N・スラヴインスキ:《千岛占领一九四五年夏》,加藤幸廣訳,東京,共同通信社,1993 年,第 55 頁。

④ 乔治・T. 麦克吉米西:《福兰克林・D. 罗斯福总统档案:第 14 卷,雅尔塔会议》(George T. Mc Jimsey. *Documentary history of the Franklin D. Roosevelt presidency. Volume* 14,*The Yalta Conference*),美国国会信息服务公司 2003 年版,Document 58,第 280 页。

⑤ 乔治・T. 麦克吉米西:《福兰克林・D. 罗斯福总统档案:第 14 卷,雅尔塔会议》,Document 58,第 281 页。

⑥ 乔治・T. 麦克吉米西:《福兰克林・D. 罗斯福总统档案:第 14 卷,雅尔塔会议》,Document 59,第 284—385 页。

1945年9月2日，日本无条件签署投降书，第二次世界大战结束。美国对苏遏制的“冷战”政策出台后，也改变了原来对《雅尔塔协议》的解释。1945年12月24日，在莫斯科举行的美英苏三国外长会议上，苏联外长莫洛托夫提出讨论千岛群岛与库页岛南部的归属问题，美国国务卿巴逊芝却指出：“这个问题没有必要讨论，在缔结对日媾和条约前，不应该讨论这个问题。”对此莫洛托夫反驳说：“《雅尔塔协议》不是已经决定了千岛群岛和库页岛南部的命运吗?”①苏联认为《雅尔塔协议》最终决定了千岛群岛与库页岛南部的归属问题，而美国则认为《雅尔塔协议》不是最终决定。1946年1月29日，美国副国务卿艾奇逊发表正式声明，首次正式承认《雅尔塔协定》的存在。同时他指出，《雅尔塔协议》不过承认苏联对千岛群岛及库页岛南部的战时占领权限，这些领土的最终归属问题现在还没有决定。② 针对美国方面力图使《雅尔塔协定》空洞化做法，1946年2月2日，苏联最高苏维埃主席团会议通过决议，苏联以修改宪法手段，完成了国内对千岛群岛及库页岛南部为自己领土的法律程序，目的是将该领土作为自己领土成为既成事实。

1949年10月1日，中华人民共和国成立后，美国开始进一步加紧扶植日本成为远东地区国际“冷战”的帮凶。1950年5月18日，美国总统杜鲁门任命约翰·福斯特·杜勒斯为负责对日媾和的国务院特别顾问。1950年6月25日朝鲜战争爆发后，美国国防部与国务院之间长期争论的有关苏联是否参加对日媾和问题为前提条件得到缓解，美国军方认识到现在缺少苏联参加对日媾和的现实条件，转而接受国务院主张单方对日媾和。于是美国国务院与国防部制定了共同备忘录，1950年9月8日获得美国总统的批准，作为NSC60/1正式文件。该文件规定，在对日媾和问题上重要的是“安全保障上的要求”，不承认苏联对日本本土的接近

① 田中孝彦：《日ソ国交回復の史的研究——戦後日ソ関係の起点：1945—1956》，東京，有斐閣，1993年，第8—9頁。

② アジア調査会編：《北方領土を読む》，東京，プラネット出版，平成三年，第76頁。

作为一个方针规定。[①] 杜勒斯认为,“《雅尔塔协议》是苏联获得千岛群岛与库页岛南部的唯一依据,既然苏联不兑现其他国家应获得利益,那么苏联也不应要求兑现获得那部分利益”[②]。

1950 年 9 月 11 日,杜勒斯制定了《对日媾和七原则》,作为对日媾和指导性文件。其有关领土问题规定为:“(C)台湾,澎湖列岛,库页岛南部及千岛群岛的地位,交由英国、苏联、中国及美国将来决定,条约生效后一年内不能决定时,交由联合国大会决定。”[③]可以看出,美国不承认《雅尔塔协议》作为苏联最终获得千岛群岛与库页岛南部主权的解释,力图以国际社会再次决定来确定该领土主权。显然四大国之间很难确定结果,联合国又在美国等西方国家控制下,所以对于苏联获得该领土的国际承认是极其不利的。

为了落实《对日媾和七原则》,1950 年 9 月 22 日,杜勒斯与英国副外长德尼古举行会谈。德尼古提出,媾和条约应规定千岛群岛与库页岛南部的归属问题,联合国大会无权决定,既然已经在苏联占领下,要想改变本身是不现实的。10 月 26 日,杜勒斯与苏联驻联合国代表马立克进行会谈,杜勒斯提出口头声明:“如果苏维埃社会主义共和国联盟在媾和条约上签字,日本依照条约规定将千岛群岛与库页岛南部就让渡给苏联”[④]。杜勒斯意图是,担心苏联反对《对日媾和七原则》而不参加媾和并把责任推给美方,实际上采取在苏联面前放置“诱饵”的交涉战术。马立克指责这样会使《雅尔塔协议》空洞化。对此杜勒斯说:“美国本希望所有远东委员会国家都在和约上签字,但是如果哪个国家不能参加,而日

① 丹尼斯·麦里尔:《杜鲁门总统档案:第 5 卷,建立日本的多元民主》(Dennis Merrill, *Documentary History of the Truman Presidency. Volume 5, Creatinga Pluralistic Democracyin Japan*),美国大学出版社,1996 年版,Document 92,第 575 页。

② 丹尼斯·麦里尔:《杜鲁门总统档案:第 5 卷,建立日本的多元民主》,Document 118,第 671 页。

③ 鹿岛和平研究所编:《日本外交主要文书·年表》第一卷(1941—1960 年),第 120 页。

④ 丹尼斯·麦里尔:《杜鲁门总统档案:第 5 卷,建立日本的多元民主》,Document 96,第 594 页。

本打算单独媾和,美国愿意按此执行。"①

3月初,杜勒斯起草制定了"临时备忘录",作为美国今后对日媾和工作指导性文件。其决定在媾和条约上明文规定库页岛南部及周边一切岛屿让渡给苏联。千岛群岛让渡给苏联,千岛群岛的地理范围由日苏两国决定。制定对媾和条约解释产生纠纷时的解决条款,同时规定苏联只有在媾和条约上签字时,上述内容才能履行。

临时备忘录内容与《对日媾和七原则》有很大不同。后者没有规定把千岛群岛及库页岛南部让渡给苏联,仅提出这些领土问题归属由四大国决定,决定不了时交由联合国大会最后决定。前者明确写入如果苏联参加媾和会议并在媾和条约上签字时,就把千岛群岛及库页岛南部让渡给苏联。美国发生这种变化的原因为:(1)杜勒斯为了应付苏联的指责,避免出现美国阻止苏联在媾和条约上签字的现象。另外,当时日本国内出现了很大的主张苏联参加"全面媾和"的势力,美国为了避免"全面媾和"势力的猛烈批评。(2)杜勒斯《对日媾和七原则》中提出交由联合国大会最后决定,受到英国方面尖锐批评,为协调两国政策而不得不放弃。(3)调整国务院与国防部间矛盾。1951年1月杜勒斯与国防部官员举行会谈,军方仍担心单独媾和是对苏联的挑战,"会提高苏联发动对日本全面行动"。为了调整两个部门间政策,他不得不决定把千岛群岛及库页岛南部有条件地让渡给苏联。(4)更重要的是,杜勒斯此时实际上认为苏联参加对日媾和会议的可能性极小。他认为即使在苏联面前放置"诱饵"也不会被吃掉,因为苏联已经占领了千岛群岛及库页岛南部。

以上我们可以看到,美国在第二次世界大战期间,为了换取苏联出兵日本减少自己损失而签署《雅尔塔协定》,许诺战争结束后将千岛群岛及库页岛南部让渡给苏联。但是战争结束后,美国为了遏制苏联势力在远东地区发展,开始一步一步地实施《雅尔塔协定》空洞化政策。美国政府对《雅尔塔协定》不同时期的不解释,是造成此后日苏及日俄两国有关

① 丹尼斯·麦里尔:《杜鲁门总统档案:第5卷,建立日本的多元民主》,Document 96,第596页。

领土问题争议的重要根源之一。

(二) 美国主导《旧金山对日媾和条约》

美国在决定排除苏联干涉,自己单独主导对日媾和政策后,开始加紧起草有关对日媾和条约草案。根据杜勒斯“临时备忘录”,1951 年 3 月 23 日,美国国务院制定了对日媾和条约草案,即“3 月草案”。“3 月草案”的第五条规定:“日本国向苏维埃社会主义共和国联盟让渡库页岛南部及周边一切岛屿,向苏维埃社会主义共和国联盟让渡千岛群岛。”第十九条规定:无论任何国家对本条约不批准,就不能从本条约中获得以往及以后的任何利益。[①] 这样实际上规定苏联如果不在条约上签字,第五条款就失去效力。

在杜勒斯推行美国主导下的对日媾和过程中,他几次赴日本进行实地调查活动,也为日本力图对媾和问题施加影响创造了条件。可以说正是这种国际“冷战”环境,使战败国日本看到了有可能在美国主导下形成对日本有利的媾和条约。日本最早力图对媾和问题施加影响是,1947 年 7 月片山哲内阁时期,外相卢田均向美国占领军总司令部(GHG)递交所谓“卢田备忘录”,提出在决定日本主要四岛之外的诸小岛归属时,有关国家应该认真考虑这些岛屿与日本本土的关系,具有的历史、文化及经济的背景。但是该备忘录遭到美国方面拒绝。1950 年 3 月,日本接到杜勒斯起草的美国“临时备忘录”后,感到美国可能对将来日苏领土问题采取不介入方针,试图劝说美国继续关注领土问题。3 月 16 日,日本方面向美国递交备忘录,认为仅自己与苏联解决领土问题是不现实的,强烈希望美国能够继续直接参加解决。同时提出,如果苏联不在对日媾和条约上签字时,媾和条约就不应对千岛群岛及库页岛南部的归属问题做出任何规定。

---

① 鹿岛和平研究所編:《日本外交主要文書・年表》(1)(1941—1960 年),東京,原書房,1983 年,第 391、393 頁。

1951年3月底，日本政府制定了两套有关领土返还政策：一是如果苏联不参加对日媾和会议时，虽然千岛群岛及库页岛南部仍在苏联占领下，但是日本却保有对该领土的法律主权。二是苏联如果参加对日媾和会议，有关“千岛群岛”地理定义选择对日本有利的定义，即把千岛群岛南部从“千岛群岛”的地理范围中消除。按照日本方面的解释，齿舞群岛与色丹岛是日本北海道的一部分，当然不属于千岛群岛一部分，承认择捉岛与国后岛为千岛群岛南部，称为“南千岛”。1950年4月16日，吉田茂向来访的杜勒斯提出，在媾和条约中明确规定千岛群岛南部不包括在“千岛群岛”范围内。对此杜勒斯指出，如果把“千岛群岛”定义在媾和条约中规定，就必须要与有关国家进行协商，这样就会出现对日媾和条约在签字时间上往后推迟，所以拒绝吉田茂的要求。吉田茂为了回避此事态出现也不得不接受杜勒斯的主张。

1951年4月25日至5月4日，美英两国为起草共同草案举行协商会议。英国代表提出苏联即使不参加媾和会议也应把千岛群岛及库页岛南部让渡给苏联，这样可以避免留下将来日苏之间纠纷的种子，提出删除美国“3月草案”的第19条。美国代表则提出如果这样美国国会参议院不会接受，所以表示拒绝接受。经过双方协商，5月3日，两国制定了共同草案。其采用了英国的主张，即，日本向苏联让渡以往行使主权的千岛群岛与库页岛南部及周边诸岛。同时也采用了美国主张，即，如果苏联不在媾和条约上签字就不能适用条约。这样美国“3月草案”实质内容被5月美英两国共同草案采用。

1951年6月初，杜勒斯又向英国提出修正案，即在媾和条约中仅规定日本放弃对千岛群岛及库页岛南部的一切权利而不规定放弃领土的所属国。杜勒斯对此解释说，5月“共同草案”从外观上看给苏联提供了明显利益，所以在向美国国会参议院报告时不合适。对此英国没有表示反对。杜勒斯提出该修正案主要因素为：(1) 围绕参加对日媾和问题与苏联交涉，苏联已表明不可能参加媾和会议。这样在苏联面前提供千岛群岛及库页岛南部的法律依据为“诱饵”的作用已丧失。另外，马歇尔担任国防部部长后，与国务院主张的差距缩小，为促使苏联参加对日媾和而在和约上写入千岛群岛及库页岛南部让渡给苏联的必要性降低了。(2) 如果苏联不参加媾和会议则不能获得有关领土，就等于千岛群岛及库页岛南部的主权在法律上仍属于日本。这样造成将来日本向苏联要求归还领土法律依据，将招致日苏两国领土纠纷的可能性提高。另外，美国准备与日本缔结安全保障条约，必须避免日苏领土纠纷引起美苏之间发生武力冲突，为此“条约规定库页岛南部和千岛群岛从日本分离出”。① (3) 千岛群岛及库页岛南部归属问题，与所谓“中国问题”有一定联系。英国认为应在和约中规定把台湾返还“中国”，因其已经承认了中华人民共和国。而当年 5 月 29 日国民党政府“驻美大使”顾维均指责草案中明确规定把千岛群岛及库页岛南部归属苏联，而没有明确规定把台湾归属“中华民国”，要求相同对待，明确台湾归属“中华民国”。杜勒斯为此提出有关千岛群岛及库页岛南部条款，与台湾归属问题条款相同处理，即要求日本宣布放弃这些领土一切主权，但是不表明归属国家。对此英国表示接受。1951 年 6 月 14 日基于杜勒斯修正案，美英两国制定了“共同草案”修订版，“两国政府决定不能接受苏联政府的固执己见”②。这样美英两国共同制定的对日媾和 6 月修订版，虽然此后条约草案经过几次进一步修改，但是有关千岛群岛及库页岛南部归属问题条款，完全没有改动而直接提交给旧金山对日媾和会议上讨论。

1951 年 9 月 4 日，旧金山对日媾和会议召开，9 月 5 日第二次全体会议上，美国代表杜勒斯就条约起草过程进行报告说明。有关“千岛群岛”地理范围，杜勒斯表示美国政府认为齿舞群岛不是“千岛群岛”一部分，对色丹岛、国后岛及择捉岛没有表态。同时提出如果日苏两国对该问题产生纠纷时，可以依据媾和条约第 22 条款，委托国际法院裁决。旧金山

① 丹尼斯·麦里尔:《杜鲁门总统档案:第 5 卷，建立日本的多元民主》，Document118，第 671 页。

② 丹尼斯·麦里尔:《杜鲁门总统档案:第 5 卷，建立日本的多元民主》，Document109，第 628 页。

会议上，苏联代表葛罗米柯对美英共同草案进行猛烈批评，要求进行修改，结果遭到会议拒绝，所以苏联代表最终拒绝在媾和条约上签字。旧金山会议上，日本代表吉田茂也阐述了日本方面的原则立场，但这不具备任何法律意义，仅表示日本方面见解而已。

1951年9月8日，美国主导下的《旧金山对日媾和条约》最终获得通过。该条约中有关千岛群岛及库页岛南部的归属条款，完全采用了6月14日美英共同草案修改版内容。《旧金山对日媾和条约》第二章领土，第二条款(C)规定："日本国放弃对千岛群岛及由于1905年9月朴次茅斯条约所获得主权的库页岛一部分及其附属岛屿的一切权利、权利根据与要求。"①但是该条约对于日本放弃的领土最终归属哪个国家没有规定，同时也没有规定日本放弃"千岛群岛"的地理范围。美国主导的《旧金山对日媾和条约》这样规定，导致日本方面认为残留下自己收回上述领土的余地，意味着为将来日苏及日俄关系发展中残留下领土纠纷的祸根。

(三) 美国干涉日苏恢复关系正常化谈判

1954年12月9日，力主推动对苏联恢复邦交正常化的鸠山一郎上台后，在日苏双方不断接触形势下，1955年1月26日，美国政府制订了备忘录。该备忘录中，美国政府对日本政府提出"希望"。美国政府的态度为：关于领土问题，美国政府支持日本政府有关齿舞群岛、色丹岛不包括在千岛群岛内的主张。美国政府不承认日本政府在仅返还齿舞群岛、色丹岛条件下，与苏联在谈判中达成妥协。美国政府希望日苏两国恢复邦交谈判，不能脱离《旧金山对日媾和条约》中有关领土问题的规定。《旧金山对日媾和条约》中没有规定千岛群岛及库页岛南部的最终归属问题，日本政府如果承认苏联拥有这些领土主权，对于美国政府来说是不能接受的。

---

① 鹿岛和平研究所編：《日本外交主要文書・年表》(1)(1941—1960年)，東京，原書房，1983年，第420頁。

按照美国政府备忘录所"希望"的那样，1955年2月4日，鸠山内阁制定对苏恢复邦交正常化谈判方针，即"训令十六号"，其有关"解决领土问题：首先是返还齿舞群岛、色丹岛；其次是返还千岛群岛、库页岛南部"①。1955年6月1日，日苏恢复邦交正常化谈判开始后，日本方面就提出上述主张。但是谈判很快陷入僵局，为此6月日本方面分别向美、英、法等国发出询问信笺。日本政府询问的主要内容为：(1) 日本政府在接受《波茨坦公告》时，不知道《雅尔塔协定》的存在，《雅尔塔协定》是否应该被认为是盟国的决定《波茨坦公告》的第8条。(2) 苏联方面是否可以根据《波茨坦公告》单方面决定千岛群岛及库页岛南部为本国领土。②

对此美国很快做出答复，主要内容为：(1) 苏联不能根据《波茨坦公告》第8条单方面决定。《波茨坦公告》明确记述日本领土问题确定应该由公告签字国将来讨论。(2)《雅尔塔协定》不是以最终决定为目的，仅是表明美、苏、英领导人的共同目的。日本没有参加该协定，不受该协定的限制。(3) 齿舞群岛、色丹岛从法律、历史、地理上看，是北海道的一部分，不是千岛群岛的一部分。(4)"总命令第1号"等，不能认为具有最终决定这些领土问题的地位。(5) 日本放弃了对千岛群岛及库页岛南部的一切权限，但是《旧金山对日媾和条约》没有把这些领土的主权给予任何国家。(6) 美国国会参议院批准《旧金山对日媾和条约》时，确认千岛群岛及库页岛南部的归属是"将来国际交涉问题"。③

从上述内容看，美国政府的这种立场基本没有改变，即齿舞群岛、色丹岛为日本领土，支持日本要求返还，仍然坚持不承认千岛群岛及库页岛南部为苏联领土的原则。但是，事实上此时美国政府并不是完全支持日本的领土要求。美国政府认为日本已明确放弃这些领土是事实，这些

① 田中孝彦：《日ソ国交回復の史的研究——戦後日ソ関係の起点：1945—1956》，東京，有斐閣，1993年，第97頁。

② 鹿岛和平研究所編：《日本外交主要文書・年表》(1)(1941—1960年)，東京，原書房1983年，第721頁。

③ ァジァ調査会編：《北方領土を読む》，東京，プラネット出版，平成三年，第98頁。

领土的归属还没有决定，这个问题必须由将来“国际交涉”解决。这种解释与此时日本政府主张的解释是不一致的。日本政府认为在《旧金山对日媾和条约》中放弃对千岛群岛及库页岛南部的权利，但是与非签字国苏联的关系不是放弃。然而美国方面重视日本放弃这些领土的事实，所以不积极支持日本方面对千岛群岛及库页岛南部的主张。

美国政府对日本政府提出返还千岛群岛及库页岛南部的主张持慎重态度，其原因与冲绳问题有密切关系。美国认为如果苏联方面把这些领土返还日本，对于美国继续占领冲绳将产生困难。杜勒斯曾经明确讲：“如果出现苏联把千岛群岛的重要部分返还，日本就会施加压力要求把琉球群岛收回自己支配下。苏联如果把这些领土返还日本，那么日美之间关系就会变得紧张。”①美国政府的这种担心是其对日本政府要求返还千岛群岛及库页岛南部主张持消极态度的根本原因。另外，美国政府的态度也是从当时日美两国关系更广泛的方面来考虑。美国政府极力回避明显介入日苏两国恢复邦交谈判，就是针对日本国内兴起的民族主义情绪，担心介入会刺激反美民族主义的发展。

10月12日，日本政府为了打破谈判僵局，再次分别向有关国家发出询问信件，向美国政府发出的询问信件内容为：(1) 参加雅尔塔会议的盟国首脑，在《雅尔塔协定》中使用“千岛群岛”一词时，是否知道直接靠近北海道的国后岛、择捉岛是只有众多日本人居住的固有领土，过去从来没有被外国人统治过。另外在1875年日俄条约中，国后岛、择捉岛也不属于划归的18个岛，是否知道“千岛群岛”这个历史事实。(2) 起草《旧金山对日媾和条约》中起主要作用的美国政府是否知道，在该条约第二条款(C)所谓“千岛群岛”不包括国后岛、择捉岛？②

10月21日美国政府对此做出答复如下：(1) 雅尔塔会议没有给千岛群岛下地理定义，也没有讨论千岛群岛的历史。《雅尔塔协定》不是以

---

① アジア調査会編：《北方領土を読む》，東京，プラネット出版，平成三年，第86頁。

② 鹿岛和平研究所編：《日本外交主要文書・年表》(1)(1941—1960年)，東京，原書房，1983年，第735頁。

割让领土为目的，也没有这种效力。《雅尔塔协定》的当事国没有记录以前不是苏联领土又如何具有占领的意图。（2）《旧金山对日媾和条约》、旧金山媾和会议的议事录都没有决定千岛群岛的定义。美国的见解为，有关“千岛群岛”的任何纠纷都应该根据《旧金山对日媾和条约》第22条款，委托国际法院决定。（3）“将来国际决定”最终解决千岛群岛及库页岛南部问题。有关这些地理名称，包括领土发生纠纷时国际法院决定，这种处理现在不能预想。另外，千岛群岛的地理名称起诉到国际法院，作为代替方案，美国不反对日本提出国后岛、择捉岛不属于千岛群岛一部分的理由，但是考虑到齿舞群岛、色丹岛苏联方面已经表明立场，这种计划不可能成功。如果失败，日本可以根据和约条款，向苏联提出把有关千岛群岛范围问题共同起诉到国际法院。①

从美国政府答复中可以看出，第一，美国政府认为千岛群岛及库页岛南部的领土问题是日苏两国之间问题。关于千岛群岛的地理定义，不同意日本主张召开国际会议决定，而是日苏两国服从国际法院裁决。第二，有关千岛群岛的定义，美国政府明显不直接支持日本的主张。美国政府答复说千岛群岛的地理范围没有决定。但是，国后岛、择捉岛是否属于千岛群岛范围问题，美国政府的答复不清楚。这表明，美国政府反对在《旧金山对日媾和条约》框架外，日本政府对苏联方面做出的任何让步。

日本政府从上述答复中获得结果为，虽然了解到千岛群岛的地理定义还没有决定，但是有关返还千岛群岛南部的主张没有得到美国政府的有力支持，而且还不能简单地放弃要求返还千岛群岛南部的主张。

1956年8月19日，出席伦敦苏伊士运河国际会议期间，重光葵外相与美国国务卿杜勒斯举行会谈。重光葵向杜勒斯说明了目前日苏谈判过程，并就下一步交涉与美国方面交换意见。在会谈中重光葵谈到自己

① 鹿岛和平研究所編：《日本外交主要文書・年表》(1)(1941—1960年)，東京，原書房，1983年，第735頁。

主张接受苏联方面方案，对此杜勒斯给予严厉批判。杜勒斯指出，千岛群岛与冲绳问题有密切关系。日本如果承认苏联对千岛群岛拥有完全主权，美国方面也同样引用《旧金山对日媾和条约》第 26 条款获得对冲绳的主权。这就是杜勒斯所谓“第 26 条款发言”。

《旧金山对日媾和条约》第 26 条款规定：“日本准备与任何签署或者假如 1942 年 1 月 1 日联合国家宣言，且对日本作战而非本条约签字国，或者以任何以前构成第 22 条所指的国家的领土的一部分而非本条约签字国之国家签订一与本条约相同或者大致相同之双边条约，但日本之此项义务，将于本条约最初生效后三年届满时止，倘日本与任何国家成立一媾和协议或者战争赔款协议，给予该国以较本条约规定更大之利益时，则此等利益应同样给予本条约之缔约国。”①“第 26 条款”实质上要求日本与原同盟国之间缔结新条约时，必须以与《旧金山对日媾和条约》规定的基本一致而缔结条约。如果新的媾和条约对条约另一方给予比《旧金山对日媾和条约》更好的条件时，这个条约对《旧金山对日媾和条约》其他参加国同样适用。杜勒斯援用此条款阻止日本向苏联做出让步。与此同时，杜勒斯援用“第 26 条款”也有支持日本积极参加日苏两国谈判之意。美国方面意图为，如果日本承认苏联的领土主权要求，美国政府就要吞并冲绳，因此日本不会接受苏联的要求，这样也转告苏联，此举动对日本无益，迫使日本在交涉中采取强硬立场。当然这里面也隐藏着美国政府阻止或者延缓日本在日苏两国谈判中，在领土问题上让步的意图。

正是在美国方面极力干涉下，日本鸠山内阁最终决定，暂时搁置领土问题，结束两国战争状态，恢复两国邦交正常化，双方于 1956 年 10 月 19 日签署《日苏联合宣言》。按照联合宣言规定：“第九条：日本国和苏维埃社会主义共和国联盟已经同意，在重新建立了日本国和苏维埃社会主

---

① 鹿岛和平研究所編：《日本外交主要文書・年表》(1)(1941—1960 年)，東京，原書房，1983 年，第 439 頁。

义共和国联盟之间正常外交关系以后恢复缔结和约的谈判。苏维埃社会主义共和国联盟为了满足日本国的愿望和考虑到日本的国家利益，同意把齿舞群岛和色丹岛移交给日本国，但是经谅解，即这些岛屿将在日本国和苏维埃社会主义共和国联盟之间的和约缔结后才实际移交给日本国。”①按照日本方面解释，“正常外交关系以后恢复缔结和约谈判”，就是要谈判有关返还择捉岛和国后岛问题，而苏联方面解释为谈判内容为如何具体移交齿舞群岛和色丹岛问题，与择捉岛和国后岛问题无关。可以说，1955—1956年，日苏两国就有关恢复邦交正常化谈判过程中，就有关领土问题双方主张已经阐述清楚，此后几十年争论没有脱离这一基本框架范围。

综上所述，美国对《雅尔塔协定》的态度转变，使苏联获得有关领土法律依据缺少说服力，同时也给日本方面提供了收回有关领土的口实；美国主导的《旧金山对日媾和条约》要求日本放弃有关领土，但是又不规定有关领土最终归属对象，留下双方纠纷的祸根；美国对日苏两国恢复邦交正常化谈判的干涉，表面上支持日本方面主张，但是实质上阻止日本方面妥协而使领土问题形成遗留问题。美国国际“冷战”政策是造成战后日苏及日俄领土问题形成的最重要外来因素。

四、20世纪60—70年代日苏西伯利亚联合开发计划②

我们研究东北亚地区国际关系，不能仅仅注意中国与周边国家之间关系，而且也要注意我国周边国家之间关系，这样才能够真正把握东北亚地区情况变化，使我们不至于陷入被动局面。人们现在普遍关心中日俄三国有关石油问题争论，是因为我们国内石油供求关系出现了紧张趋

① 鹿岛和平研究所編：《日本外交主要文書・年表》(1)(1941—1960年)，東京，原書房，1983年，第785頁。

② 本节发表于《东北亚学刊》2005年3期。

势。实际上我们也自然地联想到未来在东北亚地区，中日俄三国的经济贸易竞争关系问题。在此论述20世纪60—70年代日苏西伯利亚联合开发计划问题，就是希望从中找到过去日苏两国在经济贸易方面的典型合作时期，为我们下一步发展找出可借鉴线索，使我们能够更好地认识今天的东北亚地区国际经济贸易关系。

(一) 20世纪60—70年代日苏经济贸易关系状况

在讨论20世纪60—70年代日苏西伯利亚联合开发计划之前，有必要先了解该时期两国在经济贸易领域里的发展状况，这是两国能够开展联合开发西伯利亚计划的前提，或者说是基础。

日苏两国在第二次世界大战后，长期处于政治与军事对峙状况，但是两国之间并不是完全没有对外经济贸易关系。特别是日本在经济高速发展的情况下，其经济发展需要海外市场，同样苏联也需要日本的资金技术来填补自己因军事工业不断扩大而出现的相应短缺。当然，经济与政治是不能完全分开的，所以两国有限的经济贸易关系也常常受到政治因素影响。

1956年12月日苏两国恢复外交关系，次年12月6日两国正式签署了通商条约及贸易支付协定，此后两国经济贸易有了发展。然而这还只是一种缓慢的发展，其主要原因一是受"冷战"国际大气候影响，二是受到"北方领土"问题困扰。但70年代却出现了美苏两国扩大贸易发展的势头，这不能不对日本产生刺激作用。日苏两国在经济贸易方面具有极大的发展空间，双方在经济贸易方面具有极大的互补性。日本拥有巨大的资金和技术，而苏联又拥有丰富矿藏资源。如果双方将政治分歧降低，将经济利益看重，就可以很好地进行互补性发展。这对于双方发展都是有益的。

日苏两国在战后经济贸易发展上，可以说60年代是相互摸底、相互促进阶段，形成了初期发展。如1960年8月，在莫斯科举办了第一届"日本产业展销会"。1961年8月，在东京举办了"苏联工商业展销会"。

60年代双方高级经济贸易代表团进行了多次相互访问，1966年3月，日苏两国举行了第一届日苏两国经济贸易联合委员会会议。经济的互补性和利益的共求性，也为外交往来与条约、协定的签订提供了助推力。进入70年代后日苏经济贸易关系有了快速发展。

归纳日苏两国恢复邦交正常化后所开展的贸易，大体上有五种贸易形式。

第一，公司贸易。主要是两国政府之间开展的贸易形式。苏联方面是设在首都莫斯科的国家对外贸易部，其下按贸易物品种类分别设立数十个进出口公司（1972年有55家公司）。日本方面主要是驻莫斯科的各大商社，以这些进出口公司为窗口展开贸易。公司贸易额大体占日苏两国贸易额的95%，所以其为两国贸易的主要形式。也有人称之为两国一般性贸易。

第二，沿岸贸易。主要是与苏联远东地区进行消费物资交换贸易。沿岸贸易以苏联设在纳霍德卡市（位于远东地区滨海边疆区南边阿美利加湾西南的纳霍德卡湾）的苏联远东进出口事务所为窗口进行交易，完全是一种易货贸易。限度交易日期为一个月或两个月，滞留在纳霍德卡的日本中小商社参与这种贸易，日本地方贸易合作社也参与这种贸易。

第三，计划贸易。这是日本经济团体联合会（简称：经团联）下设的日苏经济委员会，其根据不同物品分别设置不同的小委员会，各个小委员会分别制定自己的计划，再分别与苏联对外贸易部所属的有关公司签订贸易合同。例如，以河合良成为团长的远东森林开发委员会与苏联木材公司签订"远东森林开发计划"，即所谓KS计划，从1969年开始执行。根据该计划，日本方面为远东森林开发计划提供机械、拖拉机以及采伐森林劳动者所需要的各种物资，苏联方面则以采伐出来的木材支付货款。

第四，技术交流贸易。这是70年代初才被人们注意的贸易，是日苏两国之间以技术买卖为核心进行的贸易。例如，1963年10月23日，两国签订《连续铸造技术引进合同》，日本"神户制钢"引进苏联连续铸造技术,这也是日本首次引进苏联的技术。

第五,合作社贸易。主要是与苏联消费合作社中央联合会进行的贸易,其不进入国家贸易框架,是苏联方面唯一的以民间团体形式所进行的贸易。合作社贸易,以设在莫斯科的苏联消费合作社中央联合会的贸易部,即苏联合作社贸易公司为窗口,完全采用易货贸易形式,买卖同时签订合同。日本方面也是以合作社形式为条件,不过 70 年代初,为了满足苏联方面需求,也有部分日本中小商社开始充当中介作用。

在日苏贸易中,具有特色的为沿岸贸易。沿岸贸易是俗称,官方称呼为,"苏联远东地区与日本之间消费物资的交换"贸易。沿岸贸易主要集中在苏联太平洋沿岸最大的商港纳霍德卡市,苏联方面在该城市设置了远东进出口事务所,以此为窗口,与日本方面展开易货贸易。日苏沿岸贸易初期从帽、鞋等周身物品,到家庭生活必需品,范围逐渐扩大,最终形成日苏联合开发西伯利亚计划。

日苏沿岸贸易,由来已久,两岸人们很早就有易货贸易的传统,这一传统也为二战后两国沿岸贸易发展打下了基础。二战后日苏沿岸贸易大规模发展是在 1963 年开始的。1963 年日苏签订第二次日苏三年贸易支付协议(1963—1965 年),其附属文件对沿岸贸易给予认可。1966 年第一届日本沿岸贸易展销会在哈巴罗夫斯克举行,日本的北海道、青森、岩手、秋田、山形、新潟、富山、石川、福井、鸟取、岛根、长野、神奈川、广岛、兵库、奈良等县,带着自己的地方产品参加展销会。日苏沿岸贸易的发展,带动了日本地方经济的发展。例如爱媛县的毛巾和柑橘在苏联大受欢迎。爱媛县今冶的毛巾,1970 年度销售额为 9 亿日元;宇和岛的夏季柑橘,在 1971 年度销售额大约为 650 万日元。岐阜县的陶器也在苏联大受欢迎,1970 年 7 月,岐阜县的贸易合作社与苏联杂品进出口公司签订 16 亿美元的购买合同。同样,沿岸贸易作为一种易货贸易制,也为苏联的大量资源,特别是木材交易到日本开辟了通道。大量木材输入日本,使其主要接受港口城市新潟的地方经济得到发展。

对于开展日苏双边贸易,两国有关人士不仅有了一定的认识,而且起到了积极推动作用。1971年10月20日，苏联最有权威的报刊《真理报》，发表了斯帕塔亚的论文，其对日苏贸易发展状况进行了分析、总结。斯帕塔亚曾担任苏联驻日本通商代表部首席代表，他的论文内容比较实际、客观，而且该论文发表在日苏恢复邦交15周年纪念日（10月19日）的次日，更有特殊意义。论文较长，重点分析了日苏协作的实际状况，特别指出苏联远东和西伯利亚地区的发展与日本产业发展有相互联系的必然性。论文中讲："我国从日本进口，对于我国国民经济具有很大意义。我国从日本进口，包括化学、纤维素、纤维、纸、纺织品、机械制造业的成套设备，而且还有各种各样的机械、设备、船舶、压力设备、工作机器，以及压力铁制品、导管、化学产品等工业材料。近年来，我国从日本进口消费物资及其制造原料明显增加。如纺织制品、缝制品、各种鞋类、布料、化妆品、毛线、人造丝、合成纤维等。苏联经济界有关单位，与日本产业界已经结成了紧密关系。日苏贸易的成功发展，没有怀疑的余地。但是，为了今后日苏之间的全面经济发展，必须指出还有许多可能性没有被利用。"①

日苏经济贸易发展，确实如斯帕塔亚论文中所指出那样，有很大的互补性。苏联国内经济结构，出于国内外各种因素决定，长期实施重视重工业、轻视轻工业的政策，而且苏联又是地大物博，各种各样的天然资源尚未被开发。日本则是严重缺少天然资源的国家，虽有资金、技术、设备，但无用武之地。另外两者结合也有地理上的优势。就苏联而言，其在发展重工业的同时，也要兼顾国内人民生活水平的提高。从日本进口大量轻工业品，正好补充这样不足。例如，从乌兰克用火车将苹果运输到苏联远东地区的中心城市哈巴罗夫斯克市（人口45万），须运行1.8万公里。而从日本青森县用船只将苹果运输到纳霍得卡市仅为15个小时，运输到哈巴罗夫斯克也仅有900公里。这样对比看，运输到的苹果，无论新鲜度上，还是在经济效益上都非常明显了。据统计，日本对苏联

① 槇二郎:《日ソ沿岸貿易》，時事通信社，昭和44年，第30—31頁。

轻工业品出口,1969 年为 1.007 4 亿美元,1970 年为 1.038 1 亿美元。而日苏贸易额占日本全年出口贸易总额,1969 年为 37.6%,1970 年为 36.2%,大体超出了 1/3。①

日苏贸易的扩大,也为日本经济贸易开辟了新的途径。1971 年日美发生纺织品贸易问题纠纷,美国采取限制日本纺织品进口措施。当时,日本纺织业是其出口创汇主要产业,特别在地方工业中,纺织业为主要支柱产业,其受到很大打击。几乎同时,由于美元危机引发的世界通货不稳定,使纺织业更加艰难。过去顺风满帆的贸易界,瞬间面临巨大打击。以日美贸易为支柱的日本产业界,甚至连转换市场的时间都没有,举步维艰。而日本部分地方产业界,在几年前就利用日苏沿岸贸易,尽力减少了因日美贸易摩擦而带来的损失。这一事件促使日本经济界人士不得不思考,如何发展贸易市场的多元化。正是在贸易市场多元化的思想指导下,日本推动了日苏贸易的发展。

1971 年 12 月 17 日,在东京大手町的经团联会馆举行了“关于日苏沿岸贸易座谈会”。主持会议的是日本沿岸贸易促进议员恳谈会会长稻叶修,做报告的有对苏联东欧贸易会会长崛江薰雄、日苏经济合同委员会的石油委员会会长今里广记,新潟市市长渡边浩太郎。出席会议的有自民党政调会会长小坂善太郎、能源综合开发委员会会长二介堂进,原法务相植木甲子郎等一批政府高级官员和经济界上层人士。会议除讨论如何发展日苏之间沿岸贸易外,与会者普遍对美苏贸易扩大势头感到焦躁不安。②

1970 年美苏两国贸易总额为 1.8 亿美元,仅相当于同年日苏两国贸易额的 1/4。但是 1971 年美国商业部长斯坦茨访问莫斯科,接着尼克松总统也访问了莫斯科,进一步推动美苏贸易的发展,40 天内双方签订的贸易额就突破 10 亿美元。如斯坦茨访苏期间,美国 6 家公司与苏联有

---

① 槇二郎:《日ソ沿岸贸易》,時事通信社,昭和 44 年,第 30—31 頁。

② 小川和男、本村和子:《ソ連、東欧经济と日本》,経济調査会出版,1990 年,第 298 頁。

关方面签订1.25亿美元的合同，其中美国钢铁公司向苏联出售6 000万美元的矿山开采、石油开采设备，美国国际商业机械公司向苏联出售130万美元的计算机系统，美国国际电报电话公司向苏联出售电信管理系统。另外苏联农业部长玛克彼奇访美时，明确提出进口美国农产品。美苏贸易势头扩大，使日本方面感到，如果自己再迟缓，可能西伯利亚开发问题也会成为美苏谈论的话题，特别是秋明石油进口计划，使日本方面更感焦躁不安。

(二) 日本参与西伯利亚森林开发计划

苏联西伯利亚地区不仅具有非常广阔的土地，而且更蕴藏着丰富的资源，这里盛产石油、天然气、煤等能源，还盛产金、铜、铝、锌、钨、铁、水银、钻石、矿盐、云母等矿产资源。西伯利亚的无穷宝藏，无疑对极度缺乏资源的经济大国日本，具有极大的吸引力。

西伯利亚开发计划，可以说是一个庞大的经济开发计划，特别是日本的参与，使东亚地区，甚至使整个亚太地区及世界范围，都掀起波澜。该计划的实施，对东亚地区的政治、经济、军事等都将产生影响，相当于创造了一个新时代的潜在能源的大课题。同样，该计划的实施，特别是日本的参与，也受到日本国内及周边环境的影响。

西伯利亚开发计划预期为25年完成，1965年7月，日苏两国达成协议，成立了日苏经济委员会，研究协商开发西伯利亚事宜，打开了日苏合作开发西伯利亚的大门。1968年以来，分别在莫斯科与东京，召开了九次日苏经济委员会联席会议，就若干西伯利亚与远东地区的经济建设项目达成协议。

1968年7月29日，日苏两国签订了第一个开发远东森林资源协定，即所谓KS计划。KS计划是日本远东森林开发委员会会长、小松制作所社长河合良成与苏联对外经济部进出口局局长绥特夫签订的，取两人名字第一个字母组合。根据这一协约，日本以定期付款的方式向苏联提供出口商业信用贷款1.33亿美元，到1973年末全部偿还，利息为6.8%。

苏联利用这笔贷款从日本购买开发森林用的机器、设备和器材。在提供的机器设备中，有280万卢布的木材加工工业成套设备，有1 280台推土机，100台自动平土车，2 325艘木材运输船，165台挖掘机，96台自动起重机及其他设备。另外，日本还向苏联提供3 000万美元的购买消费品用的贷款，签订协约一年以后支付。①

苏联从1969年开始，在五年内向日本提供价值1.8亿美元的木材(766万立方米成材和42万立方米锯材)。这项协定执行得比较顺利，日本方面的输出完成率达到91.3%，输入完成率达到94.5%。这一协议的实施扩大了苏联东部地区木材采伐基地的生产规模，使苏联木材产品对日本的出口有了明显的增加。日本出口商也从向苏联大量出口机器、设备、材料和日用品中得到好处。

1970年12月18日，日苏两国签订了修建符兰格尔湾东方港协定，即所谓YV计划。YV计划取名于日本方面具体负责符兰格尔湾东方港建设的新山下汽船的社长山县胜见，与符兰格尔港湾的第一个字母。符兰格尔湾在纳霍德卡港东北18公里处。1957年12月日苏通商条约签订后，日本各港和纳霍德卡港开始定期通航。十几年后，该港口的进出口货物量增加了40倍以上。虽然日苏双方每月定期四艘船加强运输，但是仍然完不成货运计划。苏联远东地区各港口吞吐能力，几乎达到了极限。另外，每到夏季苏联方面还要向北冰洋沿岸基地和边境地区运输过冬物资，更增加了远东地区其他港口的负担。为了减轻纳霍德卡港和远东地区其他港口的困难，在第四次日苏经济委员会会议上，签署了日苏合作修建符兰格尔湾东方港的协议。

东方港于1971年动土兴建。第一期工程(1971—1978年)的投资总额为3.2亿美元。1973年12月，圆木码头最先建成，年吞吐量为36万吨。1975年建成工业用碎木片装卸专用码头，年吞吐量为80万吨，1976年建成一个集装箱码头，年吞吐量为70万吨。1978年末煤炭码头、化学

① ソ連东欧贸易会主编:《日ソ贸易手册》,1978年,第430頁。

制品和谷物运输码头的工程开始动工。东方港全部工程预定于1990年前后竣工，竣工后年吞吐量达到3.5亿吨。共有70个装卸木材、煤炭、工业用碎木片、集装箱等专用码头。码头长12公里半，每个煤炭栈桥一小时可装煤1.2万吨。装载能力为10万吨的船只进港当日即可出港。根据日苏合作建筑东方港的协议，日本向苏联提供出口商信用贷款8 000万美元，苏联用它从日本购买港湾建设用的机器、设备和器材。分期交付贷款，期限7年，年利息为6%。

1974年7月30日，日苏两国签订了第二个开发远东森林资源协定。根据这一协定，苏联获得5.5亿美元的银行贷款，以便在1975—1978年，向日本购买机器、设备、船舶、材料及其他商品。1975—1979年，苏联向日本提供1 750万立方米的用材、原木和90万立方米锯材。每年具体协商确定木材的价格。这项协定已于1979年末完成。

有关开发工业用碎木片和纸浆用材协定，即所谓木屑贸易。在1967年6月日苏经济委员会第二次联合会议上，苏联就已提出这一合作项目的设想。1970年10月，就该项目的合作问题在莫斯科进行谈判，1971年12月6日达成协议，次年开始执行。根据这一协定，日本除以信用贷款的方式向苏联提供价值为4 500万美元的机器设备外，还提供价值500万美元的消费品。定期付款的期限6年，年利息为6%。苏联在1972—1981年，以800万立方米工业用碎木片和420万立方米松树原木偿还贷款。其中从1972年起6年内，提供工业用碎木片360万立方米，松树原木270万立方米；从1978年起的4年内，提供工业用碎木片440万立方米，松树原木200万立方米。①

在日苏西伯利亚联合开发计划中，日本方面总负责人为，日苏经济委员会会长、日商名誉会长足立正。具体项目方面负责人：石油委员会，原会长为出光计介，继任会长为今里广记；负责工业用碎木片和纸浆方面为，王子制纸的社长田中文雄；负责港湾输送方面为，新山下汽船的社

① ソ連东欧贸易会主编:《日ソ贸易手册》，1978年，第433頁。

长山县胜见，具体负责符兰格尔湾东方港也为山县胜见；负责天然气方面为，萨哈林天然气为新日铁会长永野重雄、南雅库特天然气为东京煤气的社长安西浩；负责煤炭方面为，日铁的旧富士铁常务田部三郎。关于结算、金融问题的负责人为，富士银行总裁岩佐凯美，后继任为崛江董雄（原东京银行总裁、苏联东欧贸易会长）。日苏经济委员会联合会议，每年举行一次，地点为莫斯科或者东京，交换举行。

日苏合作开发西伯利亚，并非所有的项目都是一帆风顺的。在双方开展补偿贸易过程中，日本的需要和苏联的供应也出现矛盾。苏联越来越要求向日本多输出成品，少输出原料。日本的要求则相反。关于阿穆尔和萨哈林造纸厂修建和改建项目，日本坚持不进口苏联的纸张，而苏联则坚持根据补偿贸易方式，向日本输出纸张以偿还贷款。所以该项目未能签字。还有一些项目，如修建贝阿铁路，因涉及军事问题，日本也不愿轻率同苏联合作。

（三）日本参与西伯利亚能源开发计划

日苏西伯利亚联合开发计划的能源问题，实际上是该计划的核心内容。众所周知，日本虽然是世界上第二大经济强国，但是能源短缺问题是其十分明显的弱点，而离日本最近的国家苏联，特别是靠近日本的苏联西伯利亚及远东地区的能源开发无疑对日本具有极大吸引力。这也是日本能够参与苏联西伯利亚联合开发计划的主要动因。

日苏合作开发能源的第一个协定，是联合开发南雅库特煤田协定，其也是由出口商信用贷款转为国家银行贷款的第一个协定。在 1968 年第三次日苏经济委员会联合会议上，苏联就要求日本合作开发南雅库特煤田。1972 年的第五次日苏经济委员会联合会议上，苏联提出具体方案。1970 年日本派出一个钢铁界调查团访苏，进行现场考察。结果日本方面认为该煤田的表层埋藏 3 000 万—3 500 万吨弱黏结性煤，但日本实际上希望进口的是强黏结性煤。所以当苏联要求提供银行贷款时，日本政府迟迟不决，没能达成协定。1973 年发生了世界性能源危机，日本政府才同意提供银行贷款，双方终于在1974年6月3日签订了基本协定。

根据协定，日本向苏联提供4.5亿美元的银行贷款，其中3.9亿美元用来购买建设南雅库特煤田和蒂恩达至别尔卡特铁路所需的载重汽车、起重机、挖土机、建设桥梁和隧道用机器、其他器材和煤炭企业用的设备，6 000万美元用来购买消费品。苏联在协定有效期内，向日本提供1.04亿吨炼焦用煤，其中8 400万吨南雅库特煤（从1983年起供货）和2 000万吨库兹巴斯煤（从1979年起供货）。

1968年第三次日苏经济委员会联合会议上，苏联提出合作开发雅库特天然气的提案。1972年10月，日苏在莫斯科举行第一次谈判。日本方面为了降低风险，邀请美国方面也参加，结果美国也参加了这个合作开发项目，这样使得该项目形成日苏美三国联合开发计划。1974年12月，三方签署了勘探和开发的基本协定，1976年3月重新签订了修改过的基本协定。

根据协定，日、美两国向苏联提供的银行贷款为：勘探费用5 000万美元，开发费用3 400万美元（日、美两国各负责一半）。苏联用贷款，分别从日本、美国购买设备、机器和器材。偿还的方式为，在开采后的25年内，苏联每年向日、美两国分别供应天然气100亿立方米。

1975年1月28日在东京，两国签署勘探和开发库页岛大陆架石油、天然气协定。根据协定，勘探工作分两期进行，每期为5年。日本向苏联提供1.525亿美元的银行贷款（其中1亿美元为“风险合同”），其中3 000万美元用于购买消费品。苏联利用这笔贷款从日本购买海上钻探装置。如果勘探成功，日本还将提供开采石油、天然气用的设备。苏联方面偿还方式为，在协定有效期内及其后10年内，苏联将开采出来石油的50%卖给日本（天然气另议），在价格方面，为抵补日本在勘探期间承担风险的费用，开采的头10年内，按一定比率减价供应。

在日苏两国西伯利亚联合开发计划中，秋明油田开发项目是最大的开发项目，也是日本最关心、投入最多的开发项目。进口苏联秋明石油问题，对于日本来说具有重大意义。首先，秋明石油进口可以减少日本对中东地区石油的严重依赖程度，多渠道进口石油可以摆脱中东产油国家利用石油对日本实施制约政策。其次，进口苏联秋明石油相比较进口中东石油的路线缩短，不仅经济效益提高，而且也能减少运输路程中的干扰。第三，苏联秋明石油质量好，中东石油的硫黄成分为 2.5%—2.7%，而苏联秋明石油的硫黄成分为 0.5%—1%。根据苏联方面消息：秋明油田的石油产量，1966—1970 年的 5 年间，其产量为 7 350 万吨，1971 年的产量为 4 500 万吨，1972 年为 6 000 万吨，1975 年可以达到 1.25亿吨，1980 年可以达到 2.3 亿吨至 2.6 亿吨。① 巨大的石油产量，无疑对日本具有极大诱惑力。

关于秋明石油联合开发项目，日苏两国合作计划内容主要是东方石油输送管线问题。石油输送管线为口径 122 毫米钢管。石油输送管线从亚历山大罗夫斯科耶至安捷罗斯捷斯克，距离为 820 公里，已于 1972 年 4 月开通。安捷罗斯捷斯克至克拉斯诺亚斯克，距离为 618 公里，预计 1975 年完工。剩下为伊尔库茨克到纳霍德卡的符兰格尔的东方港的管线，距离为 4 178 公里。这段管线为日苏两国合作实施，输油钢管、输油泵、建设输油管线的必要材料、设备及消费物资，由日本方面以延期付款方式提供。该计划完成后，苏联通过该输油管线，每年向日本提供石油 2 500 万—4 000 万吨，保证供应期限为 20 年。

苏联对伊尔库茨克到纳霍德卡的符兰格尔的东方港输油管线及海上储油基地，计划投资 17 亿—18 亿美元。另外，亚历山大罗夫斯科耶至伊尔库茨克之间的管线，及秋明油田建设追加投资，总计为 25 亿—30 亿美元。日本方面承担信用贷款，包括 170 万吨的钢管，预计 10 亿—11 亿美元，相当于总投资额的 30%。但是不久，苏联单方面提出改变数额，要求日本将贷款增至 13.8 亿美元，输出原油的最高限额则减至 2 500 万吨。到了 1974 年，苏联又要求日本将贷款额增至 30.4 亿美元，从 1981

① 槇二郎：《日ソ沿岸贸易》，時事通信社，昭和 44 年，第 175 頁。

年开始向日本输出石油，开始每年仅输出 500 万吨，两三年后，每年可增至 2 500 万吨。日本对苏联的一些做法不放心，是造成双方在秋明石油问题上未能达成协定的重要原因之一。更重要的是，日苏两国之间的政治问题，即大家熟知的“北方领土”的争论使得日本不肯向苏联做出让步。特别是 1979 年 12 月，随着苏联发动了入侵阿富汗战争后，日本积极参与西方国家组织的对苏联经济制裁行列，使得日苏关系降到二战后最低点，也使得包括秋明油田开发计划项目在内的整个西伯利亚联合开发计划搁浅。

综上所述，20 世纪 60—70 年代日苏两国西伯利亚联合开发计划，使两国在经济贸易领域里有了一定的“接触”，但不能够否认的是，这种“接触”层次比较低，而且充满了矛盾与相互猜疑。此时的日苏经济贸易，从政治方面来看，与当时美苏全球缓和有关，更与中苏关系恶化有直接联系，这也是身处东北亚地区中日苏三大国之间关系变化的反映。从经济方面来看，当时苏联极力拉拢日本参加西伯利亚开发计划，不可否认其有希望开发该地区发展经济的目的，但是更主要是希望利用该地区的丰富资源吸引日本，使日本能够为整个苏联经济发展投入资金和技术，以西伯利亚资源作为诱饵，换取日本的资金和技术。当然两国经济关系密切必然会导致政治上的缓和。从日本方面来看，同样不可否认其对苏联西伯利亚的丰富资源感兴趣，这是日本国内资源匮乏决定的，但是日本更希望的是利用投资和技术援助来获取苏联在“北方领土”问题上让步。通过研究 20 世纪 60—70 年代日苏联合开发西伯利亚问题，我们应该得到什么认识？首先是日苏两国虽然有了一定的经济开发合作，但是只能说刚起步而已。日苏两国合作不能深入发展的根本原因是相互不信任，这当然有历史原因与现实原因，在此不必展开论述，可是苏联解体后这种局面没有发生根本性转变也是事实。其次是苏联及现在的俄罗斯，其真正的经济开发目的是希望利用此来吸引更多的资金和技术，带动整个俄罗斯经济发展，至少要改变西伯利亚及远东地区经济落后的状况。谁都知道自然资源是不可再生物，如何利用有限的资源换取更持久的发展早已是人们的共识。最后，中日俄三国关系，如果其中两者关系密切第三国肯定感到不舒服。如何利用我们的优势取得最大利益是我们应该思考的课题。

五、戈尔巴乔夫访日与日苏领土问题①

1985 年 3 月 11 日，戈尔巴乔夫担任苏联共产党总书记后，在对外政策上提出“世界是相互联系，相互依存的统一整体”“全人类的利益高于一切”的所谓“新思维”。在这种外交政策指导下，苏联开始缓和与周边国家紧张关系。与此同时也激起日本收回北方领土的欲望，特别是当戈尔巴乔夫决定出访日本后，日本认为这种机会真的降临了。围绕着戈尔巴乔夫访日准备及访问中，日苏两国再次就领土问题如何解决展开争论。虽然两国之间这次争论相比以往明显增加了许多缓和气氛，但是最终结果仍然没有发生实质性变化。

(一)

1985 年 3 月，戈尔巴乔夫刚上台后，就在前苏共总书记契尔年科的葬礼上，向前来参加葬礼的日本首相中曾根康弘表示：“苏联准备与日本发展相互关系，赞成两国关系友好睦邻”，为此准备在“多种方面采取实际行动”。② 1986 年 1 月 15—19 日，苏联外长谢瓦尔德纳泽任职刚半年就访问了日本。这是自 1976 年 1 月以来苏联外长中断十年的访日。两国之间外长定期协商，也从 1978 年 1 月日本外相园田直访苏后中断了八年。谢瓦尔德纳泽在访日过程中表现出善意、直率的态度，并且表示日本有包括领土问题在内的，提出所有问题的权利。在会谈中有关领土

---

① 本节发表于《世界近现代史研究》第一辑，中国社会科学出版社 2004 年版。

② 日本・ロシア協会编：《日露関係の40 年——日ソ国交回復から[東京宣言]まで》，日本・ロシア協会，平成八年，第 148 頁。

问题仍然是双方争论的焦点。最后两国达成协议为:双方基于1973年10月10日《日苏联合宣言》达成的协议,就包括有关缔结和约等问题进行了协商。这实际上是重申了1973年的《日苏联合宣言》。在1973年日本首相田中角荣访苏时,双方在联合宣言中确认:"在解决二次世界大战后未解决的各种问题之后,签订和约。"当时苏联领导人勃列日涅夫还口头表示,在双方未解决的问题中也包括领土问题。但是以后的几次协商中,苏联方面矢口否认两国还存在有关领土问题,致使1978年日本外相园田直访苏时双方不欢而散,两国外长协商也就此宣告中断。

1986年5月,日本外相安倍晋太郎访问苏联。在戈尔巴乔夫与安倍晋太郎举行的会谈上,戈尔巴乔夫指出,苏联不管日本与其他国家关系如何,决心在所有方面采用一切努力改善对日本关系。这里所指的"不管日本与其他国家关系如何",实际表明苏联开始改变原来对《日美安全保障条约》的否定态度。与此同时,戈尔巴乔夫也指出,日苏关系"应该完全建立在,无论谁都不能否定第二次世界大战结果和边境不可更改的相互理解基础上"。反映出有关领土问题,苏联的原则立场并没有改变。尽管两国在领土问题上仍然存在严重分歧,但是苏联为了创造友好气氛,在许多具体问题上还是采取了实际解决方针。例如,应日本方面请求,1986年6月两国签订了有关协定,苏联对包括库页岛南部地区在内,日本国民的前往扫墓活动实行简化手续。7月28日,戈尔巴乔夫在海参崴发表关于"新亚洲政策"的讲话,强调了日本的国际作用,希望将日苏两国关系纳入正常轨道,"在不接受过去问题影响下,在心平气和的气氛中"开展全面合作。① 随着苏联做出的这些姿态,日苏两国关系有所改善,两国之间签订了若干经济贸易协定,停顿了多年的合作开发西伯利亚大型项目的谈判重新开始。特别是1986年7月,苏联欣然接受日本提出戈尔巴乔夫访日的邀请后,两国关

① ァジァ調查会编:《北方領土を読む》,東京,プラネット出版,平成三年,第121頁。

系缓和的热度骤然升温。

戈尔巴乔夫上台后极力推行对日缓和政策有以下几方面原因:第一,苏联经济改革的需要。苏联经济在勃列日涅夫后期就已经暴露出危机迹象,又经过安德罗波夫、契尔年科短暂时期,到戈尔巴乔夫上台后已经到了必须大刀阔斧改革才能扭转危机的局面。苏联经济改革急需新的技术与大量资金投入,很自然就要考虑到邻国日本,日本是当时世界上仅次于美国的经济、技术强国。为此苏联需要缓和对日关系,促使日本实行对苏联经济援助政策。第二,苏联需要稳定的国际环境。苏联需要改革,而改革更需要稳定的国际环境,这也是戈尔巴乔夫提出"缓和"外交思想的根本原因。苏联首先与美国、中国缓和了关系,同时带动了整个国际关系的缓和。日本作为世界经济强国,西方阵营主要成员,又是苏联的邻国,所以缓和日苏关系对稳定苏联的国际环境是十分必要的。

然而就在日本政府满怀希望地为戈尔巴乔夫 1987 年 1 月访日活动加紧准备之际,苏联方面却通知日本,戈尔巴乔夫不能如期访日。理由为访问的时机尚未成熟,匆忙的出访未必能取得实际成果。众所周知,第二次世界大战后日苏两国关系发展的最主要障碍是领土问题,戈尔巴乔夫上台后虽然极力推行对日缓和政策,但是在两国领土问题上并没有做出实质性让步,致使日本对苏联缓和政策采取了谨慎对策。另外更重要的是,日本认为苏联此时经济改革急需日本经济援助,所以苏联就应该首先在领土问题上让步,即所谓政经不可分原则,企图利用经济援助来压迫苏联让步。与此同时,日本也加紧与美国协作,利用国际力量来压迫苏联让步。如,1986 年 9 月,日本宣布参加美国"战略防御体系",进一步推动美苏之间军备竞赛活动。对此苏联方面采取了推迟戈尔巴乔夫访日的报复措施。1987 年 4 月,"东芝事件"出现后日苏两国关系进一步恶化。美国指责日本东芝机械公司违反巴黎统筹委员会规定,向苏联出口了禁运物资——大型数控机床,使苏联生产的潜艇减少了噪音,以致难以侦察,给西方国家的安全造成更大威胁。随着美国利用"东芝事件"对日本施加压力，日苏两国关系也急剧恶化。终于导致在8月20日，日苏两国政府分别向对方外交人员开刀，演出一场急如星火的驱逐战。

此时日苏关系恶化对于两国来说都是不希望的。苏联希望缓和关系来换取日本的经济援助，而日本希望利用经济援助来缓和关系以换取领土收回。为了推动两国关系在缓和的道路上继续前进，1988年12月，苏联外长谢瓦尔泽纳德访问日本，双方就戈尔巴乔夫访日内容开始达成一定的共识。苏联提出准备在两国首脑会谈中签署环境保护、和平利用宇宙空间、经济协作、旅游协作、相互设置银行代表部等协定。对此日本表示，可以在首脑会谈中讨论这些问题。但是，在1989年1月苏联外长谢瓦尔泽纳德与日本外相宇野宗佑举行的会谈中，宇野宗佑外相却提出，如果苏联不准备在领土问题上有所前进的话，日本也不打算在苏联总统访日的具体内容上，即签署几项有关协定上有所进展。宇野宗佑的这个讲话，十分明显是日本为苏联实现这次访问目的所提出的前提条件。

针对宇野宗佑的上述讲话，在4月30日至5月5日，日本外相宇野宗佑访问苏联期间，苏联外长谢瓦尔泽纳德指出，两国关系应该"扩大一致领域，加深相互之间理解，不要提出任何前提条件"①。在记者招待会上，苏联外交部副部长卢卡申夫进一步明确指出："我们准备在这次访问期间讨论所有问题，也就是说议题是自由的。我们唯一的条件就是不要提出任何条件。"戈尔巴乔夫也向日本方面发出呼吁，"放弃那种认为苏联比日本更加急于求得双方友好关系的想法"，"无论什么问题，都应该回避采取提出最后通牒式的打算"。苏联认为在戈尔巴乔夫访日问题上，日本提出"前提条件"是非建设性态度。虽然在宇野宗佑访苏中，双方就有关戈尔巴乔夫访日之事基

① アレクサンドル・パノ著，高橋実、佐藤利郎訳：《不信カラ信頼へ——北方领土交涉の内幕》，サイマル出版会，1992年，第34頁。

本上确定，时间大体定在1991年初。但是此后两国关系却不断出现不和谐的事件。1989年秋，苏联领导人亚戈布雷夫访问日本时，在与一位日本政治家谈话中，据苏联翻译人员统计，仅“北方领土”这一句话，先后提到50次以上。1990年7月25日，戈尔巴乔夫会见日本众议院议长樱内义雄时，日本方面仅谈领土问题，不提其他问题，使苏联方面非常反感。1990年7月21日，苏联报刊大量转引日本方面的报道，日本外相中山太郎在名古屋市与当地实业界代表会谈中讲：“现在对苏联给予财政援助，就像把钱丢失一样。”后来他自己解释这句话不是有意侮辱苏联方面。但是这句话不仅引来苏联媒体强烈批判，而且苏联外长谢瓦尔泽纳德也表示“深深遗憾”。

以上可以看出，在戈尔巴乔夫访日之前，日苏两国就有关双边关系缓和的目标是一致的，但是在双边关系缓和的背后各自所追求的目的是不同的。苏联希望利用双边关系缓和来换取日本的经济援助，而日本则希望利用双边关系缓和，特别是借用日本经济援助来换取收回“北方领土”。正是这种缓和背后所追求的目的差异，导致两国不断出现不和谐因素。

(二)

在日苏两国政府忙于准备戈尔巴乔夫访日过程中，在两国国内都出现了关心、讨论有关解决领土问题的“社会舆论”高潮。此时苏联，戈尔巴乔夫改革已经面临危机，昔日超级大国苏联，当时已经大大逊色，而日本则在强大经济实力基础上，正雄心勃勃地往政治、军事强国方向努力。双方这种国家综合实力的转化，似乎促成了自第二次世界大战结束以来两国综合国力趋于相对平衡的态势。这就是此时两国国内能够引发各阶层人士就解决领土问题真正阐述自己主张的历史背景。

这时期日本方面就有关领土问题，提出了许多解决方案，归纳起来有以下一些。

在学术界,日本著名苏联问题专家木村汎、袴田茂树两位教授提出,首先苏联方面把齿舞群岛及色丹岛引渡给日本,解决各岛苏联军事基地与当地居民问题,然后经过10—20年转移期后,再把国后岛、择捉岛引渡给日本。东京大学和田春树教授的方案与上述方案相似。上智大学外川继男教授提出,支持齿舞群岛、色丹岛返还日本,另外两岛交由联合国管理,然后进行分割,把国后岛割让给日本,把择捉岛割让给苏联。筑波大学进藤荣一教授提出,苏联承认日本对四岛拥有潜在主权作为基础,解决问题后两国共同对四岛进行利用开发。

在政界,1990年3月20日日本《产经新闻》发表采访日本自民党著名政治家金丸信的文章。金丸信提出:"如果苏联方面表示准备返还岛屿,在达成一致问题上,返还四岛还是返还两岛,实际上意义是一样的。"同年4月24日日本各家报纸刊登金丸信就领土问题的谈话,金丸信讲,苏联如果准备返还两岛,要是我为总理大臣就努力实现所谓两岛返还。这些讲话表明,日本自民党著名政治家开始支持领土问题分阶段解决的观点。自民党干事长小泽一郎,对于日苏两国为解决领土问题采取相互让步政策表示赞成。

据日本报纸报道,在以前的日本自民党内部,必须返还北方四岛的观点占统治地位,但是现在党内形成三种潮流。第一种潮流,支持探索包括金丸信提案在内的妥协解决方法。第二种潮流,认为应该等待苏联方面提出新方案。第三种潮流,仍然坚持传统观点不变,而且是多数派。但是这些潮流的代表人物普遍担心,自民党内部及各种媒体的讨论结果,有可能把日本国内有关领土问题的社会舆论分裂。社会舆论分裂会削弱日本对苏联交涉中的立场。传统观点人士对支持探索妥协解决方法的人士进行严厉批判,强调对苏联关系要坚持"政经不可分离"方针的必要性。

1990年10月19日,日本首相海部俊树在国会发表讲话,强调日本方面不接受仅返还两岛作为基础的领土问题解决方案,主张必须返还四岛。据日本报纸报道,在戈尔巴乔夫访日之前,日本首相海部俊树与自由民主党长老政治家举行了座谈会。出席座谈会的有,原首相竹下登、福田赳夫、中曾根康弘、铃木善辛。他们强烈要求在与戈尔巴乔夫举行会谈中,日本方面要把经济协作问题与领土问题相结合,有关领土问题不作任何让步。这样实际上,日本在有关领土问题上的正式立场没有变化。

在苏联,有关领土问题讨论也出现了三种潮流。第一种潮流,主张承认把两岛或四岛引渡给日本,尽快解决领土问题。第二种潮流,主张有必要探索如何相互妥协解决领土问题。第三种潮流,主张苏联要坚持拥有四岛的主权。

苏联方面主张把四岛引渡给日本,即百分之百满足日本方面要求的人物,都是在民主化改革浪潮中出现的所谓“新政治家”。他们主张的目的就是以向日本方面引渡四岛来换取经济协作。例如苏联政治团体“世界一家族”协会附属的历史研究中心,提出尽快把四岛返还给日本,“如果这样就能够获得更多的资金”。实际上苏联国内出现这种卖岛的构想并不是新内容,这种构想在日本很早就已经出现了。如 1972 年日本商工会议所会长永野重雄在自由民主党的国土开发研究会上,曾经提出利用增长的外汇储备从苏联购买四岛领土的构想。现在这种构想苏联也出现议论,当然受到传统观点人士的激烈批判,被指责为“出卖俄国固有领土,是不道德的”。

在主张探索妥协方法解决领土问题的人士中,知名政治活动家、苏联人民议会代表,俄罗斯议会代表、著名学者夏纳里斯特,他在 1989 年未就有关领土问题发表了很多讲话,他的多数讲话是为对抗苏联中央政府,批判戈尔巴乔夫的活动,在对待日苏之间领土问题上公开唱反调。苏联科学院院士 A. 萨哈罗夫在 1989 年 10 月 27 日日本俱乐部会见记者时,表示支持妥协解决领土问题观点。1989 年 11 月 8 日,苏联有影响的政治活动家、苏联人民议会代表 G. 波波夫表示支持探索以相互妥协与让步为基础解决领土问题的方案。他特别指出有必要实现岛上非军事化,把岛屿作为日苏两国经济协作地区,人员自由流动地区。

提出创立在联合国管理下的国际管理体系，此后他几次讲话涉及"千岛群岛问题"。1990 年 10 月 21 日，波波夫出任莫斯科市市长后，在接受日本《每日新闻》记者采访时，他把自己的观点更加具体化。他说：考虑到苏联国内社会舆论状况，解决问题的道路应该分几个阶段达到目标。第一阶段，把四岛改变为特别经济区。第二阶段，创立具有特殊经济目的的地区，即让岛上苏联国民与日本国民自由居住，自由创办企业。第三阶段，着手共同管理问题，一定阶段内不属于俄国，也不属于日本。这种观点基本代表了苏联左翼民主主义运动人们的立场。

1990 年 1 月，苏联人民议会代表叶利钦在访问日本时，就有关解决领土问题提出，"如果像一部分人所提出那样，把四岛引渡给日本，我国人民肯定会把这样的领导人赶下台。日本国民要抱有这种信赖与确信，就是这个问题在解决，是在前进而不是在停滞。另一方面对于我国人民来说，这个方面的社会舆论在逐渐形成"①。叶利钦提出的分阶段解决方案：第一阶段，苏联方面公开承认日苏之间存在领土问题。第二阶段，宣布千岛群岛南部四岛为向日本开发的自由企业活动地区。第三阶段，岛上实行非军事化。第四阶段，苏联与日本缔结和平条约。第五阶段，经过 15—20 年时间实现上述四个阶段后，新一代政治家们，把各岛设置在苏联与日本的共同管理下，或者发表具有自由地位的独立宣言，或者把各岛引渡给日本，在三种方案中探索解决领土问题的方法。②

"叶利钦方案"不是设想经过 15—20 年时间把岛屿引渡给日本，但在这一时期也不能排除在日本提出各种条件下解决问题的可能性。所以他认为如果将这些岛屿向日本引渡前，日本要向苏联让步缔结和平

---

① 日本・ロシア協会编：《日露関係の40 年——日ソ国交回復から[東京宣言]まで》，日本・ロシア協会平成 8 年，第 147 頁。

② 国際シンポジゥム組織委員会編：《エリッィンの対日政策》，人間の科学社，1992 年，第 306—307 頁。

条约。但是，苏联方面媒体报道“叶利钦方案”时，解释说叶利钦计划是以把四岛引渡给日本为前提的，实际上完全没有反映出该方案的基本理念。因此 1990 年 8 月作为俄罗斯联邦最高苏维埃主席的叶利钦视察千岛群岛时，遭到当地居民的强烈抗议。为此叶利钦发表讲话指出，“无论什么情况，不久的将来千岛群岛必须是我国领土。此后随着国际形势变化，新的政治家出现，过去 20—30 年后，这个问题如何解决无法预测”①。

上述两种完全满足日本要求与相互妥协解决问题的观点，很自然地遭到坚持“传统”观点的人们猛烈批判。在苏联坚持“传统”观点的主要是苏联共产党党员、苏联军人等。在苏联共产党第 27 次代表大会上，苏联共产党中央委员会国际部长 V. 范林发表讲话，呼吁“广大党员、社会群众支持苏联西部及东部边境的不可侵犯”。苏联共产党萨哈林州委员会也做出特别决定，指出“从日本军国主义者手中解放库页岛南部及千岛群岛是社会正义行为。最初发现、开拓这些岛屿的是俄国人民。1945 年解放这些岛屿时苏联战士流过血。今天的千岛群岛的多数居民是在这里出生、成长的，他们把这里作为自己的故乡，自己的出生地”。太平洋边防军区司令员 K. 巴布伊力中将在俄国议会上发表讲话，他指出：“我的选民为边防军战士，他们支持边境不变的观点。”

萨哈林州州长 V. 肖特罗夫坚决反对任何有关改变领土问题的主张。1990 年 10 月，肖特罗夫发表讲话，指出包括库页岛及千岛群岛南部的各岛屿，永远是俄罗斯不可分割的一部分。他强调这种主张得到萨哈林州居民的普遍支持，如果有谁对千岛群岛南部地区居民地位抱有怀疑，无论他的地位有多么高，都将与他斗争到底。与此同时，肖特罗夫也提出自己的解决领土问题方案，他认为应该在维持这些岛屿苏联所有，维持现有边境不变的同时，宣布把千岛群岛南部与北海道的一部分划分

① 国際シンポジゥム組織委員会編：《エリッィンの対日政策》，人間の科学社，1992 年，第 315 頁。

为日苏两国共同经济开发区。

1989年苏联有关部门对千岛群岛不同年龄、不同居住年限、不同受教育水准的居民及不同团体企业进行问卷调查，发卷4000份，收回2725份卷，统计见表3-1。①

表3-1　千岛群岛居民意识调查

1. 你对日本是否抱有亲近感？		2. 日苏关系必须紧密吗？	
抱有	42.1%	必须更紧密	77.2%
无论怎么说都抱有	27.4%	现在水准可以	7.2%
无论怎么说也不抱有	5.4%	没必要更紧密	4.8%
不抱有	6.6%	说不清楚	6.2%
不知道	10.2%	不知道	2.0%
3. “北方领土”问题带有反苏性质吗？		4. 日本对苏联有军事威胁吗？	
带有反苏性质	36.6%	有威胁	26.7%
一定程度带有	27.3%	说不清楚	31.2%
布带有	17.8%	没有威胁	26.6%
不知道	14.0%	不知道	11.5%
5. 赞成按照日本要求返还四岛吗？		6. 在四岛设立经济特区如何？	
		赞成	63.7%
反对	88.1%	不反对	12.6%
赞成	8.1%	说不清楚	14.0%
		不知道	5.8%
7. 千岛群岛在联合国保护下苏日共同管理？			
绝对反对	64.8%		
赞成	6.6%		
不知道	12.4%		

这份调查报告说明，千岛群岛居民绝大多数对日本抱有亲近感，认为两国关系应该亲密友好，不足1/3的回答者认为日本对苏联有军事威

① ァレクサンドル・パノ著，高橋実、佐藤利郎訳：《不信カラ信頼へ——北方领土交涉の内幕》，サィマル出版会，1992年，第161頁。

胁。但是应该注意的是，回答者中有88.1%的人明确表示反对向日本引渡千岛群岛南部。

以上可以看出，在戈尔巴乔夫访日前夕，有关领土问题解决在日苏两国国内都出现了各种主张，但是在苏联国内，绝大多数人仍坚持对该领土拥有主权，反对向日本引渡领土，在日本国内，绝大多数人仍坚持要求归还“北方四岛”。这就是日苏两国在戈尔巴乔夫访日前所面临的现实局面。

（三）

1991年4月16日，苏联总统戈尔巴乔夫抵达东京，中午日本天皇在迎宾馆主持隆重的欢迎仪式后，同戈尔巴乔夫同乘一辆车驶向皇宫，晚上又设宴欢迎，这种高规模的礼遇是罕见的。然而在双方举行的首脑会谈中却是另一番景象。

4月16日下午，戈尔巴乔夫与海部俊树首相举行第一轮会谈，海部俊树提出“为了缔结和平条约双方都应更加努力，在日苏首脑会谈之际，现在出现了应该做出决定的时机”。显然要求戈尔巴乔夫在领土问题上马上做出决定。对此戈尔巴乔夫却指出，“至今还没有缔结和平条约是时代的错误。我们应该在一切领域扩大联系，创造出所有问题能够公正解决的气氛”。显然要求两国先要“扩大联系”，为缔结和约创造条件后再解决缔约问题。4月17日上午，在第二轮首脑会谈前，戈尔巴乔夫与日本社会党委员长土井举行会谈，土井表示，“日本的社会舆论是要求承认拥有四岛的主权并且要求返还”。对此戈尔巴乔夫答复说，“人民的意志是考虑问题的基础，日本有社会舆论，同样苏联也有社会舆论，苏联的社会舆论是反对返还”。反映出双方的争论是针锋相对的。

为了缓和两国首脑会谈的紧张气氛，在4月16日晚天皇举行的宫廷宴会上，戈尔巴乔夫正式就西伯利亚日本被俘人员问题向日本方面表示哀悼。在4月17日下午，戈尔巴乔夫在日本众议院演讲时正式承认日苏两国之间存在领土划分问题。这些在苏联对日政策上都是第一次举动。但是，在4月17日晚举行的第三轮首脑会谈上，双方仍就领土问题展开了激烈争论。海部俊树首先讲：“北方四岛与日本历史上有很深的联系，其主权在日本已经是十分明确的。总统应该就1956年《日苏联合宣言》中有关领土问题条款，决定返还齿舞、色丹两岛。”对此戈尔巴乔夫讲：“最早发现北方四岛的是俄罗斯，作为年贡而交纳毛皮想必也听说过吧！”对于海部俊树提出尽快做出决定，戈尔巴乔夫指出：“现在不能，很理解必须尽快解决，但是要认真谈判，因为这是重要问题。”①双方在就领土问题争论毫无结果的情况下，决定次日再增加计划外的第四轮首脑会谈。

原定访问的第三天即4月18日上午，戈尔巴乔夫夫妇到东京新宿御苑观看樱花与参观日本最高建筑物——新落成的东京都厅大楼、访问推土机制造厂等安排，改变为举行第四轮首脑会谈，这些变动和做法在各国首脑的会晤中也是少见的。4月18日清晨，在第四轮首脑会谈上两国首脑围绕着1956年《日苏联合宣言》展开了激烈的争论。戈尔巴乔夫表示承认领土问题作为交涉对象，也可以在联合声明中明确记载四岛的名字，但是相反强烈要求日本方面进行经济协作。他讲：“对于困难问题处理，创造好的环境是非常必要的。我可以决定在联合声明中明确记载四岛，但是希望首相能够决定修改不解决领土问题就不实行经济协作的政治经济不可分离原则。”对此海部俊树反驳说：“解决领土问题之后实行经济协作，我国的这一方针不能改变。”戈尔巴乔夫提出：“希望考虑一下苏联与德国的例子，在加强苏德经济关系中德国实现了统一。”对此海部俊树讲：“我们对改革可以提供帮助，但是并不打算用金钱来买回领土。”戈尔巴乔夫马上反驳说：“我们也不是用金钱出卖的原则，如果日本方面在经济协作上仅做出一个样子或者摆出一种姿态，也是绝对不允许

① NHK日ソプロジエクト：《こわがソ連の対日外交だ——秘録・北方領土交渉》，日本放送出版協会，1991年，第230頁。

的，那是耻辱。”①

在4月18日上午的第四轮首脑会谈没有什么结果后，双方决定下午举行第五轮首脑会谈，结果仍然没有进展。在休息30分钟后，双方又举行第六轮首脑会谈，时间已经为9时50分钟。最后双方只能就首脑会谈后发表的联合声明，一边逐句阅读一边不断提出修改意见。会谈持续到晚上11时21分，接着举行联合声明等文件签字仪式。海部俊树首相与戈尔巴乔夫总统共同出席联合声明签字仪式，同时签署的还有另外15份协议。

在双方发表的联合声明中，有关领土问题与和平条约问题表述为："海部俊树首相与戈尔巴乔夫总统，考虑到双方就齿舞群岛、色丹岛、国后岛及择捉岛的归属问题立场，就日苏两国之间包括领土划定问题在内的有关和平条约诸问题进行详细认真会谈。双方对过去进行的联合工作，特别是高水平的交涉，一系列概念性观点，即包括解决领土问题在内的和平条约作为最终解决战后问题的文件，在友好的基础上发展日苏关系，以及不伤害对方的安全保障得以确认。"这些表述说明，第一，苏联正式承认存在领土问题。第二，领土问题具体指齿舞群岛、色丹岛、国后岛、择捉岛四岛的名字被明确记载。第三，领土问题没有解决，到缔结和平条约时，包括这些领土问题必须得到解决。这三点达成一致是很大进步。

在联合声明中，"苏联方面表示为扩大日本国民与上述诸岛居民之间交流，日本国民访问上述诸岛时实行简单的免签证程序，在该地区开始实行互利互惠的经济活动，在不久将来削减在这些岛屿上苏联军事力量。日本方面同意就这些问题今后进一步会谈"。这些表述说明，苏联在过去要求必须得到签证才能够访问北方四岛，日本则以北方四岛为自己领土而对签证极为反感。另外日本要求苏联军队从北方四岛上撤出，

① NHK日ソプロジエクト：《こわがソ連の対日外交だ——秘録・北方领土交涉》，日本放送出版協会，1991年，第234—235頁。

苏联做出让步措施。

在联合声明中有关1956年《日苏联合宣言》方面表述为，“首相与总统，在会谈中强调为完成和平条约的准备加速工作是最重要的，为此日本与苏联发表结束战争状态及恢复外交关系的联合宣言，1956年以来经过两国长期交涉积累的所有肯定因素要充分利用，要有建设性并投入精力的工作”。这些表述说明，在联合声明没有提及1956年《日苏联合宣言》中没有规定返还两岛内容，代替的是“1956年以来经过两国长期交涉积累的所有肯定因素要充分利用”，以抽象性表述来表示，日本方面认为这里的“肯定因素”就是解释为返还两岛的意识。

联合声明签字仪式后，戈尔巴乔夫总统与海部俊树首相分别举行记者招待会。戈尔巴乔夫表示，这次会谈把因时代错误不正常的日苏关系作为过去的东西，首脑会谈的百分之八十是协商两国关系与缔结和平条约问题，即使是领土问题也通过正面讨论，总之对访问成果表示满意。但是他同时指出：“日苏两国在1956年发表联合宣言，宣布结束两国之间战争状态与恢复外交关系，确认两国之间继续进行交涉。我们认为联合宣言作为历史与国际法的结果，但是联合宣言中一部分内容已经失去了实际成立的时机，历史是不能恢复用另外道路前进的。我认为在1956年已经解决的基础上对和平条约问题，要在现实政治框架内探讨新的方法。”海部俊树表示，“有关领土问题，过去在文字上从来没有正确的表述四岛的名字，这次具体地写入联合声明，对包括领土划定问题在内的有关和平条约起草、缔结等问题进行了充分讨论，这就是成果。1956年联合宣言发表以来，过去所有肯定部分都被承认。当然也包括联合宣言”。作为日本方面，明显把“肯定因素”解释为包括1956年《日苏联合宣言》中有关返还两岛的条款。

4月19日戈尔巴乔夫总统访问京都与长崎后结束访日活动。有关戈尔巴乔夫访日成果问题的评价，4月26日，在苏联最高议会上，戈尔巴乔夫向议员们汇报访日情况时说：“不能说为日苏关系根本改善打开了突破口，但是迈出了非常困难的第一步，可能发现了突破口。”反映出他对此次访问日本并不十分满意，但是认为还是有成果的。

有关领土问题，他讲："苏联与日本都没有失败，平分秋色中结束的。"[①]戈尔巴乔夫访日，对于日本方面来说是第二次世界大战后重大外交活动。苏联政府首脑第一次访问日本，日本让苏联承认领土问题存在，把四岛作为领土问题交涉的对象具体明确记载，可以说是大前进。但是日本的目标，是要苏联根据1956年《日苏联合宣言》，明确承认返还齿舞群岛、色丹岛的有效性，剩下的国后岛、择捉岛承认日本具有潜在的主权，结果没有实现。

综上所述，在戈尔巴乔夫访日前及访日过程中，日苏两国围绕着领土问题再度展开激烈争论。此次争论与以往争论的最大不同点，就是苏联方面不再是回避两国存在领土问题的事实，两国之间争论的焦点实际上是先开展两国之间经济协作，创造好的气氛再解决两国之间领土问题，还是先解决两国之间领土问题，再开展两国之间经济协作。此次争论另外一个不同点，就是引来两国国内各阶层人士的广泛参与，特别是各国都出现了主张实现分阶段或者联合开发解决的设想，对此后该问题的解决产生了一定的影响作用。实际上戈尔巴乔夫访日已经是苏联解体的前夜，此时苏维埃社会主义共和国联盟已经进入崩溃的倒计时阶段，所以不可能在这样重大历史问题上做出选择。但是不可否认，此次争论是在第二次世界大战后日苏两国有关领土问题争论中相对最缓和气氛中进行的，特别是各国人士的广泛参与，必然对此后该问题的解决产生一定的积极作用。

六、日俄围绕1956年《日苏联合宣言》有关领土条款的争议[②]

关于日俄领土纠纷问题，学界研究成果众多，但是详细梳理该问题

---

① NHK日ソプロジエクト：《こわがソ連の対日外交だ——秘録・北方领土交涉》，日本放送出版協会，1991年，第242頁。

② 本节发表于《日本研究》2013年2期。

的成果相对不多。1955—1956年,日苏两国围绕恢复两国关系正常化问题举行谈判,谈判中领土问题为矛盾焦点,最终双方在相互妥协中签署《日苏联合宣言》,同时也为有关领土条款不同解读留下空间,此后双方围绕该条款的争议不断出现。本书就1956年《日苏联合宣言》有关领土条款的形成及双方争议发展脉络予以论述。

(一) 1956年《日苏联合宣言》有关领土条款的形成

1955年6月,日苏两国在伦敦举行恢复邦交正常化谈判,但是很快围绕领土问题形成争议焦点。为了缓和紧张局面,双方代表决定举行非正式会谈。8月4日非正式谈判上,苏联代表马立克询问日本代表松本俊一:"有关领土问题,日本的最终要求是什么?"松本对此回答比较含糊:"齿舞群岛、色丹岛,日本国民认为是北海道的一部分,千岛群岛、库页岛,从历史背景考虑,不能放弃这一要求。"①松本答复中,提及千岛群岛及库页岛南部的返还理由时,使用历史背景为返还根据,比较暧昧。与要求返还齿舞群岛、色丹岛相比较,显然理由软弱。据此苏方认为,松本在暗示日方谈判中有关领土问题上最低线为返还齿舞群岛、色丹岛。8月5日非正式谈判,"马立克突然说,如果其他问题都解决,苏方可以按日方要求,把齿舞群岛、色丹岛让渡给日方,……"②在正式谈判中,马立克提出让步提议后,松本迅速将提议转达给国内。然而日本外务省对于苏方该提议并未接受,要求苏方返还"北方四岛"。据此,松本在双方正式谈判中提出:"国后岛、择捉岛,色丹岛及齿舞群岛,在条约生效时完全恢复日本的主权。"③日方出尔反尔的举动,导致苏方在领土问题上不肯再做出任何让步,谈判处于僵局。

① 松本俊一:《モスクワにかける虹——日ソ国交回復秘録》,東京,朝日新聞社,1966年,第42頁。

② 松本俊一:《モスクワにかける虹——日ソ国交回復秘録》,東京,朝日新聞社,1966年,第43頁。

③ 松本俊一:《モスクワにかける虹——日ソ国交回復秘録》,東京,朝日新聞社,1966年,第50頁。

日本为了实现苏联返还"北方四岛"目标，派遣外相重光葵亲自赴莫斯科谈判，仍然无果而返后，鸠山一郎首相决定亲自访苏，先搁置"北方领土"问题，实现邦交正常化。1956年9月11日，鸠山致信于苏联部长会议主席布尔加宁："本人基于过去两国谈判过程考虑，此时有关领土问题谈判为日后继续进行条件下，首先（1）两国宣布结束战争状态。（2）互相设立大使馆。（3）立即遣返被俘人员。（4）渔业条约生效。（5）苏联支持日本加入联合国。如果苏方同意，两国之间为实现恢复邦交正常化继续进行谈判，请通知。"①9月13日，布尔加宁复信，表示同意就上述五项内容举行会谈，但对有关领土问题的处理未作明确表示。②为此鸠山内阁决定派松本俊一赴莫斯科探询，并决定采用交换信件方式，以便于日后有据可证。9月29日，松本与苏联第一副外长葛罗米柯交换信件。葛罗米柯在信件中表示："我荣幸地受苏维埃社会主义共和国联盟政府的委托，表述如下之意念，即苏联政府了解到日本政府信中所述之见解，同意在恢复两国正常外交关系后，继续举行关于包括领土问题在内的和平条约的谈判。"③

1956年10月12日，鸠山首相访苏并受到热烈欢迎，日方主动提议先"搁置"领土问题，但是日方却违背了诺言。10月16日，河野一郎与赫鲁晓夫会谈上，河野提出："此前日本提出搁置领土问题进行谈判并达成协议，但是受到党内一部分人反对而事情发生了变化，希望能在共同宣言里明确记载返还齿舞群岛、色丹岛，并继续审议其他领土问题。"④对此赫鲁晓夫非常气愤并指责说："这是违反事先协议的！日方已明确提议

① 鹿岛和平研究所编：《日本外交主要文書・年表》(1)（1941—1960年），東京，原書房，1983年，第781—782頁。

② 田中孝彦著：《日ソ国交回復の史的研究——戦後日ソ関係の起点：1945—1956》，東京，有斐閣，1993年，第275頁。

③ 鹿岛和平研究所编：《日本外交主要文書・年表》(1)（1941—1960年），東京，原書房，1983年，第783頁。

④ NHK日ソプロジエクト编：《こわがソ連の対日外交だ——秘録・北方領土交渉》，日本放送出版協会，1991年，第155頁。

会谈中不涉及领土问题,这样做法不能说是搁置领土吧?”“如果希望让渡齿舞群岛、色丹岛的话,那么现在就缔结和平条约并且划定国界线吧?缔结和平条约,立即让渡!”“你们日本要求返还四岛,美国不是也没有返还冲绳吗?齿舞群岛、色丹岛在缔结和平条约时返还,并等待美国返还冲绳后返还。”①

为了缓和谈判紧张局面,赫鲁晓夫表示:“日本草案,要求立即让渡齿舞群岛、色丹岛。苏联同意让渡这两个岛屿,但是时间为缔结和平条约,并且返还冲绳岛时。”②另外,赫鲁晓夫对于返还两岛与美国返还冲绳问题挂钩,也表示放弃。“苏维埃社会主义共和国联盟同意,不等美利坚合众国管理下的冲绳及其他日本所属岛屿解放,在苏维埃社会主义共和国联盟与日本国缔结和平条约后,把齿舞群岛及色丹岛让渡给日本。”③

双方消除上述障碍后,又就日本草案中文字如何记载问题形成争议。日本草案:“同意日本国与苏维埃社会主义共和国联盟恢复外交关系后,继续就包括领土问题在内的缔结和平条约进行交涉。”④赫鲁晓夫提出,取消“包括领土问题在内”部分词句。⑤ 对此日方表示拒绝修改,但是又担心苏方重新提出与美国返还冲绳问题挂钩要求,最终决定接受修改提议。鸠山首相认为,即使取消“包括领土问题在内”部分内容,如果“继续就缔结和平条约进行谈判”,剩下问题事实上就是国后岛、择捉岛问题,当然包括领土问题。⑥ 公开发表松本俊一与葛罗米柯交换的信件

① NHK日ソプロジエクト編:《こわがソ連の対日外交だ——秘録・北方領土交渉》,日本放送出版協会,1991年,第156頁。

② NHK日ソプロジエクト編:《こわがソ連の対日外交だ——秘録・北方領土交渉》,日本放送出版協会,1991年,第156頁。

③ 田中孝彦:《日ソ国交回復の史的研究——戦後日ソ関係の起点:1945—1956》,東京,有斐閣,1993年,第289頁。

④ 田中孝彦:《日ソ国交回復の史的研究——戦後日ソ関係の起点:1945—1956》,東京,有斐閣,1993年,第291頁。

⑤ 鸠山一郎著、复旦大学历史系译:《鸠山一郎回忆录》,上海,上海译文出版社,1978年,第231页。

⑥ 鸠山一郎著、复旦大学历史系译:《鸠山一郎回忆录》,上海,上海译文出版社,1978年第232页。

内容,是最好的补充方法①。

10月19日,双方正式签署了《日苏联合宣言》。领土条款:"第九条:日本国和苏维埃社会主义共和国联盟已经同意,在重新建立了日本国和苏维埃社会主义共和国联盟之间的正常外交关系以后恢复缔结和约的谈判。苏维埃社会主义共和国联盟为了满足日本国的愿望和考虑到日本国的国家利益,同意把齿舞群岛和色丹岛移交日本国,但是经谅解,即这些岛屿将在日本国和苏维埃社会主义共和国联盟之间的和约缔结后才能实际移交日本国。"②

(二)苏联时期双方围绕领土条款争议

1956年双方签署《日苏联和宣言》,三年后双方围绕该宣言有关领土条款出现争议。1960年1月27日,针对日美两国修改《日美安全防御条件》,苏联向日本提交备忘录,指出:"苏联政府认为,日本政府签订的新条约是针对苏联和中华人民共和国的,这些岛屿让渡给日本,会使外国军队使用的领土扩大,所以不能促进实现。苏联政府认为有必要特此声明,只有从日本领土全部撤出外国军队及签订日苏和平条约,才能按1956年10月19日《日苏联合宣言》规定,把齿舞群岛、色丹岛让渡给日本。"③

2月5日,日本对此提出反驳,备忘录指出:"苏联政府在这份备忘录中,把日美两国之间的新条约与让渡齿舞群岛、色丹岛问题相联系,是极其不可理解的。《日苏联合宣言》是确定日苏两国关系的基本国际条约,是经过日苏两国最高权力机关批准的正式国际文件。这样严格的国际条约内容是不允许单方面进行更改的。日本政府对于苏联政府就领土

① 田中孝彦:《日ソ国交回復の史的研究——戦後日ソ関係の起点:1945—1956》,東京,有斐閣,1993年,第300—301頁。

② 鹿岛和平研究所編:《日本外交主要文書・年表》(1)(1941—1960年),東京,原書房,1983年,第784—786頁。

③ 末澤畅二、茂田宏、川端一郎編:《日露(ソ連)基本文書・資料集》(改訂版),東京,RPプリソティソゲ,2003年,第160頁。

问题在联合宣言规定之外，又增加新的条件，想要更改联合宣言内容的态度不予承认。另外我国不仅对齿舞群岛、色丹岛，而且对其他日本固有领土也坚决主张返还到底。"①

2月24日，苏联再次提交了对日本备忘录。进一步提出："日本政府提出齿舞群岛、色丹岛之外的领土要求是报复主义危险倾向，根据国际协定已解决完了，是没有根据的领土要求。"②日本提出除齿舞群岛、色丹岛之外，另有国后岛、择捉岛的返还要求后，引起苏联极大反感，导致苏联提出领土问题解决完毕的观点。此后双方围绕是否存在领土问题展开争议，日方为了争取苏方承认双方存在领土问题，历经长期努力。

20世纪70年代初，伴随中美关系转化，为了防止日本也随形势转化而靠近中国，1972年1月23—28日，苏联外长葛罗米柯紧急出访日本。葛罗米柯对日本首相佐藤荣作表示："如果日方与苏联缔结和平条约有实际诚意表现的话，苏联政府可以研究1956年共同宣言的实际条款落实问题。"③在非正式的场合提到"北方领土"问题时，苏方暗示可以返还齿舞群岛、色丹岛。④ 但是，日方对葛罗米柯的暗示并不接受，仍然坚持苏方返还"北方四岛"主张。在两国外长最后发表《联合宣言》里表示："双方同意，为日苏关系进一步持久、稳定基础上发展，缔结日苏和平条约具有意义，双方同意有关缔结日苏和平条约交涉，在本年度双方认为合适时期举行。"⑤苏方从"领土问题解决完毕"，不肯相让，到自己暗示返还齿舞群岛、色丹岛，反映出苏联不仅在"北方领土"问题上有所缓和，而且也想把日本的注意力吸引到苏方，以避免出现日本追随美国并促成中

---

① 末澤暢二、茂田宏、川端一郎編：《日露（ソ連）基本文書・資料集》（改訂版），東京，RPプリソティソゲ，第163頁。

② 末澤暢二、茂田宏、川端一郎編：《日露（ソ連）基本文書・資料集》（改訂版），東京，RPプリソティソゲ，第160頁。

③ 和田春樹：《北方領土問題——歴史と未来》，東京，朝日新聞社，1999年，第279頁。

④ ボリス・スラビンスキー、菅野敏子訳：《無知の代償——ソ連の対日政策》，東京，人間の科学社，1991年，第191頁。

⑤ 鹿岛和平研究所編：《日本外交主要文書・年表》（3）（1971—1980年），東京，原書房，1985年，第526頁。

日关系接近的想法。

1973年10月，田中角荣首相应邀访问苏联。双方首脑会议上，勃列日涅夫总书记首先讲，“苏联有丰富的资源，西伯利亚似乎每天都能够发现一种新的资源，只要日本参与经济协作，就肯定能够获得巨大利益。如果这样考虑，和平条约问题可以作为第二步考虑，不是非要先解决领土问题”①。对此田中角荣反驳说，“日本作为缺少资源的国家，对经济协作、资源开发问题是有兴趣，这些也是日苏之间重要问题。但是，我在这里呼吁的是，为了建立日苏间巩固的基础，有必要首先缔结和平条约，解决北方四岛问题，这是签订日苏和平条约的绝对前提条件”。② 日方以“政经不可分”对策逼迫苏方，继续就包括领土问题在内的缔结和平条约问题举行谈判。在两国最后发表的《日苏联合宣言》中表示：“双方同意，在1974年适当时期，两国间继续就缔结和约交涉。”③

在苏联解体前，日本热情期盼戈尔巴乔夫总统访日，企图能在解决“北方领土”问题上带来转机。1991年4月17日，双方首脑会谈上，海部俊树首相讲：“总统应该就1956年《日苏联合宣言》中有关领土问题条款，决定返还齿舞群岛、色丹岛。”④对此，戈尔巴乔夫指出：“现在不能，很理解必须尽快解决，但是要认真谈判，因为这是重要问题。”⑤在双方发表的联合声明中表述：“考虑到双方就齿舞群岛、色丹岛、国后岛及择捉岛的归属问题立场，就日苏两国间包括领土划定问题在内的有关和平条约

---

① 久保田正明：《クレムリンの使節——北方領土交渉1955—1983》，東京，文藝春秋，1983年，第234頁。

② 久保田正明：《クレムリンの使節——北方領土交渉1955—1983》，東京，文藝春秋，1983年，第241頁。

③ 鹿岛和平研究所編：《日本外交主要文書・年表》(3)(1971—1980年)，第660頁。

④ 末澤畅二、茂田宏、川端一郎編：《日露(ソ連)基本文書・資料集》(改訂版)，東京，RPプリンティソゲ，第260～261頁。

⑤ 末澤畅二、茂田宏、川端一郎編：《日露(ソ連)基本文書・資料集》(改訂版)，東京，RPプリンティソゲ，第261頁。

诸问题进行认真会谈。"[①]这说明，第一，苏联正式承认存在领土问题。第二，领土问题具体指齿舞群岛、色丹岛、国后岛、择捉岛四岛的名字被明确记载。第三，领土问题没有解决，到缔结和平条约时，包括这些领土问题必须得到解决。日方实现苏联承认存在领土问题，并具体记载"北方四岛"为双方领土问题交涉对象，可以说是大前进。但是，日方要苏联根据1956年《日苏联合宣言》，明确承认返还齿舞群岛、色丹岛的有效性，剩下的国后岛、择捉岛，承认日本具有潜在的主权这一目标并未实现。

4月26日，在苏联联邦议会上，戈尔巴乔夫汇报访日情况时讲："在联合声明中谈到了1956年联合宣言，有关联合宣言中返还两岛条款，已经仅能成为现实中的历史依据，这部分已经产生了国际法的结果，我们应该以宣言中第二部分（日苏两国结束战争状态、恢复外交关系）作为基础。没有实现的内容，在30年后不可能恢复原样。历史的车轮已经行驶过去了，时机已经丧失了。1956年联合宣言，苏联承认两岛是日本领土，但不是决定向日本返还。苏联从善意决定移交管理，但是后来状况出现复杂化，《日美安全保障条约》签订，未出现合适的历史时机。""应该以新的现实出发，如果要问如何返还，回答就是继续进行交涉。"[②]戈尔巴乔夫认为，1956年《日苏联合宣言》有关返还两岛的条款，已经失去了有效性。

（三）新俄罗斯以来双方围绕领土条款争议

俄罗斯领导人叶利钦在苏联解体前，曾经就日苏领土问题提出具体的方案。1990年1月16日，叶利钦访日时发表讲话，"如果像一部分人所提出那样，把四岛让渡给日本，我国人民肯定会把这样的领导人赶下

---

① 末澤暢二、茂田宏、川端一郎編：《日露（ソ連）基本文書・資料集》（改訂版），東京，RPプリンティソゲ，第254頁。

② NHK日ソプロジエクト編：《こわがソ連の対日外交だ——秘録・北方領土交渉》，日本放送出版協会，1991年，第242頁。

台。日本国民要抱有这种信赖与确信，就是这个问题在解决，是在前进而不是在停滞。另一方面对于我国人民来说，这方面的社会舆论在逐渐形成。”①他提出的分阶段解决方案为：第一阶段，苏方公开承认日苏间存在领土问题。第二阶段，宣布千岛群岛南部四岛为向日本开放的自由企业活动地区。第三阶段，岛上实行非军事化。第四阶段，苏联与日本缔结和平条约。第五阶段，经过 15—20 年时间实现上述四个阶段后，新一代政治家们，把各个岛屿设置在苏日的共同管理下，或发表具有自由地位的独立宣言，或把各岛让渡给日本，在三种方案中探索解决领土问题的方法。②

新的俄罗斯领导人如同苏联前领导人戈尔巴乔夫一样，并不否认双方存在领土纠纷问题，也同意双方根据 1956 年《日苏联合宣言》就该问题举行谈判，但是在谈判中也绝不让步。日方对于 1956 年《日苏联和宣言》有关领土条款内容存在不同解释，认为，“正常外交关系以后恢复缔结和约的谈判”，是指双方继续就返还国后岛、择捉岛问题进行谈判。而俄方对此完全否认，认为 1956 年《日苏联合宣言》不涉及国后岛、择捉岛问题。

1993 年 10 月 11—13 日，叶利钦总统首次正式访日。双方最终发表《东京宣言》阐述为：“双方共同认为，在两国关系上必须克服过去困难遗产，就有关齿舞群岛、色丹岛、国后岛、择捉岛归属问题进行认真交涉。双方共同认为该问题站在历史的、法律的事实之上，两国间达成一致的各文件及法律与正义原则基础上解决，为尽快缔结和平条约继续交涉，进一步实现两国关系完全正常化。”③关于叶利钦提出根据“法律和正义”解决“北方领土”问题。日方解释为，所谓法律是指归还齿舞、色丹，所谓

① 国際シンポジウム組織委員会編：《エリツィンの対日政策》，東京，人間の科学社，1992 年，第 306—307 頁。

② 末澤畅二、茂田宏、川端一郎編：《日露（ソ連）基本文書・資料集》（改訂版），2003 年，東京，RPプリソティソゲ，第 250 頁。

③ 末澤畅二、茂田宏、川端一郎編：《日露（ソ連）基本文書・資料集》（改訂版），2003 年，東京，RPプリソティソゲ，第 287 頁。

正义是指归还国后、择捉。俄方则解释为,所谓以"法律和正义原则"解决,就是要经过双方谈判,要根据情况来决定,或者说要经过讨价还价来实现。叶利钦在各种场合多次提出日俄领土问题应该在"法律和正义原则"下解决,实质上是对日方提出立即返还"北方四岛"主张的反驳。1991年9月,叶利钦总统致函时任日本首相海部俊树,就提出以"法律和正义原则"实行分阶段解决两国之间的有关领土问题争端。

1996年1月,桥本龙太郎内阁上台以后,外务省官员围绕"北方领土"问题力图探索新的思路,1997年8月12日形成正式文件,题目为"领土问题解决今后政策选择路线"。该文件称:坚持返还四岛为最终目标方针,通过首脑会谈协商主权问题的同时,在四岛上采用"共同活动"试图扩大我方存在,比以前迈出更大步伐选择路线,给予如下准备。(促进北方四岛融入现在北海道经济圈,扩大我方存在,应认为是通向返还之路,为此"共同活动"是必要的,"陆上"与"海上"比较更加复杂,工作框架内交涉,那种"不接触"管辖权形式解决肯定是困难的。)[1]该文件设置如下三条选择路线。

第一草案 和平条约[2]

——四岛主权确认(潜在主权)

——X年俄罗斯的施政(齿舞、色丹不即时返还)

即俄罗斯承认日本对四岛拥有潜在主权时,缔结两国和平条约。另外,缔结和平条约后"X年"间,日方承认俄方在"北方四岛"施政属于合法的。该草案里写在括弧里的"齿舞、色丹不立即返还"部分。1956年《日苏共同宣言》里,明确记载缔结两国和平条约后,齿舞群岛、色丹岛返还日本。草案承认俄罗斯对"北方四岛"一定期间内施政权是合法,那么意味日方不得不放弃《日苏联合宣言》里"缔结和平条约后返还两岛"。

① 佐藤和雄、駒木明義:《検証日露首脳交渉》,東京,岩波書店,2006年,第156頁。

② 佐藤和雄、駒木明義:《検証日露首脳交渉》,東京,岩波書店,2006年,第156—158頁。

第二草案　第二共同宣言①

——返还齿舞、色丹

——将继续协商国后、择捉

——可能限制的方向性(例如,延续 1855 年条约处理)

——X 年后解决

——俄罗斯施政

第一草案事实上放弃了 1956 年《日苏联合宣言》,第二草案的思路则以 1956 年《日苏联合宣言》为线索打开突破口。草案为 1956 年《日苏联合宣言》第九条款规定,齿舞群岛、色丹岛在缔结和平条约后立即返还日本。国后岛、择捉岛的归属"继续协商"处理。这时候提出"沿用 1855 年条约处理",即按照日本要求划定国境线,限定择捉岛与国后岛之间确定方向。

第三草案　共同声明②

——四岛继续协商

——某种方向性,比东京宣言更加前进(例如,明确 1956 年共同宣言的规定和早期解决国后岛、择捉岛。)

——X 年后解决

——(共同施政)

"X 年后"解决,确定期限是为了保证有关北方四岛继续协商,这样内容应包括在两国发表的共同声明里。在该草案的"注"记载:要确定继续协商的"方向",如不接受的话,不承认俄方的施政权,而是选择要求共同施政权。

日本外务省制定的这三份草案里,重要的共同点为,在北方四岛尚未返还日本阶段,考虑承认俄方的施政权行为合法化。这意味着日本对"北方领土"问题政策出现巨大转变。

① 佐藤和雄、駒木明義:《検証日露首脳交涉》,東京,岩波書店,2006 年,第 158—159 頁。

② 佐藤和雄、駒木明義:《検証日露首脳交涉》,東京,岩波書店,2006 年,第 160—161 頁。

1998年4月川奈举行的日俄首脑非正式会谈上，桥本龙太郎向叶利钦提出新建议，俄方表示回去研究后答复，关于桥本新提议内容仍然是迷，但是日本各大媒体报道称，新提议采用依据“划定国境线方式”解决两国之间“北方领土”问题，然后缔结两国和平条约。这就是说，采取了上述草案第二套路线。

1998年11月，日本首相小渊惠三正式访俄时，叶利钦向小渊惠三递交了“对桥本首相提议的答复”。俄方指出：“川奈提议实际上意味着俄罗斯承认日本在千岛群岛南部的主权。这已被认为是日本政府采用极端方法解决问题的对策。该提议无论如何也不能说是遵守双方都能够接受‘不损害双方政治立场’的原则。对于这一提议，我方确实无论社会舆论还是议会都是不能接受的。”[①]俄方对桥本提议给予明确的拒绝。

2000年7月，日本外务省就“北方领土”问题交涉方针进行深入讨论后，确认以1956年《日苏联合宣言》为交涉出发点，后来被称为“两岛先行返还论”，但是这样主张又担心会引起误解为只返还两岛而结束交涉，所以称为“阶段性解决论”。

所谓“阶段性解决论”，是按照1997年8月外务省文件第二草案制定的。即(1)俄罗斯要承认齿舞群岛、色丹岛为日本领土。(2)根据情况，齿舞群岛、色丹岛在缔结两国和平条约前返还给日本，双方先缔结中间条约。(3)就有关国后岛、择捉岛归属问题进行交涉。(4)确认四岛归属日本时，双方缔结和平条约。

“阶段性解决论”反映出日本要突破1956年《日苏共同宣言》有关领土问题条款。主张缔结和平条约前，先将齿舞群岛、色丹岛返还日本，为此缔结所谓中间条约。主张返还国后岛、择捉岛后，才缔结两国和平条约，这样显然大大超出《日苏共同宣言》有关领土问题条款规定内容了。

2000年9月，俄罗斯总统普京正式访日。普京在与森喜朗首相会谈上，主动提及1956年日苏共同宣言，表示“我是站在确认宣言的立场。

① 佐藤和雄、駒木明義：《検証日露首脳交渉》，東京，岩波書店，2006年，第251頁。

过去存在否认(宣言)事实,但是我不这样考虑。根据以往谈判成果为基础进行谈判,我们没有疑义的。"[①]普京的主动姿态,使日方兴奋并达到愿望。

2001年3月,森喜朗与普京在伊尔库茨克举行正式首脑会谈。森喜朗向普京递交新提议,并且解释说:"缔结和平条约同时返还(齿舞、色丹)两岛,就国后岛、择捉岛的归属问题对话,是一部车的两个轮子。返还四岛,无论过去,还是现在、将来都是日本人考虑的。"[②]普京立即指出:"在共同宣言里没有记载国后岛、择捉岛",讨论有关国后岛、择捉岛的归属问题,这是直接践踏了共同宣言。[③] 这表明日本上述策划,被普京拒绝了!

2001年10月,上海亚太经合组织(APEC)首脑会议期间,在小泉纯一郎与普京举行的首脑会谈上,小泉表示:"先前如不解决四岛归属问题就不能对话,这样就不能前进。相互立场对话不能前进。我的考虑为,是否可以将齿舞、色丹和国后、择捉并行讨论?"[④]对此普京表示:"在整体上理解首相的考虑,这样并行的对话也是可以的。"[⑤]普京接受"北方四岛"并行讨论的建议,使日方感到十分兴奋!但是,当人们关注小泉内阁推进双方关系发展时,2004年2月7日,日本所谓"北方领土日",小泉却发表态度非常强硬的讲话:俄罗斯应当清楚,如不归还日本的"北方四岛",那么双边关系就不可能获得正常发展。[⑥] 此言使两国先前各种努力,瞬间完全消失,两国关系又回到原点僵持局面。

2006年12月13日,日本国会外交事务委员会的会议上,外相麻生太郎突然讲:"讨论两个、三个或者四个岛屿,却没有把土地面积考虑在内,这是不能够接受的。"[⑦]麻生"面积平分"之说,或意味着日本对策转变。

---

① 佐藤和雄、駒木明義:《検証日露首脳交渉》,東京,岩波書店,2006年,第299頁。
② 佐藤和雄、駒木明義:《検証日露首脳交渉》,東京,岩波書店,2006年,第314頁。
③ 佐藤和雄、駒木明義:《検証日露首脳交渉》,東京,岩波書店,2006年,第315頁。
④ 佐藤和雄、駒木明義:《検証日露首脳交渉》,東京,岩波書店,2006年,第333頁。
⑤ 佐藤和雄、駒木明義:《検証日露首脳交渉》,東京,岩波書店,2006年,第333頁。
⑥ 央视国际2004年02月07日,赵玮宁:《小泉称决心与俄罗斯解决"北方四岛"问题》。
⑦ 中国新闻网,2006年12月15日,张庆华:《日外相麻生太郎提议同俄罗斯平分北方四岛》。

综上所述，1956年《日苏联合宣言》有关领土条款存在不同解释余地，造成此后双方纠纷不断。俄方的意图为缔结和约后返还两岛，而日方从初期就不接受，提出所谓“继续谈判”，意图为返还四岛。随着此后国际环境变化，俄方提出返还两岛的新条件、领土问题解决完毕、领土条款已经过时等主张；而日方则坚持返还四岛不动摇，不断坚持与俄方沟通，甚至提出突破原框架的建议。

七、相互妥协：日俄领土纠纷问题解决趋势[①]

据有关媒体报道，2006年12月13日，日本外相麻生太郎提出解决日俄领土纠纷的新方案，即北方四岛问题解决，以四个岛的总面积平均分配为原则进行划分。这样可以形成日本不仅收回齿舞群岛、色丹岛、国后岛，而且还要在最大的择捉岛上划出一部分领土。[②] 可以看出，日本政府已经在日俄领土纠纷问题上从过去几十年坚持“一揽子”收回北方四岛，转变到可以接受相互妥协的解决政策。这是日本政府方面首次公开表示可以让步解决政策出台。本书就此论述如下。

（一）日俄领土纠纷问题争论的焦点

所谓日俄领土纠纷问题，在日本方面被称为“北方领土”问题，是因该领土位于日本国北部而得名。在1955—1956年两国邦交正常化交涉过程中，日本提出要求解决的领土范围为，曾经统治过的库页岛（俄称萨哈林岛）南部及包括北方四岛在内整个千岛群岛（俄称项链岛）归属问题，其中北方四岛（俄称南千岛），即齿舞群岛、色丹岛、国后岛、择捉岛“从来没有被外国统治”，为日本“固有领土”，所以应该首先无条件归还，

① 本节发表于《世界近现代史研究（第五辑）》，中国社会科学出版社2008年版。

② 根据日本国土地理院2005年4月1日勘定，北方四岛总面积为5 036.14平方公里，其中择捉岛及附属岛屿面积为3 184.04平方公里、国后岛及附属岛屿为1 498.83平方公里、色丹岛等附属岛屿为253.33平方公里、齿舞群岛为99.94平方公里。

其他领土问题应该由日本与包括苏联在内的有关同盟国共同协商决定归属问题。①

第二次世界大战后，日苏(俄)两国第一次就领土问题争论是在1955年6月至1956年10月期间，两国恢复关系正常化的交涉过程中，双方争论内容基本形成了此后不断争论焦点问题。1991年10月，经两国政府共同协商后，将这些争论问题进行归纳整理，并以两国外交部名义共同发表。

日本方面的立场与主张。②

> 日本方面认为，国后岛、择捉岛、色丹岛、齿舞群岛，根据1855年最初的《日俄条约》规定为日本领土，不属于日本以外的任何国家，主张1945年被苏联"非法占领"。1941年8月14日美英签订《大西洋宪章》，后来苏联也参加，但是苏联违反其"领土不扩大原则"，同样也违反了1943年《开罗宣言》。
>
> 规定向苏联引渡千岛群岛，是1945年2月11日美苏英三国签订的《雅尔塔协定》有关远东问题条款，日本方面认为自己没有参加这份秘密协定，1945年9月2日签订投降书时也不知道该协定，所以对自己没有约束效力。
>
> 苏联违反1941年4月13日《日苏中立条约》，苏联1945年4月5日通告废除该中立条约，1945年8月9日对日宣战，这期间该条约是有效的。
>
> 日本方面认为，1951年9月8日《旧金山对日媾和条约》中，日本放弃对千岛群岛的权利、权利根据、请求权，但是苏联没有在该条约上签字，所以苏联没有权利引用该条约。从历史上19世纪划定边境的日俄条约分析看，国后岛、择捉岛、色丹岛、齿舞群岛不属于

① 鹿岛和平研究所编:《日本外交主要文书・年表》(1)(1941—1960年)，原書房，1983年，第716頁。

② アレクサンドル・パノ著，高橋実、佐藤利郎訳:《不信カラ信頼へ——北方领土交涉の内幕》，サィマル出版会，1992年，第56—57頁。

《旧金山对日媾和条约》中日本放弃的"千岛群岛"地理范围之内，其应该从得抚岛到堪察加半岛。

日本方面认为，1956年9月29日苏联第一副外长葛罗米柯与日本全权代表松本俊一交换的信件中，苏联同意与日本恢复邦交正常化后，继续就包括领土问题在内的缔结和平条约进行交涉，即主张色丹岛及齿舞群岛，根据1956年10月19日《日苏联合宣言》"解决完毕"，苏联同意就国后岛、择捉岛与日本举行谈判。

苏联方面的立场与主张。①

苏联方面认为，1904年日本背信弃义进攻俄国，1905年《朴次茅斯条约》夺取了库页岛南部，日本失去了包括1855年条约在内的引用以前条约的权利。

有关1945年《雅尔塔协定》是符合国际法基准的，主张日本应该无条件接受。日本在1945年9月2日签订投降书，这点就证明接受了包括《雅尔塔协定》在内的联合国家达成的所有条约。联合国家根据《雅尔塔协定》把千岛群岛引渡给苏联，与1941年《大西洋宪章》、1943年《开罗宣言》并不矛盾。在这些宪章、宣言中规定"联合国家不谋求获得领土及其他方面"或"不支持任何扩大领土的观点"，联合国家向苏联引渡千岛群岛被认为是历史的正当行为，《雅尔塔协定》给予法律上的承认。

举例说明，日本有组织、有目标的破坏1941年《日苏中立条约》。如在伪满国准备对苏联战争；援助德国与苏联战争；向德国提供有关苏联政治、经济、军事情报；日本军舰袭击苏联商船；开枪、开炮、逮捕、破坏、封锁苏联船只通过日本附近海峡。这些行动都说明日本方面违反了《日苏中立条约》，所以苏联不遵守《日苏中立条约》义务是有根据的。

1948年远东国际军事法庭判决，日本(与苏联)缔结中立条约不

① アレクサンドル・パノ著，高橋実、佐藤利郎訳：《不信カラ信頼へ——北方领土交涉の内幕》，サイマル出版会，1992年，第57—59頁。

是诚实的，日本认为与德国关系更有益，容易实行对苏联进攻计划才签订中立条约。

有关《旧金山对日媾和条约》，苏联不在条约上签字，并不能够减弱日本按照条约规定放弃对千岛群岛的权利、权利根据、请求权的事实。主张这个事实符合国际法，具有绝对性，涉及《旧金山对日媾和条约》以外的国家。

日本方面主张“四岛”不属于千岛群岛范围之内，苏联方面认为有关决定千岛群岛归属的诸文件（《雅尔塔协定》《旧金山对日媾和条约》等），没有这种划分的根据，所以不能接受。

日本方面有关葛罗米柯与松本俊一通信的解释，苏联方面表示不能接受。苏联主张这些书信，是在双方决定联合宣言中不涉及领土问题的状态下出现的，强调签订联合宣言后讨论。但是日本方面再次要求把领土问题写入联合宣言，结果苏联方面同意将齿舞群岛及色丹岛引渡给日本的记述写入联合宣言中，这是苏联方面为准备缔结和平条约，被认为是最终的立场。1956 年苏联并不承认日本要求返还齿舞群岛及色丹岛有正当根据，在战胜国与战败国之间的历史上从来没有这种先例。苏联强调自己的行为是为加强与邻国的友好关系考虑，是例外满足日本方面立场的行为。

日俄两国争论焦点问题，主要集中在以下几方面。

第一，苏联占领上述领土是否有法律依据问题。苏联方面主张，根据《雅尔塔协定》《波茨坦公报》《开罗宣言》《旧金山对日媾和条约》规定，苏联有法律依据获得上述领土。如《雅尔塔协定》规定：“三大国首脑已决定击溃日本后应毫无疑问地满足苏联这些要求”，“库页岛南部及其周边岛屿归还苏联”，“千岛群岛应该移交苏联”。[①] 如《波茨坦公报》规定：

① 乔治·T. 麦克吉米西：《富兰克林·D. 罗斯福总统档案：第 14 卷，雅尔塔会议》（GeorgeT. McJimsey, *DocumentaryHistoryoftheFranklinD. RooseveltPresidency. Volume*14, *The Yalta Conference*），美国国会信息服务公司 2003 年版，第 284—285 页。

“日本之主权必将限于本州、北海道、九州、四国吾人所决定其他小岛之内。”[①]如《开罗宣言》规定：“日本也将被驱逐其以暴力或贪欲所攫取的所有土地”。[②] 如《旧金山对日媾和条约》规定：“日本放弃对千岛群岛及由于 1905 年朴次茅斯条约所获得主权的库页岛一部分及其附近岛屿的一切权利、权利根据与请求权。”[③]

日本方面主张，《波茨坦公报》与《开罗宣言》都未规定将日本部分领土划归于对日作战的某个国家。战后领土主权变更要在媾和条约中加以规定，这是国际惯例。根据《雅尔塔协定》规定把有争议的领土归属苏联，但是日本不是《雅尔塔协定》的当事国，所以不接受这个规定。在战后涉及日本领土问题的唯一国际条约是《旧金山对日媾和条约》，但是该条约没有决定日本宣布放弃的领土最终归属某个国家。另外苏联不是《旧金山对日媾和条约》的签字国，从而对苏联放弃与否以及放弃地区归属谁，日本尚有充分的发言权。该条约不能作为苏联主张有关领土问题的法律依据。

第二，日本方面主张苏联非法占领“北方四岛”。日本认为“北方四岛”不属于自己在《旧金山对日媾和条约》中宣布放弃的千岛群岛地理范围内。日本主张根据 1855 年 2 月 7 日签订《日俄友好条约》规定：“以择捉岛与得抚岛之间为日俄两国边界，择捉岛属于日本，得抚岛及其以北千岛群岛属于俄国。”[④]1875 年 5 月 7 日签订了《库页岛・千岛群岛交换条约》，规定：[⑤]“一、大日本国天皇陛下，至其后嗣，将现今所领库页岛一部分之权利及属于君主之一切权利让与全俄罗斯国皇帝陛下。自今而

① 鹿岛和平研究所编：《日本外交主要文书・年表》(1)(1941—1960 年)，原書房，1983 年，第 56 頁。

② 鹿岛和平研究所编：《日本外交主要文书・年表》(1)(1941—1960 年)，原書房，1983 年，第 55 頁。

③ 鹿岛和平研究所编：《日本外交主要文书・年表》(1)(1941—1960 年)，原書房，1983 年，第 420 頁。

④ 坂本德松、甲斐静馬：《返せ北方领土》，青年出版社，1977 年，第 239 頁。

⑤ 落合忠士：《北方領土問題——その歷史的事実・法理・政治的背景》，東京，文化書房博文社，1992 年，第 45—46 頁。

后，全库页岛悉属俄罗斯帝国，以拉彼鲁兹海峡为两国境界。二、全俄罗斯国皇帝陛下，至其后嗣，作为取得第一款所载库页岛权利之补偿，将现今所领有之千岛群岛，即第一占守岛、第二阿赖度岛、第三幌筵岛、第四磨勘留岛、第五温祢古丹岛、第六春牟古丹岛、第七越渴磨岛……第十八得抚岛，共计十八岛之权利及属于君主之一切权利，让与日本国天皇陛下。”日本认为根据 1855 年条约规定，日本与俄国的千岛群岛边界应该在择捉岛与得抚岛之间，即择捉岛以南包括择捉岛、国后岛、色丹岛、齿舞群岛的“北方四岛”为日本领土。根据 1875 年条约规定，日本是以库页岛南部领土换取择捉岛以北的十八个岛屿领土。这样在日俄领土争论中不应该包括“北方四岛”，其是日本固有领土。

苏联方面主张，所谓北方四岛为千岛群岛南部，千岛群岛应该包括千岛群岛南部与北部地区。日本在《旧金山对日媾和条约》中宣布放弃千岛群岛，就应该包括千岛群岛南部与北部地区，并未规定南部与北部的地理范围区别，所以不能够接受日本方面的主张。

日俄两国之间有关“北方领土”纠纷问题，实际上主要围绕苏联在第二次世界大战末期占领上述领土是否有法律根据。其次是，在法律根据无法解决的情况下，日本主张“北方四岛”不属于自己在《旧金山对日媾和条约》中宣布放弃的千岛群岛地理范围内。日本主张的核心是要收回“北方四岛”，因为日本曾经在 1955 年 6 月至 1956 年 10 月两国邦交正常化交涉中提出，如果苏联归还“北方四岛”，日本可以承认苏联对库页岛南部与千岛群岛北部的领土主权。① 日本在两国有关领土纠纷交涉过程中，提出库页岛南部及整个千岛群岛的交涉内容，就是要以最大化领土要求来换取最终收回“北方四岛”目的。

(二) 日俄领土纠纷问题相互对抗性的结果

1956 年 12 月 12 日，《日苏联合宣言》正式生效后，两国不仅恢复了

① 鹿岛和平研究所编:《日本外交主要文书・年表》(1)(1941—1960 年)，原書房，1983 年，第 773 頁。

邦交正常化，而且两国有关领土纠纷争论也进入新的阶段。

领土作为主权国家构成的基本要件，各国统治者及国民都要努力维护其安全。同样，对于有关领土纠纷各国统治者及国民也要在维护国家利益前提下，努力寻找自己拥有该领土的合理性，努力运用本国优势力量迫使对方做出让步，但是这种优势力量无法达到绝对化情况下，领土纠纷只能以长期对抗局势发展。

日俄两国领土纠纷可以说总体上是以对抗性局势发展，如果以阶段性来看，前期为 1956 年 10 月两国恢复邦交正常化后到 70 年代初，主要表现为苏联利用自己在政治、经济、军事上实力，企图迫使日本在领土纠纷问题上做出让步。后期为 70 年代后，随着日本经济、技术实力大发展，成长为资本主义世界第二大经济、技术强国后，又企图利用经济、技术实力迫使苏联在领土纠纷问题上做出让步。结果是双方优势力量很难形成绝对化，即很难形成足以迫使对方做出让步的地位。如在冷战形势下，日本虽然在政治、经济、军事等方面不如苏联，但是却得到美国等西方国家的大力支持，使得苏联这种优势力量不断被化解。同样在 70 年代初，随着日本经济、技术实力迅速发展，而苏联因与美国争霸进行军事竞争，导致经济发展急需外来投资，特别是戈尔巴乔夫时期经济改革困难急需外来资金投入，在此情况下，日本则以“政经不可分离”为原则，向苏联提出领土纠纷问题上让步来换取投入资金，但是其他西方国家的资金投入，也使日本这种经济、技术优势很难形成绝对化优势地位。

在 1960 年 1 月 27 日，即新《日美安全保障条约》签署后第 8 天，苏联政府向日本政府递交了强硬的备忘录，“苏联对于日本缔结破坏远东和平结构，对日苏关系发展形成障碍的新军事同盟，当然不能采取默认措施。该条约使日本丧失了独立，投降以来外国军队驻扎局面继续下去，因而出现苏联政府约定将齿舞群岛、色丹岛引渡给日本不可能实现的新形势。”2 月 5 日，日本政府向苏联政府递交备忘录，指出苏联政府“把日美两国间的新条约与引渡齿舞群岛、色丹岛问题相联系，是极其不可理解的。……另外我国不仅对齿舞群岛、色丹岛，而且对其他日本固有领土也坚决主张返还到底。"2 月 24 日，苏联向日本递交第二份备忘录，进一步指出，"日本方面提出齿舞群岛、色丹岛之外的领土要求是报复主义危险倾向，根据国际协定已经解决完了，是没有根据的领土要求"。此后双方长期不仅就齿舞群岛、色丹岛如何引渡问题，而且就是否还存在择捉岛、国后岛归还问题展开激烈争论。1960 年 5 月 1 日，一架美国高空侦察机侵略苏联领空，结果被苏联击落并且还俘虏了飞行员。针对该事件中美国侦察机是从日本军事基地起飞，6 月 15 日苏联发表声明，指出"有关驻日美军基地问题，如果日本参与军事纠纷，将要首先受到打击"。苏联向日本发出军事威胁的同时，也在有关地区加强武装力量。

两国间有关领土纠纷争论最多的，为双方是否还存在归还择捉岛、国后岛问题。这里实际上就涉及前文已经提到的"葛罗米柯与松本俊一信函"的产生背景及如何解读问题。在两国恢复邦交正常化谈判过程中，1956 年 8 月 9 日，第十轮大使级正式谈判中，苏联表示准备将齿舞群岛、色丹岛返还给日本，但是前提条件为两国缔结和平条约后正式返还，同时要求日本承认苏联对库页岛南部及千岛群岛拥有主权。苏联的目的是促进两国恢复邦交谈判尽快达成妥协。但是仅收回齿舞群岛、色丹岛，日本方面对此并不表示满足，所以如何进一步收回择捉岛、国后岛成为此后日本争取目标。在经历艰苦争论的讨价还价，日本仍然无法实现目标的情况下，鸠山一郎首相决定暂时搁置领土问题，首先恢复两国邦交正常，然后再就领土问题交涉。1956 年 9 月 11 日，鸠山一郎首相向苏联部长会议主席布尔加宁提出，"有关领土问题谈判为日后继续进行的条件下"，首先就渔业条约、互设大使馆、立即遣返被俘人员、日本加入联合国等问题进行谈判。① 9 月 13 日，布尔加宁主席回信表示同意，但是有关领土问题的处理未做明确表示。② 这样日本决定派遣国会议员松本

---

① 鹿岛和平研究所编：《日本外交主要文书・年表》(1)(1941—1960 年)，原書房，1983 年，第 781—782 頁。

② 鹿岛和平研究所编：《日本外交主要文书・年表》(1)(1941—1960 年)，原書房，1983 年，第 782 頁。

俊一赴莫斯科探询，并采用两国间正式通信方式，目的为日后有据可证。9月29日，松本俊一与苏联第一副外长葛罗米柯交换信件。松本信中提到"日本政府认为，两国正常外交关系恢复后，应继续进行关于包括领土问题在内的和平条约谈判"。葛罗米柯在回信中表示"苏联政府了解到日本政府信中所述之见解，同意在恢复两国正常外交关系后，继续进行关于包括领土问题在内的和平条约谈判"①。然而此后，两国就"葛罗米柯与松本俊一信函"出现明显不同的解释。日本认为，两国间就齿舞群岛、色丹岛归还问题已经解决完毕，剩下讨论有关领土问题是指择捉岛、国后岛的归属问题。苏联则认为，所谓讨论领土问题实际上是指有关齿舞群岛、色丹岛的如何返还问题，根本不涉及择捉岛、国后岛问题。

进入70年代后，随着美苏争霸斗争不断激烈，苏联希望利用开发西伯利亚作为新的经济增长点，同时把外来资金投入对象寄托到周边经济、技术大国——日本。在1973年10月，日本首相田中角荣应邀访问苏联。在两国首脑会谈中，勃列日涅夫表示："苏联有丰富资源，西伯利亚似乎每天都能发现一种新资源，所以只要日本参与经济协作，就肯定能够获得很大利益。如果这样考虑，和平条约问题作为第二步考虑也可以，不应是非要解决领土问题。"对此田中角荣则表示，"作为资源缺少的日本，对经济协作、资源开发问题是有兴趣，这些也是日苏之间的重要问题。但是我在这里呼吁的是，为了建立日苏之间巩固的基础，有必要首先缔结和平条约，解决北方四岛问题，是签署日苏和平条约的绝对前提"。显然苏联方面希望日本能够搁置领土纠纷，与苏联共同开展经济协作，开发西伯利亚获得巨大经济利益。但是日本则认为，两国必须首先解决领土问题，在此基础上再讨论经济协作问题，坚持所谓"政经不可分"原则。

到了80年代戈尔巴乔夫改革时期，苏联更希望日本能够投资以转

---

① 鹿岛和平研究所编：《日本外交主要文书・年表》(1)(1941—1960年)，原書房，1983年，第783頁。

变国内经济严重滑坡局面。但是日本仍然坚持“政经不可分”原则，坚持苏联不归还北方四岛，绝不进行经济协作。1991年4月戈尔巴乔夫访问日本期间，双方发表联合声明表示，“海部俊树首相与戈尔巴乔夫总统，考虑到双方就齿舞群岛、色丹岛、择捉岛、国后岛的归属立场，就日苏两国之间包括领土划定问题在内有关和平条约诸问题进行详细认真会谈”①。这是日本几十年来争取到的，双方第一次采用发表共同声明方式，公开承认两国之间存在北方四岛领土问题，并且将齿舞群岛、色丹岛、择捉岛、国后岛的名字公开宣布。直到苏联解体，日本也没有实现以强大经济、技术实力，迫使苏联在“北方领土”问题上做出让步。

日俄两国在“北方领土”问题上的相互对抗性政策，结果是双方都不能够使对方做出让步，苏联时期的军事压力没有使日本方面屈服，同样日本以经济、技术实力迫使苏联方面让步也无法实现，最终结果是双方关系没有大的起色。

（三）日俄领土纠纷问题寻找相互妥协发展趋势

在两国有关领土纠纷对抗性发展过程中，双方有识之士就提出了相互妥协方案，而且这种呼声越来越高。如1972年，日本商工会议所会长永野重雄在日本自民党国土开发研究会上，提出利用日本不断增长的外汇储备资金，从苏联方面购买北方四岛领土的构想。当然这种构想并没有被有关方面重视，但是这种主张的提出表明，要推行相互妥协道路解决问题的发展趋势。

日苏两国真正公开讨论走相互妥协以解决领土纠纷道路，是在20世纪80年代末及90年代初苏联总统戈尔巴乔夫准备访问日本期间。随着戈尔巴乔夫推行西化改革，日苏间在意识形态领域对立逐渐减少，戈尔巴乔夫的“新思维”对外政策，使美苏争霸局势逐渐缓和，特别是戈

① NHK日ソプロジエクト編:《こわがソ連の対日外交だ——秘録・北方領土交涉》，日本放送出版協会，1991年，第236頁。

尔巴乔夫的国内经济改革使经济出现严重滑坡，民族矛盾激化。这些都使日本认为此时是收回北方四岛的最佳时机，围绕着戈尔巴乔夫访问日本为契机，如何使苏联在“北方领土”问题上做出让步，成为日本朝野上下关心的问题，有识之士提出了许多解决方案。

日本学者提出许多新建议，如著名苏联问题专家木村汎、袴田茂树两位教授提出，首先苏联将齿舞群岛、色丹岛引渡给日本，解决岛上苏联军事基地与居民问题，然后经过10—20年转移期后，再将国后岛、择捉岛引渡给日本。东京大学教授和田春树的方案与上述方案相似。上智大学教授外川继男提出，支持齿舞群岛、色丹岛返还日本，择捉岛、国后岛交由联合国管理，然后进行分割，把国后岛割让给日本，把择捉岛割让给苏联。筑波大学教授进藤荣一提出，以苏联承认日本对四岛拥有潜在主权为基础，解决问题后两国共同对四岛进行开发。

日本政治家们也提出新建议，如1990年3月20日，日本《产经新闻》发表采访自民党著名政治家金丸信的文章。金丸信表示：“如果苏联方面表示准备返还岛屿，在达成一致问题上，是返还四岛还是返还两岛，实际意义是一样的。”同年4月24日，日本多家报纸刊登了金丸信就有关领土问题的谈话。金丸信表示，苏联方面如果准备返还两岛，要是我为总理大臣就努力实现所谓两岛返还。这些讲话表明，日本自民党的政治家开始支持有关领土问题分阶段解决的观点。自民党干事长小泽一郎，对于日苏两国为解决领土问题采取相互让步政策表示赞成。

据当时日本报纸报道，在以前的日本自民党内部，必须返还北方四岛的观点占统治地位，但是现在党内形成三种潮流。第一种潮流，支持探索包括金丸信提案在内的妥协解决方法。第二种潮流，认为应该等待苏联方面提出新方案。第三种潮流，仍然坚持传统观点不变，而且是多数派。但是这些潮流的代表人物普遍担心，自民党内部及各种媒体的讨论结果，有可能把日本国内有关领土问题的社会舆论分裂。社会舆论分裂会削弱日本方面对苏联交涉中的立场。传统观点人士对支持探索妥协解决方法的人士进行严厉批判，强调对苏关系坚持“政经不可分”方针的必要性。

1990 年 10 月 19 日，日本首相海部俊树在国会发表讲话，强调日本不接受仅返还两岛作为基础的领土问题解决方案，主张必须返还北方四岛。据日本报纸报道，在苏联领导人戈尔巴乔夫访问日本之前，日本首相海部俊树与自民党长老政治家举行了座谈会。出席座谈会的有，原首相竹下登、福田赳夫、中曾根康弘、铃木善幸。他们强烈要求把经济协作问题与领土问题相结合，有关领土问题上不作任何让步。

在苏联国内，同样出现讨论解决领土问题以缓和两国关系局面，有关领土问题解决的讨论也出现了三种基本潮流。第一种潮流，主张承认把两岛或者四岛引渡给日本方面，尽快解决领土问题。第二种潮流，认为有必要探索如何相互妥协解决领土问题。第三种潮流，主张四岛是苏联领土的必要性。

苏联国内主张把四岛引渡给日本的人物，都是在民主化改革浪潮中出现的所谓"新政治家"们。他们的目的就是希望以向日本方面引渡北方四岛来换取经济协作。例如苏联政治团体"世界一家族"协会附属的历史研究中心，提出尽快把四岛返还给日本方面，"如果这样就能够获得更多的资金"。

在苏联主张探索妥协方法解决领土问题的人士中，1989 年 11 月 8 日，苏联人民议会代表 G. 波波夫表示支持探索以相互妥协与让步为基础解决领土问题的方案。他指出有必要实现岛上非军事化，把岛屿作为两国经济协作与人员自由流动地区。提出创立在联合国管理下的国际管理体系。1990 年 10 月 21 日，波波夫担任莫斯科市市长后，在接受日本《每日新闻》记者采访时，他更加具体提出：考虑到苏联国内社会舆论状况，解决问题的道路应该分阶段达到目标。即第一阶段，把北方四岛整体改变为特别经济区。第二阶段，创立具有特殊经济目的的地区，岛上苏联国民与日本国民自由居住，自由创办企业。第三阶段，建立共同管理机制，一定阶段内既不属于苏联也不属于日本。

1990 年 1 月，苏联人民议会代表叶利钦访问日本时，在帝国旅馆举行的亚洲调查会会议上发表讲话，指出"如果像一部分人所提出那样，把四岛引渡给日本方面，我国人民肯定会把这样的领导人赶下台。日本国民要抱有这种信赖与确信，就是这个问题在解决，是在前进而不是在停滞。另一方面对于我国人民来说，这个方面的社会舆论在逐渐形成"①。叶利钦提出的分阶段解决方案为：第一阶段，苏联公开承认日苏之间存在领土问题。第二阶段，宣布千岛群岛南部四岛为向日本开发的自由企业活动地区。第三阶段，岛上实行非军事化。第四阶段，苏联与日本缔结和平条约。第五阶段，经过 15—20 年实现上述四个阶段后，新一代政治家们，把各岛设置在苏日两国共同管理下，或者发表具有自由地位的独立宣言，或者把各岛引渡给日本方面，在三种方案中探索解决领土问题的方法。"叶利钦方案"不是设想经过 15—20 年把岛屿引渡给日本方面，但是在这一时期也不能排除在日本方面提出各种条件下解决问题的可能性。所以他认为如果把这些岛屿向日本方面引渡前，日本方面要向苏联方面让步缔结两国和平条约。但是，1990 年 8 月，作为俄罗斯联邦最高苏维埃主席的叶利钦视察千岛群岛时，遭到当地居民的强烈抗议。为此叶利钦发表讲话解释说"无论什么情况，在不久的将来千岛群岛必须是俄国领土。此后随着国际形势变化，新的政治家出现后，也许在 20—30 年后，这个问题如何解决很难做出预测"②。

上述两种主张都遭到坚持"传统"观点人们的猛烈批判。在苏联共产党第 27 次代表大会上，苏联共产党中央委员会国际部部长 V. 范林发表讲话，呼吁"广大党员、人民群众支持苏联西部及东部边境的不可侵犯"。1990 年 10 月，萨哈林州州长 V. 肖特罗夫发表讲话，指出包括库页岛及千岛群岛南部的各个岛屿，永远是俄罗斯不可分割的一部分。肖特罗夫提出自己的解决领土问题方案，他认为应该维持这些岛屿苏联所

① 国際シンポジゥム組織委員会編：《エリッィンの対日政策》，東京，人間の科学社，1992 年，第 306—307 頁。

②《日露関係の40 年》編輯委員会編：《日露関係の40 年——日ソ国交回復から[東京宣言]まで》，東京，日本・ロシア協会，平成八年，第 147 頁。

有，维持现有边境不变的同时，宣布把千岛群岛南部与北海道的一部分划分为日苏两国共同经济开发区。1989 年苏联有关部门对千岛群岛居民进行调查问卷，结果有 88.1%的人明确表示反对向日本引渡千岛群岛南部。① 1991 年 3 月 17 日，苏联再次就领土问题对千岛群岛居民进行调查，结果反对将四岛归还日本的人占比为 68.8%。② 这些调查说明，该地区绝大多群众反对将岛屿引渡给日本方面。

（四）日俄领土纠纷问题寻找相互妥协发展趋势的认识

通过上述论述可以看出，此时日本外相麻生太郎提议相互妥协方案解决日俄两国长期领土纠纷问题，绝不是孤立出现的。

首先，日本方面公开提出相互妥协解决方案，是两国长期在领土纠纷问题上对抗性发展的必然结果，同时也是两国主张相互妥协解决问题趋势发展的必然结果。日俄两国长期就领土纠纷问题对抗性发展，俄国方面企图利用强大政治、军事实力压迫日本方面让步，结果无法实现。同样日本企图利用俄国方面在经济、技术方面急于求助局面，迫使俄国方面能够在领土问题上做出让步，结果也无法实现。正是在这种相互对抗性发展毫无收效情况下，才能够产生出相互妥协解决领土纠纷的主张。相互妥协方案实际上是面对现实的考虑，是互惠双赢主张的体现。

众所周知，领土纠纷问题是日俄两国关系发展最大障碍，使得相邻两国长期处于对抗状态。日俄领土纠纷问题是两国长期争夺演变发展的结果，如何看待历史上领土纠纷问题，是向前看还是向后看？是考虑如何清算历史上陈年旧账，还是考虑如何求未来共同发展？是顽固坚持本国领土主张不放，还是在相互妥协中寻找更大的发展利益？另外，日

① アレクサンドル・パノ著、高橋実，佐藤利郎訳：《不信カラ信赖へ——北方领土交涉の内幕》，サィマル出版会，1992 年，第 161 頁。

② アレクサンドル・パノ著、高橋実，佐藤利郎訳：《不信カラ信赖へ——北方领土交涉の内幕》，サィマル出版会，1992 年，第 162 頁。

俄两国领土纠纷是因战争引发，战争手段是否能够真正解决领土纠纷问题？是否可能形成新的领土纠纷的起点问题，值得我们认真考虑。或许只有缓和、妥协、共同发展、相互获利，才是最终解决领土纠纷问题的选择。

其次，日俄两国在经济发展上具有极大的互补性，经济上互补性必然带来政治上相互妥协的发展趋势。俄国的远东及西伯利亚地区有丰富的自然资源，俄国是世界上唯一拥有全部已经发现各种自然资源的国家，而这种自然资源主要集中在其广阔无际的远东及西伯利亚地区。由于俄国自身经济发展有限，所以长期以来远东及西伯利亚地区一直是经济发展落后地区，不仅缺少人力资源投入，而且更缺少资金投入。该国在历史上曾经几度决心要开发，但是都没有如想象那样获取成功。日本作为俄国邻国，与俄国远东及西伯利亚地区隔海相望，特别是日本作为世界上第二大经济、技术强国，又是极度缺乏自然资源的国家，显然这种几乎近在咫尺的自然资源对其必定具有极大诱惑力。长期以来日本工商业界人士就是从本国经济发展目的出发呼吁改善与俄国关系，他们看到了俄国远东及西伯利亚地区丰富的自然资源，同时也看到开发该地区会带来巨额经济利益。正是强大的经济诱惑力，不断刺激着日本人的神经，使其不得不反复考虑如何在维护本国利益前提下，又能够获取这种经济利益。日本历届政府上台都提出要努力改善对俄关系，但是又不能够突破“一揽子”收回“北方四岛”的界限，双方关系发展屏障早就是十分清楚的问题。苏联解体后，日本曾寄托于叶利钦统治期间，俄国能够在日本强大的经济、技术实力面前，在“北方四岛”问题上做出让步，但是结果仍然是毫无收效。2000 年 3 月，普京当选俄罗斯总统后，普京总统以重振俄罗斯民族精神为号召，以维护国家主权、领土完整为重任，显然这种情况下俄罗斯很难在领土纠纷面前做出重大让步。另外，俄罗斯在普京统治下，出现国内政治稳定、经济缓慢回升、军事实力不断恢复的形势，特别是近年来国际石油市场价格高涨，俄罗斯获得大量外汇资金，使日本的投资诱惑力在不断降低。如何面对现实局面，是仍然坚持“一揽子"收回"北方四岛"政策不变,还是走相互妥协道路,求得共同发展,是日本领导人当前面对的难点,打破几十年坚持不变的政策需要极大的勇气!日本历届政府上台都提出努力改善对俄关系,但是目前为止还没有哪届政府勇于冲破界限。安倍晋三首相被称为是日本战后新生代人物真正掌权,是没有经历过战争的一代新人,他是否能够放眼往前看,不再纠缠于历史旧账,勇于打破两国几十年僵局,还需要我们认真观察。

最后,日本急于解决与俄国之间矛盾,有对抗中国发展势头,拉拢俄国限制中国发展的企图。90年代国际冷战结束后,随着两大阵营对抗性斗争结束,国际上经济竞争不断升温,日本这个靠国际冷战环境发展起来的经济大国越来越感到不适应。特别是看到中国的综合实力不断增强时,感到自己在东亚地区超级大国地位不断受到威胁,更感到心里不舒服!如不断鼓吹"中国威胁论",不断向欧盟提出坚持对中国武器禁运等,这显然是对中国发展设置障碍。另外,中国随着经济发展,能源问题日益凸显,中国成为世界石油消费大国,如何控制中国石油问题成为日本限制中国经济发展的突破口。在中国与俄罗斯就石油供应问题达成协议的情况下,日本以高额经济代价拉拢俄罗斯,企图将石油管线直接通往日本,给中国需求问题造成困难局面。在中国经济实力不断增强情况下,俄国远东及西伯利亚地区丰富的自然资源对中国也具有极大诱惑力,双方也具有极大的互补性,如果这种互补性形成发展势头,必将形成双方互惠的局面,这也是日本非常不希望出现的局面。所以日本急于突破日俄两国关系发展中的屏障,意图先于中国进入俄国远东及西伯利亚市场,形成日俄两国经济发展的紧密关系,限制中国发展。实际上,日本对待日俄纠纷问题采取"政经不可分"原则,而对待中日领土纠纷问题则采取"政经可分离"政策,即可以暂时搁置领土纠纷而发展两国经济关系。日本对待周边国家不同的领土对策,实际上反映出在维护国家利益前提下其有关领土对策不是一成不变的。如果日俄领土纠纷问题得到突破,必将带来东北亚地区形势的变化。

八、依靠美国：日本解决领土纠纷问题之路[①]

——论日本学者原贵美惠对东北亚领土纠纷问题的主要观点

自称日本“海外”学者的原贵美惠，近几年就东北亚地区各国领土纠纷问题，特别是日本与周边国家间领土纠纷问题，发表了许多研究成果并产生了一定影响。纵观其主张，与日本“本土”学者几乎没有区别，无非是换个角度，或者说更加隐蔽地寻找有利于日本的解决出路而已。关注日本学者有关日本与周边国家领土纠纷问题的观点，有利于我们全面认识该问题。

（一）关于“战后未解决诸问题”的背后

2005 年 6 月，原贵美惠所著《旧金山和平条约的盲点——亚太地区冷战和“战后未解决诸问题”》（溪水社 2005 年 6 月 10 日版）一书，将 1951 年 9 月 8 日签署的《旧金山对日媾和条约》中所涉及的全部对日领土问题逐一列举并加以分析。如（1）“朝鲜”处理——朝鲜半岛问题和独岛（竹岛）；（2）“台湾”处理——台湾海峡问题；（3）“千岛群岛”处理——北方领土问题；（4）密克罗西尼亚处理——“美国湖”；（5）南极；（6）“南沙及西沙群岛”处理——南海群岛纠纷；（7）“琉球”处理——冲绳和钓鱼岛问题。本书内容非常全面，将有关对日媾和条约所涉及领土处理问题进行全面分析，并且采用最新档案资料，可以说是该问题目前最翔实的研究成果。

原贵美惠在该书“序言”中所言：“第二次世界大战后，在亚太地区发生许多纠纷问题。其中包括朝鲜半岛和台湾海峡、日本和邻国间的北方领土、钓鱼岛、独岛（竹岛），以及南中国海的南沙、西沙群岛主权归属问

---

① 本节发表于《日本问题研究》2013 年 4 期。

题，该地区美军的存在，与该地区安全保障环境有深刻关系。现在个别问题处理方面，都是战后对日本处理，特别是 1951 年旧金山对日媾和条约所派生出来的。该条约规定了从千岛群岛到南极，从密克罗西尼亚群岛[①]到南沙群岛的广大地区的处理，但是都没有明确记载每个领土问题处理的严密范围和最终归属对象，成为模糊的内容。因此，在该地区残留下各种各样‘未解决诸问题’发生的种子。”[②]

原贵美惠在该书中指出，1951 年 9 月 8 日，美国主导下起草及有关国家签署的《旧金山对日媾和条约》，是造成至今亚太地区有关国家间领土纠纷的种子，即出现所谓“战后未解决诸问题”的主要原因。其采用同样套路分析所涉及问题，归结为从“雅尔塔构想”转变为“旧金山体制”，最终导致出现所谓“战后未解决诸问题”。即战后初期，美国方面基本按照战时与反法西斯同盟国之间达成的协定，对日战后处理采取“严格”限制措施，起草对日媾和条约草案，一方面严格限制日本，最大程度遏制日本恢复战前发展水平；另一方面，特别是在有关日本战后领土条款内容上，又比较详细、具体，甚至采用经度与纬度说明并附带地图。但是，自 1947 年 8 月，对苏遏制理论始作俑者、美国国务院政策策划室主任乔治·凯南(G. F. Kennan)，以国际冷战思维强烈批判美国国务院起草对日媾和条约草案，特别是 1948 年 3 月乔治·凯南亲自走访日本后，他明确提出美国的亚洲战略核心点应该为日本，要确保日本保留在西方资本主义阵营里。1949 年 11 月，美国驻日本盟军最高司令部政治顾问希博尔特(W. Sebald)提出意见书后，美国对日媾和条约草案主导方向出现明显转变，由对日媾和“严格”处理政策，转变为对日媾和“宽大”处理政策。

---

① 注：密克罗尼西亚位于北太平洋，属加罗林群岛。由雅浦群岛、波恩佩岛等 607 个岛屿组成。陆地面积 702 平方公里，现人口 11 万，英语为官方语言。16 世纪被西方航海家发现，19 世纪中期英、美、德先后在此设置贸易点。1885 年西班牙占领，1899 年西班牙转让德国，1914 年被日本占领，二战期间被美国占领。1947 年由联合国交美国托管，1979 年独立并且成立密克罗尼西亚联邦。

② 原贵美惠：《サンフランシスコ平和条約の盲点——アジア太平洋地域の冷戦と「戦後未解決の諸問題」》，広島，溪水社，平成 17 年，第 3 頁。

1950年5月18日，美国总统杜鲁门任命杜勒斯(J. F. Dulles)为国务卿顾问，负责主管处理对日媾和问题。杜勒斯不仅主导对日媾和条约草案内容简洁化，而且更重要的是一方面确定日本放弃有关领土，另一方面却对日本放弃有关领土不规定归属对象国，最终导致出现所谓“战后未解决诸问题”。

原贵美惠得出的结论为，所谓“战后未解决诸问题”的出现，是美国政府方面“故意”设置的“楔子”，目的就是要控制有关国家间关系发展，维护美国在亚太地区的战略利益。实际上，美国根据国际冷战思维，为维护本国在亚太地区的战略利益，改变对日政策问题，早已成为国内外学界众所周知的观点。

原贵美惠虽然自称“海外”日本学者，但并没有脱离一般日本学者所具有的局限性，书中明显表露出极力维护日本有关领土纠纷问题主张的立场。原贵美惠将日本与周边国家出现的领土纠纷问题，即所谓“战后未解决诸问题”出现原因完全归咎于美国冷战政策。日本政府战后对周边国家领土纠纷问题政策，对解决这些所谓“战后未解决诸问题”采取什么样政策，本书并没有接触到。日本与周边国家之间领土纠纷问题，首先应该说是双边关系问题，日本作为纠纷主要一方，竟然推卸责任而指责第三方美国？日本与周边国家领土纠纷，采取什么对策，最终还是由日本政府决定，而不是由美国政府决定的。1952年4月28日，《旧金山对日媾和条约》正式生效后，日本以主权国家地位与有关国家就领土纠纷问题进行交涉，日本在交涉中遵循美国对这些领土纠纷政策，是因为美国政策是符合日本的国家利益的，日美关系如何发展直接影响日本国家利益，所以日本才选择遵循美国对有关领土纠纷对策。例如，1955—1956年日苏交涉中，日本从“返还两岛”为最低线，转变为“返还四岛”为最低线，完全可以说明该问题。日本政府对苏领土纠纷对策，并非完全站在日苏关系、日苏领土纠纷问题本身考虑，而是注重考虑到日美关系及冲绳领土问题。同时，也考虑到日本国内要求最大程度收回丧失领土的普遍民族心理状态问题。所以，笔者认为所谓“战后未解决诸问题”出现，最根本原因是日本自身问题，其他因素皆为外来者，只起到影响作用。无论这一影响作用有多么大，最终决定权还是日本方面，这是毋庸置疑的！

原贵美惠将所谓“战后未解决诸问题”出现原因完全归咎于美国冷战政策，显然目的非常明确，就是告诫美国方面要勇于承担历史责任，要勇于加入该问题解决中，希望借用美国力量帮助日本赢得有关领土纠纷问题争夺的最后胜利，这是该书撰写的核心目的。

（二）多国框架内探讨解决

原贵美惠在该书中就亚太地区有关国家间领土纠纷问题解决的发展趋势，做了一定的分析。该书在“序言”部分指出，“如过去半个世纪的历史证明那样，仅在当事国间框架内不可能解决这些问题。本书的目的，就是要探寻这些共同起源的问题轨迹，超越现在当事国间框架，放置于多国间框架内探讨，探寻出解决的线索”①。原贵美惠在这里并没有解释为什么“仅在当事国间框架内不可能解决这些问题”，也没有解释为什么要“放置于多国间框架内探讨，探寻出解决的线索”。

但是，在本书出版后四年，原贵美惠在其主编的《[在外]日本研究者的视角看日本外交——现在、过去、未来》（论文集，藤原书店 2009 年 7 月 30 日版）中，对该观点做出一定答复。该论文集里，原贵美惠撰写了一篇题为《被分割的东亚和日本外交——从历史检讨中探寻诸问题解决方法》论文。原贵美惠认为：“有关这些问题，特别是领土纠纷，也许采用多国间框架多层线索是重要的，是过去所欠缺的。探索相互能够接受的条件，发现相互都能接受的解决是不可能的。多国间框架，在纠纷案件构成程序上，在两国间框架内不可能解决方法，在交涉过程中发现可能性机会很多。还有，‘向对方大幅度让步’，或‘交涉失败’，两国间交涉很

---

① 原貴美恵：《サンフランシスコ平和条約の盲点——アジア太平洋地域の冷戦と「戦後未解決の諸問題」》，広島，溪水社，平成 17 年，第 4 頁。

容易被国内做出‘输赢’的结论，当事国政府就要考虑保住面子。对于纠纷当事国，冷战时期固定下来的政策，也许有必要重新研究。可是，与这些问题起源同样，探索问题间关联或合作方面是有价值的。假设举例，制定北方领土、竹岛（独岛）、钓鱼岛或南中国海纠纷间的妥协方案。或者领土纠纷与其他‘未解决诸问题’的联系，进一步，这些问题与其他政治、经济、安全保障问题结合也许可能的。一个问题解决与其他问题解决相联系。现在多层次考虑，结合将来新出现课题可能性也是存在的。许许多多未探索的可能性也存在。”①

原贵美惠站在日本的角度考虑，确证日本在与周边国家领土纠纷问题上的立场几十年仍坚持没有改变，因为日本政府担心“两国间交涉很容易被国内做出‘输赢’的结论，当事国政府就要考虑保住面子”。例如，日本朝野上下最关注的日俄“北方领土”纠纷问题，日本政府采取“政经不可分”政策，几十年不变坚持“四岛返还”。日本在双边交涉中，不考虑如何妥协让步对策，而设想采取“多国间框架”内解决，无非就是希望借用外力向对方施压而已。实际上原贵美惠所提观点，日本政府早已实施过。历史事实证明，相互对抗无法解决问题，借用外力施压更是事与愿违，只能寻求相互都能接受的条件，走妥协道路。

原贵美惠提出的所谓“放置于多国间框架内探讨，探寻出解决的线索”，完全符合近来日本政府主张寻求国际力量帮助解决有关领土纠纷政策。自 90 年代国际冷战结束后，日本丧失了因国际冷战而获得的美国为首的西方社会大力扶植政策，致使日本经济长期处于低迷状态。伴随日本国家实力相对减弱，日本在处理有关双边关系问题时总爱寻求国际帮助，动辄提出构建所谓“国际包围圈”，特别是对待中日之间有关钓鱼岛纠纷、日俄之间有关“北方领土”纠纷问题。可是除了美国基于本国战略利益的小算盘偶尔对盟国日本表达一下援助之声，其他国家并不愿意卷入日本

① 原貴美惠編：《[在外]日本人研究者がみた日本外交——現在、過去、未来》，東京，藤原書店，2009 年，第 173 頁。

和中国、俄罗斯等周边国家的纠纷。所以，日本搞的所谓"国际包围圈"政策，往往仅为日本一厢情愿，最终结果是总是以日方失望告终。

(三) 奥兰群岛解决模式

在原贵美惠撰写的《被分割的东亚和日本外交——从历史检讨中探寻诸问题解决方法》一文中，他提出日俄"北方领土"纠纷问题可以采取奥兰群岛解决模式。

在该文最后部分，原贵美惠提议日俄"北方领土"纠纷问题解决，可以参考北欧地区奥兰群岛处理方式，即寄托国际社会组织裁决处理。奥兰群岛问题，是 1917 年芬兰从俄罗斯独立为契机引起的国际纠纷事件。奥兰群岛居民多数为瑞典裔人，他们希望能归属瑞典，瑞典也极力支持其拥有民族自决权，但是芬兰对此表示坚决拒绝。瑞芬两国因该事件导致关系紧张，为此英国出面委托刚成立不久的国际联盟负责处理。1921 年国际联盟理事会通过《芬兰奥兰群岛自治法》决议，其决定奥兰群岛主权归属芬兰，群岛居民享有高度自治权，公用语言为瑞典语，群岛为非武装、中立地带。1921 年《芬兰奥兰群岛自治法》决议实施后，经过 90 年历程至今各方面遵守，堪称解决国际纠纷典范。

原贵美惠认为，"日俄两国之间交涉已陷入死胡同，如充分考虑居民利益、权益的话，北方领土继续驻扎俄罗斯军队，探讨'采用多国间框架'、尊重居民的利益、'非武装化、中立化'是值得的。这里所说的北方领土'居民'，既要考虑到俄罗斯'现在居民'，也要考虑到日本'原来居民'、阿伊努人'最早居民'，与追溯历史上瑞典籍居民占多数的奥兰群岛相比，事情更加复杂化。但是，如该问题按照日本近年推动的'人类安全保障'思路处理的话，该政策对外具有说服力，另外也可以获得国内的支持与理解"①。针对两地具备的战略地位及地区安全保障问题，原贵美惠

① 原貴美惠編:《[在外]日本人研究者がみた日本外交——現在、過去、未来》，東京，藤原書店，2009 年，第 178 頁。

提出:"北方领土和奥兰群岛,各自处于太平洋与鄂霍次克海、波罗的海与波的尼斯湾出海口位置,具有战略地位重要性共同点。这些岛屿如敌对势力设置军事基地,不仅对于当事国,而且对于地区周边国家的安全保障都构成威胁。因此,与奥兰群岛情况同样,北方领土非武装化,不仅对日俄两国,而且对整个东亚地区和平与安全都会产生巨大影响。"①

笔者认为,原贵美惠就日俄"北方领土"问题解决,考虑到奥兰群岛问题处理案例,反映出作者仍然围绕"北方领土"问题解决,希望寄托"多国间框架"解决的设想。实际上两个国际纠纷事件,存在许多不同点。

(1) 两地所处性质不同。日俄"北方领土"问题是第二次世界大战所带来结果,战时同盟国主要三大国首脑已达成《雅尔塔协定》,将其割让给俄罗斯。无论日本如何否认其决定性,还是美国如何辩解其作用性,但是其存在是真实的,是无可否认的历史事实;奥兰群岛问题是芬兰刚从俄罗斯独立,群岛居民要求归属祖籍国而引发国内纠纷问题,不存在任何国际之间协定问题。

(2) 两地所处居民不同。"北方领土"由俄罗斯控制,岛屿居民完全是俄罗斯人;奥兰群岛虽由芬兰掌控,但居民主体为瑞典裔人,这是该事件的核心问题,也是"北方领土"问题无法比拟的。

(3) 两地所处国家等级不同,无论芬兰还是瑞典都属于欧洲北部小国,面对国际社会压力显然只能表现出无可奈何心态来接受国际裁决;"北方领土"问题,面对的是世界大国俄罗斯,国际社会对俄罗斯压力有限,另外更重要的是国际社会也不可能因"北方领土"问题而对俄罗斯施压,显然解决"北方领土"问题主动权在俄罗斯人手中。日本人希望通过国际裁决解决"北方领土"问题,但是俄罗斯人不同意,这也仅是日本人的梦想而已。

笔者认为,原贵美惠就日俄"北方领土"问题解决,考虑到奥兰群岛

① 原貴美惠編:《[在外]日本人研究者がみた日本外交——現在、過去、未来》,東京,藤原書店,2009年,第178頁。

问题处理案例，一方面反映出日本学者急切希望解决“北方领土”问题的心态；另一方面也反映作者缺乏现实性考虑，太过于天真烂漫的理想主义色彩！仅考虑其结果无限美好，却没有考虑其实现缺乏可行性问题！对于俄罗斯人，一是不可能接受国际社会对其控制下领土的裁决；二是更不可能接受让“北方四岛”原日本居民返回的要求，日本学者也许考虑如奥兰群岛那样，将“北方四岛”主体居民转换为日本人，缔造第二个奥兰群岛情景。实际上“北方四岛”问题，日俄双方争论焦点是主权问题，奥兰群岛不存在主权争论问题，如“北方四岛”归属俄罗斯方面，日本方面肯定不会接受。同样，俄罗斯既不可能承认日本拥有“北方四岛”主权，也不可能接受日本原岛民重新返回居住，这就是问题实质所在。

日本国内无法接受“北方领土”问题妥协现实。原贵美惠在论文中提出：对于解决有关领土纠纷问题，在双方交涉过程中，“‘向对方大幅度让步’，或‘交涉失败’，两国间交涉很容易被国内做出‘输赢’的结论，当事国政府就要考虑保住面子”①。原贵美惠站在日本国家的角度考虑有关领土纠纷问题，确实日本政府担心“两国间交涉很容易被国内做出‘输赢’的结论，当事国政府就要考虑保住面子”，所以日本与周边国家领土纠纷的立场几十年坚持不变。日本政府要“保住面子”，政府的“面子”实际上是社会舆论的反映，社会舆论则反映出民族心理状态。

（四）日本求助美国解决领土纠纷的民族心理

“北方领土”问题长期无法获得解决，特别经历做出各种各样努力后的今天，实际上任何日本人心里都非常清楚，不做出妥协根本无法解决“北方领土”问题，为何日本不敢面对现实做出妥协？应该探寻什么样民族心理作怪？

长期以来日本国内各政党、内阁以及他们操纵下的各种媒体势力，

① 原貴美惠編：《[在外]日本人研究者がみた日本外交——現在、過去、未来》，東京，藤原書店，2009年，第173頁。

从来不是面对“北方领土”现实情况，诱导国民应该如何思考符合实际，如何思考以最小代价换取更大利益问题，相反却表现出，如此搁置“北方领土”问题，对于日本国家及国民无所谓的态度。日本国家或国民不惧怕长期搁置“北方领土”问题，誓死同俄罗斯人对抗到底的心态！

更有甚者，日本国内各政党、内阁以及他们操纵下的各种媒体势力，面对无法解决“北方领土”问题的现实，竟然将其作为操纵国内政治选举的“道具”加以利用。例如，日本政府领导人多次出现乘坐飞机或军舰，进行所谓视察“北方四岛”活动，此举根本无助于问题解决，无非就是要借此诱导国内社会舆论，转移国内社会矛盾焦点问题。日本国内各政党、内阁以及他们操纵下的各种媒体势力，越是对有关领土纠纷问题显示出强硬态度，越能够赢得日本国内社会舆论支持，造成各届内阁绝对不敢改变已有对外强硬立场，即“要考虑保住面子”问题。实际上，“北方领土”问题成为日本政客手中的“道具”，为其换取大量选票。

日本社会为何会表现这样类似“歇斯底里”的社会舆论状态？说到底就是日本人内心深处挥之不去的“战败国”民族心态在作怪。日本自1945年8月15日宣布无条件投降后，这种战败事实就深深烙刻于每一位国民心田挥之不去！日本人不敢说“战败”，更不敢提“无条件投降”，而是采用“终战”一词来掩饰，日本人“投降日”变成了“终战日”。因为“战败”“无条件投降”已经沉重打击了日本民族心田，日本人希望越快将其忘怀越好，不敢刺激这一深深凝刻于民族心灵上的伤疤！这就是日本人对待过去的侵略历史问题，对内保持“沉默”姿态，对外保持“装聋作哑”姿态，企盼所有世上人们都能够伴随时间流逝而快速忘怀的心态！这种挥之不去的“战败”“无条件投降”心态，成为派生出战后日本民族主义的根源之一。为了重新树立日本民族信心，就要尽快忘怀“战败”“无条件投降”阴影，对内努力发展经济实力，对外努力收回战败投降所丧失的领土。

日本人将收回“北方四岛”问题，作为是否能够抹去“战败投降”遗迹的标志。日本人存在根深蒂固仇视俄罗斯民族情怀，指责俄罗斯人不遵守中立条约而对日开战，俄罗斯人仅参战一周就获取日本大片领土；指责俄罗斯人战后初期将50余万日本人强行带到西伯利亚寒流地带劳动改造，致使数万日本人在饥寒交迫中死于异国他乡；指责俄罗斯人不允许日本回到传统渔场作业，致使日本渔民被迫改变渔业区域而造成巨大损失；特别是指责俄罗斯非法占领日本固有领土，致使日本民族蒙受奇耻大辱。日本人这种根深蒂固的民族主义心理，决定了历届政府都不敢做出让步举措！对俄罗斯人妥协、让步，就会触及日本民族内心的深深伤痕。忍耐、坚持！就是日本民族对俄罗斯人的反抗！知不可为而为之！这就日本民族对待“北方领土”问题的心态！

借助外力探寻“北方领土”问题解决。原贵美惠提出“仅在当事国间框架内不可能解决，要探寻这些共同起源的问题轨迹，超越现在当事国间框架，放置于多国间框架内探讨，探寻出解决的线索”①。这一观点，实际上也是站在日本国家利益角度考虑的，日本深知仅凭本国能力无法实现本国在“北方领土”问题上所希望的结果，要想实现本国所希望出现的结果只有借助外力帮助。

实际上，原贵美惠撰写论文的主旨，就是要让美国人清楚，是美国主导下《旧金山对日媾和条约》派生出今天“未解决的诸问题”，导致出现日本“北方领土”“丧失”结果，美国不应熟视无睹！该有义务帮助解决！

日本对于“北方领土”问题解决，从当初就祈求美国插手帮助解决，希望借助美国插手帮助而收回“北方四岛”。如吉田茂时期，1950年3月初美国政府将“暂时备忘录”递交日本后，日本政府感到美国政府可能对将来日苏两国间领土问题采取不介入方针，所以极力试图劝说美国政府继续关注领土问题。1950年3月16日，日本政府把对这份“暂时备忘录”答复文件送到美国政府，劝说美国有关千岛群岛的最终归属“应由包

① 原貴美惠編：《[在外]日本人研究者がみた日本外交——現在、過去、未来》，東京，藤原書店，2009年，第173頁。

括日本在内的有关国家对千岛群岛的定义做出规定"。① 鸠山一郎内阁在1955—1956年日苏复交"北方领土"问题交涉中，当日苏交涉出现不利时，日本政府就两次致信于美国求助，希望获得美国提供有利证据来帮助日本扭转不利局面。美国对于日俄"北方领土"问题的对策如何？实际上，原贵美惠也十分清楚，美国制造出"未解决诸问题"，就是要在有关国家间打下"楔子"。美国完全出于本国战略利益考虑而采取对"北方领土"政策，为什么还要求助之？也许是出于无奈，又或是出于日本希望美国看在它追随美国这么多年的"情感"上，祈求美国帮助日本渡过此"关"的心态吧！

日本对于"北方领土"问题解决，也希望能够获得国际社会，特别是西方盟国的大力支持。例如，宫泽喜一时期，在美国方面支持下，1992年7月8日慕尼黑西方七国首脑会议政治宣言提出："我们欢迎俄罗斯宣布将依据法律和正义的原则推行外交政策。我们信任俄罗斯这样宣布，通过解决领土问题成为日俄关系完全正常化的基础。"②实际上，西方同盟国对于"北方领土"问题，也仅为冠冕堂皇地发表声明而已，绝不肯为该问题而得罪俄罗斯。

日本对于"北方领土"问题解决，还在国际社会大打"悲情牌"。日本利用各种机会，特别是利用每年一届的联合国大会时机，指责苏联即现在的俄罗斯是多么无理、非法地占领"北方领土"，日本多么受超级大国欺辱、侵略等。其目的非常明显，就是塑造日本正义、公正的化身，以此换取国际社会的广泛同情、理解，在国际社会舆论方面塑造出谴责俄罗斯气氛，以此对俄罗斯构成国际压力。但是，在国际社会，由于日本作为第二次世界大战发动者之一，其残酷侵略行径已经在国际社会留下太深刻印迹了，曾经遭受日本侵略的各国人民永远不会忘记日本人的残暴

① 田中孝彦：《日ソ国交回復の史的研究——戦後日ソ関係の起点：1945—1956》，東京，有斐閣，1993年，第30頁。

② 末澤畅二、茂田宏、川端一郎編：《日露（ソ連）基本文書・資料集》（改訂版），川崎、RPプリソティソゲ、平成15年（2003年），第529頁。

性，因此，日本在国际社会打出的“悲情牌”很难奏效。

笔者认为，原贵美惠的观点，实际上代表大多数日本学者对“北方领土”问题的认识，既感到“北方领土”问题解决的急迫性，又感到问题无法解决的无可奈何。历史事实证明，相互对抗无法解决“北方领土”问题，借用外力施压更是事与愿违，只能寻求相互都能接受的条件，走妥协道路。

九、日俄返还两岛与返还四岛之争①

近来有关媒体不断报道，俄罗斯领导人提出返还日本两岛，而日本对此表示反对，坚决要求返还四岛，日俄两国有关领土问题又一次引起世界舆论注意。实际上，我们从二战后两国关系发展历史来看，这不过是两国间再次重提以往争论的老调，并没有什么新意，但同时也反映出两国再次重视该问题，并试图寻找解决问题的途径。日俄领土问题何时解决，如何解决？这不仅关系到日俄两国关系发展，而且也影响着东北亚地区国际关系的变化。

（一）日苏有关领土问题的要求

日本所指的北方领土问题，实际上是指日本曾经占领并实施统治的库页岛南部与包括北方四岛的千岛群岛。日本所指的北方固有领土问题，是指“从来没有被外国人统治”的北方四岛，即齿舞群岛、色丹岛、国后岛、择捉岛。日本对俄罗斯的领土问题要求，在日本与苏联于二战后的1955年6月到1956年10月两国就恢复关系正常化的谈判中第一次全面提出。

1955年5月，日本鸠山一郎内阁为了迎接即将举行的日苏恢复关系正常化谈判，制定了日本谈判方针，即“训令十六号”。其中有关对苏联领土要求，“希望就下列各种悬案进行讨论”“(3)解决领土问题：①返还齿舞、色丹；②返还千岛群岛、库页岛南部”。在谈判重点问题上，“我方

① 本节发表于《日本研究论集2008》，天津人民出版社2008年版。

努力贯彻主张，特别是关于释放遣返被俘人员及返还齿舞、色丹，希望最后得到贯彻"[①]。可以看出，日本谈判方针是提出领土问题包括北方四岛在内的千岛群岛和库页岛，但是重点是要求返还齿舞、色丹两岛。

在1955年6月7日两国伦敦大使级第二轮正式谈判时，日本代表提出："齿舞、色丹，千岛群岛及库页岛南部，从历史上看是日本领土，应该就领土问题交换意见。"[②]这完全是按照"训令十六号"指令行事。苏联在谈判中的最初主张是，要求日本确认在《旧金山对日媾和条约》中已经宣布放弃库页岛南部及千岛群岛主权，承认苏联对该领土拥有主权。双方就有关领土问题形成激烈争论后，8月5日两国代表举行了非正式会谈，苏联代表追问日本代表，日本有关最低领土要求是什么？日本代表含糊回答说，首先齿舞群岛、色丹岛为北海道的一部分，这些岛屿应该在日本政府管辖下，其次是千岛群岛及库页岛南部，从历史背景考虑日本政府不能放弃。可以看出，日本代表的回答，在主张千岛群岛及库页岛南部返还上，使用历史背景为根据，比较暧昧，与主张返还齿舞群岛、色丹岛相比明显软弱。苏联判断，日本领土问题要求最低线是返还齿舞群岛和色丹岛。为了使谈判能够尽快结束，在8月9日第十轮正式谈判中，苏联代表宣布准备向日本返还齿舞群岛和色丹岛。在得知苏联准备返还齿舞群岛和色丹岛后，日本代表在8月16日第十一轮正式谈判中提出："(1)作为战争结果，苏联返还占领的日本领土。(2)上述领土内苏联驻军在条约缔结后90天内撤出。"在8月30日第十三轮正式谈判中，日本代表进一步解释说："(1)国后岛、择捉岛、色丹岛和齿舞群岛，在条约生效时完全恢复日本主权。(2)北纬50度以南的库页岛及千岛群岛，尽快举行包括苏联在内的同盟国家与日本交涉，决定归属。"[③]日本在领土问

① 田中孝彦：《日ソ国交回復の史的研究——戦後日ソ関係の起点：1945—1956》，東京，有斐閣，1993年，第96頁。

② 鹿岛和平研究所编：《日本外交主要文书・年表》(1)(1941—1960年)，原書房，1983年，第716頁。

③ 鹿岛和平研究所编：《日本外交主要文书・年表》(1)(1941—1960年)，原書房，1983年，第719—721頁。

题上的强硬立场，引起苏联极大反感。苏联代表指出："齿舞群岛和色丹岛无条件返还及撤军没有异议。"但是日本"要求召开国际会议，苏联是绝对不容忍的。""有关国后岛和择捉岛为千岛群岛的一部分是没有问题的，这些岛屿为苏联所拥有是明确的，是不允许否定的。"

在1952年9月8日签署的《旧金山对日媾和条约》中，第二条款(C)规定："日本放弃对千岛群岛及由于1905年朴次茅斯条约所获得主权的库页岛一部分及其附近岛屿的一切权利、权利根据和要求。"①但是日本认为，虽然日本宣布放弃上述领土主权，但是该条约中没有规定日本放弃的领土最后归属于哪个国家，而且苏联没有在该条约上签字，所以日本是否放弃上述领土问题与苏联无关。日本对苏联领土要求，是包括北方四岛在内的千岛群岛和库页岛南部地区，但是在要求强烈程度上，显然是要求北方四岛无条件返还，而其他领土问题可以通过国际会议来决定。苏联的主张是，可以返还齿舞群岛和色丹岛，但前提条件是日本要承认其他领土归苏联所有，坚决反对召开国际会议决定领土归属。

(二) 日苏有关返还两岛与四岛之争的形成

在8月9日第十轮正式谈判中，苏联代表宣布准备向日本返还齿舞群岛和色丹岛，同时也提出返还两岛的条件，即其他领土问题的归属日本要按照苏联主张执行，承认苏联对其他领土拥有主权。这反映出，苏联希望利用返还齿舞群岛和色丹岛来解决两国间有关领土问题之争。然而日本在得知苏联准备返还齿舞群岛和色丹岛后，便全力以赴争取苏联返还国后岛和择捉岛。日本提出的理由就是，国后岛和择捉岛不属于日本在《旧金山对日媾和条约》中宣布放弃的千岛群岛一部分。日本的依据是1875年日俄两国签署的《库页岛千岛群岛交换条约》。该条约规定日本以库页岛南部换取俄国的千岛群岛择捉岛以北的18个岛屿。或

---

① 鹿岛和平研究所编：《日本外交主要文书・年表》(1)(1941—1960年)，原書房，1983年，第420頁。

者说日本当年换取来的千岛群岛就不包括齿舞群岛、色丹岛、国后岛、择捉岛，所以苏联今天认定的千岛群岛范围也不应该包括上述四岛。苏联主张，从地理位置上看，上述四岛为千岛群岛南部是无可争议的，即使日本也主张把国后岛和择捉岛称为“南千岛”，仅把齿舞群岛和色丹岛认为是北海道一部分，而不属于千岛群岛。

1956 年 2 月 10 日，在伦敦日苏两国大使级谈判中，日本代表提出的方案似乎带有妥协性，即国后岛和择捉岛交由原岛上居民和平经营，苏联军舰和商船可以自由通行其附近海峡，在此条件下返还日本方面。但苏联对此给予否决。7 月 31 日，在莫斯科日苏两国外长级谈判中，日本外相重光葵进一步妥协提出，如果苏联把国后岛和择捉岛返还日本的话，日本可以承认苏联对千岛群岛中部、北部和库页岛南部拥有主权。① 这里显然是，日本采取放弃千岛群岛北部和库页岛南部主权来换取千岛群岛南部主权的战术。但是苏联自宣布返还齿舞群岛和色丹岛后，不再做出任何让步，并且宣布这是自己做出的最大让步。对于日本提出其他领土问题交由国际会议协商决定的主张，因苏联坚决反对，日本也不再坚持。日本主张所谓召开国际会议协商决定，实质上就是希望利用美国等西方国际力量压迫苏联在有关领土问题上让步。

在日苏两国恢复关系正常化过程中，双方在领土问题形成僵局的形势下，日本因此时急需解决遣返被俘人员、解决两国间渔业问题、结束两国战争状态、加入联合国、恢复两国外交关系等问题，使得当时日本首相鸠山一郎提出暂时搁置领土问题待日后谈判解决，先解决其他迫切问题的方案。② 鸠山一郎首相的主张得到苏联方面支持，于是促成了鸠山一郎首相访问苏联。在莫斯科两国首脑级谈判中，日本再次提出返还北方四岛问题，结果苏联以日本已经提出暂时搁置领土问题而反对，特别是

---

① 鹿岛和平研究所编：《日本外交主要文书·年表》(1)(1941—1960 年)，原書房，1983 年，第 773 頁。

② 鹿岛和平研究所编：《日本外交主要文书·年表》(1)(1941—1960 年)，原書房，1983 年，第 781—782 頁。

针对日本坚持返还四岛问题，苏联提出即使返还两岛也要等美国返还占领的日本领土后才予实施的新条件，迫使日本不得不让步。最后两国在1956年10月19日签署了《日苏联合宣言》，在有关领土问题的第9条款规定："日本国和苏维埃社会主义共和国联盟已经同意在重新建立日本国与苏维埃社会主义共和国之间正常外交关系后恢复缔结和约的谈判。苏维埃社会主义共和国联盟为了满足日本国的愿望和考虑到日本国的国家利益，同意将齿舞群岛和色丹岛移交给日本国，但是经谅解，即这些岛屿将在日本国与苏维埃社会主义共和国联盟之间的和约缔结后才实际移交日本国。"①

两国"正常外交关系后恢复缔结和约的谈判"，是日本主张，但是对于双方来说都知道再谈判的内容就是有关领土问题，但是有关领土问题的内容双方理解上存在分歧。日本认为所谓领土问题再谈判内容是指国后岛和择捉岛，而苏联认为所谓领土问题再谈判内容是指如何具体落实返还齿舞群岛和色丹岛。这样形成了日苏两国有关返还两岛与四岛之争。

（三）日苏有关返还两岛与四岛之争的发展

1956年10月日苏两国恢复外交关系后，双方关系发展还是比较正常的，但是1960年1月19日，日美两国在华盛顿签署了新《日美完全保障条约》后，苏联认为这是日本进一步投入美国为首的西方阵营，所以对日本展开强大攻势。这样引发了日苏两国在恢复外交关系后，第一次大规模有关返还两岛与四岛的争论。

1月27日，苏联外长葛罗米柯向日本驻苏大使门胁季光递交了苏联政府备忘录，指出："苏联对于日本缔结破坏远东和平结构，对苏日关系发展形成障碍的新军事同盟，不能采取默认措施。""苏联政府认为有必

---

① 鹿岛和平研究所编：《日本外交主要文书・年表》(1)(1941—1960年)，原書房，1983年，第784—786頁。

要特此声明，只要从日本领土上全部撤出外国军队及签署苏日和平条约，才能按 1956 年 10 月 19 日《日苏联合宣言》规定，将齿舞群岛和色丹岛引渡给日本。"为此 2 月 5 日，日本政府向苏联驻日大使费特列夫递交了日本政府备忘录，指出："日本政府对苏联政府就领土问题在联合宣言之外，又增加新条件，想要改变联合宣言内容的态度不予承认。我国不仅对齿舞群岛和色丹岛，而且对其他日本固有领土也坚决主张返还到底。"2 月 24 日，苏联再次向日本递交了备忘录，进一步指出："日本提出齿舞群岛和色丹岛之外领土要求是报复主义危险倾向，根据国际协定已经解决完了，是没有根据的领土要求。"这就是苏联方面提出的领土问题解决完了的观点。针对此，3 月 1 日，日本向苏联驻日大使费特列夫递交了备忘录，指出："领土问题没有解决，日本国民当然要求引渡国后岛和择捉岛。"①在这次争论中，苏联方面不仅坚决反对返还四岛，而且在返还两岛问题上又增加新条件，即要求从日本领土上全部撤出外国军队及签署苏日和平条约后才能够实施，除两岛外其他领土问题已经解决完毕。对此日本态度明确，坚决要求返还四岛，并坚决反对苏联单方面改变两国条约内容主张。

日苏两国第二次大规模有关返还两岛与四岛的争论，是在中美关系剧变后，特别是 1973 年日本首相田中角荣访问苏联时期。1971 年 7 月 15 日，中美两国同时宣布美国总统尼克松将在 1972 年访问中国。中美关系的变化，引起了苏联极大不安。1972 年 1 月，苏联外长葛罗米柯在取消了出席华沙条约组织首脑会议后紧急出访日本。当时苏联驻日大使托罗扬诺夫斯基在谈到葛罗米柯这次访日时说，"由于中美关系急剧接近，使得苏联不得不注意对日本政治关系恶化问题。葛罗米柯认为不进行这次访问，会使苏联在远东地区处于更加不利地位。为此葛罗米柯

① ボリス・スラビンスキー、菅野敏子訳、木村汎監修:《無知の代償——ソ連の対日政策》，東京，人間の科学社，1991 年，第 165—166 頁。

在非正式场合提到领土问题时，暗示日本可以返还齿舞群岛和色丹岛”①。但是日本方面对葛罗米柯的暗示不予理睬。苏联此时在两国领土问题上态度变化，不仅反映出在领土问题上的让步，而且也反映出其极力避免日本追随美国形成中日关系接近局面出现的意图。

1972年7月，力主恢复中日关系正常化的日本首相田中角荣上台后，9月实现了愿望，但是苏联方面并没有放弃拉拢日本的努力。苏联领导人勃列日涅夫在国庆50年纪念大会上发表讲话，指出“我们可以讨论所有问题，在相互都能接受上达成一致。日本方面如果表示同意交涉，肯定会获得期待成果”②。对于苏联的呼吁，日本认为解决北方四岛问题时机降临，于是田中角荣首相接受邀请访问苏联。在两国首脑会谈开始后，日本首相田中角荣直截了当地提出一揽子归还北方四岛要求。他指出：“现在日苏两国关系中有刺喉咙的骨头，如果不先把这块骨头拔掉，就不能建立真正信赖的关系。”然而苏联领导人勃列日涅夫却对此不予理睬，大谈西伯利亚开发问题，力图以该地区丰富资源开发来吸引日本。双方这种追求目标截然相反，只能是不欢而散。

日苏两国第三次大规模有关返还两岛与四岛的争论，是在苏联领导人戈尔巴乔夫上台后，特别是1991年戈尔巴乔夫访问日本前期准备及访日时期。1985年3月，苏联领导人戈尔巴乔夫上台后，在对内对外政策上推行改革，使苏联很快陷入各种危机中。为了转变这种危机局面，戈尔巴乔夫希望借用日本经济技术力量的帮助，然而日本却认为这是收回北方领土的好时机。这次争论的最大特点是苏联不再回避两国之间存在领土问题事实，而且两国国内都出现了社会舆论讨论解决该问题的局面。在日本国内，虽然占主流的观点仍然是传统的坚持苏联返还四岛，如1990年10月19日，日本首相海部俊树在国会发表讲话，强调日本

① ボリス・スラビンスキー、菅野敏子訳、木村汎監修：《無知の代償——ソ連の対日政策》，東京，人間の科学社，1991年，第191頁。

② ボリス・スラビンスキー、菅野敏子訳、木村汎監修：《無知の代償——ソ連の対日政策》，東京，人間の科学社，1991年，第192頁。

不接受仅返还两岛作为基础的领土问题解决方案，主张必须返还四岛。但是，日本国内也出现了不同声音，1990 年 3 月 20 日，日本《产经新闻》发表了采访自民党著名政治家金丸信的文章，金丸信说：“如果苏联表示准备返还岛屿，在达成一致问题上，返还四岛还是返还两岛，实际上意义是一样的。”同年 4 月 24 日，日本各大报刊发表金丸信就领土问题讲话，金丸信表示如果苏联准备返还两岛，我要是作为首相就努力实现所谓返还两岛。[①] 这表明，因领土问题长期得不到解决，在日本国内已经出现不再顽固坚持原来立场的倾向。

1991 年 4 月 16—19 日，戈尔巴乔夫作为苏联总统访问日本。虽然日方在接待上热情周到，但是在两国领土问题讨论上却针锋相对。在两国首脑会谈中，日本首相海部俊树指出：“北方四岛在历史上与日本有很深联系，其主权在日本已经十分明确。总统应该就 1956 年《日苏联合宣言》中有关领土问题条款，决定返还齿舞群岛和色丹岛。”对此戈尔巴乔夫答复说：“现在不行，很理解必须尽快解决，但是要认真谈判，因为这是重要问题。”苏联认为应该首先开展两国经济技术合作，创造出好环境后，自然就容易解决领土问题。海部俊树立即反驳说：“解决领土问题之后实行经济合作，我国这一方针不会改变。”[②]这次有关领土问题争论仍然没有结果，但是在两国最后发表的联合声明中，第一次公开明确记录了北方四岛的名称，表明苏联第一次公开承认两国之间存在齿舞群岛、色丹岛、国后岛、择捉岛的领土问题。对于日本来说，长期争取返还北方四岛问题已得到一定收获，但是承认存在问题离解决问题仍有很长距离。日苏两国在这种相互争论中，迎来了苏联解体。

---

① アレクサンドル・パノ著，高橋実、佐藤利郎訳：《不信カラ信頼へ——北方领土交渉の内幕》，サィマル出版会，1992 年，第 70 頁。

② NHK 日ソプロジエクト編：《こわがソ連の対日外交だ——秘録・北方領土交渉》，日本放送出版協会，1991 年，第 228 頁。

(四) 日俄有关返还两岛与四岛之争的现状

1991年12月25日,俄罗斯总统叶利钦从苏联总统戈尔巴乔夫手中接过象征性核按钮,成为克里姆林宫新主人,日苏关系转变为日俄关系。叶利钦在执政初期,推行亲欧美的"一边倒"的外交政策,日本又一次看到了收回北方四岛好时机。日本迅速向俄罗斯要求尽快返还北方四岛立场,并且把解决领土问题作为进行大规模经济合作的先决条件。1992年2月,叶利钦致信日本首相宫泽喜一郎,提出俄罗斯"决心本着法律与正义原则继续共同探讨包括领土问题在内的缔结俄日和约问题"。对此日本外务省认为,这是苏联时代从来没有使用过的表述,是"新的向前看的讲话"。同年5月,日本外相渡边美智雄访问莫斯科,双方举行包括领土问题在内的会谈。渡边美智雄表示,只要俄罗斯认为日本对北方四岛拥有主权,具体归还时间和方法都可以灵活处理。日本为了进一步推动该问题解决,同年6月,将北方四岛问题塞进了慕尼黑西方七国首脑会议发表的《政治宣言》中,企图使日俄领土问题国际化,借用西方七国力量压迫俄罗斯让步。结果是欲速则不达,此举激怒了俄罗斯,叶利钦立即宣布推迟访日活动。

1997年1月,日本桥本龙太郎内阁宣布调整对俄政策,放弃推行多年的"政经不可分"原则,实施所谓"多层次接触"方针。该方针虽然把解决领土问题放在首位,但解决领土问题却不再是唯一追求目标,而是谋求在其他领域平行取得进展过程中解决领土问题。日本对俄政策转变后,两国关系出现明显变化。1997年7月24日,桥本龙太郎提出"相互信赖、利益互惠、着眼未来"的对俄政策三原则,在领土问题上强调照顾"相互利益",本着"没有胜者与败者之分"的原则加以解决。11月叶利钦与桥本龙太郎举行非正式会晤,双方表示"力争在2000年前缔结和平条约"。1998年4月,两人再次举行会晤,重申在2000年前签署和平条约的意向。会谈中桥本首相提出在择捉岛与得抚岛间划分国境线方案。1998年11月,刚上任不久的小渊惠三首相正式访问莫斯科。在两国首脑会谈中，俄方提出将北方四岛建设为俄日共同管理的“免税经济开发区”，北方四岛“从法的角度归属俄罗斯管理，经济上归属日本管理”。日方对此表示在一年内予以答复。双方决定设立国界勘定委员会和经济合作委员会，原北方四岛居民可以自由访问北方四岛。正在日俄两国间关系发展不断升温之际，1999 年 12 月 31 日，叶利钦突然宣布辞去国家总统职务，随之日俄双方约定 2000 年前签署和约许诺也化为一场美梦。

继任者普京上台后，日本仍然表现出极大热情，实现了邀请普京访问日本，但是在两国领土问题上仍处于没有实质性进展的状态。普京大力推行振兴俄罗斯民族精神来摆脱目前国内外困难局面，使得俄罗斯国内经济有了一定发展，社会局面得到稳定。在对日政策上，普京虽然没有对叶利钦时期对日政策做出重大修改，但也没有采取重大措施推动对日关系发展，两国有关领土问题交涉仍处于持续状态。普京提倡俄罗斯民族精神，就要维护国家利益，维护国家领土完整及主权。如果普京在日俄领土问题上做出让步，必然会动摇了他提倡的俄罗斯民族精神核心。所以在目前局势下，普京不可能在领土问题上对日本做出让步。近来媒体报道俄罗斯方面准备返还两岛，实质上这是苏联就已经多次许诺的内容，毫无新的内容可谈。从整个日俄关系现状看，与原日苏关系没有发生实质性变化。虽然目前日俄间在社会制度、思想意识形态等方面的对立消除了，国际冷战大环境结束了，但是美国对俄挤压政策，如在欧洲不顾俄罗斯强烈反对坚持北约东扩政策，在亚太地区强化日美同盟关系等，使得俄罗斯感到外来压力并没有减少。虽然日本为了收回北方领土，也在不断变化手段赢得俄罗斯好感，但是不返还北方四岛就不进行经济技术援助的实质内容也并没有真正改变，所以日俄两个民族长期形成的积怨并没有真正减轻。历史发展证明，靠强硬政策不能使对方让步，如超级大国苏联靠政治和军事实力并没有使日本屈服，而经济技术大国日本靠经济技术援助要挟也没有使俄罗斯屈服。目前形势下使用武力解决问题，又是非现实考虑。现在两国对共同开发都产生一定认识，但是有关北方四岛的主权最终归属谁仍然是矛盾焦点。日方希望俄方承认自己对北方四岛拥有“潜在”主权，在此基础上两国进行共同开发，而俄方则希望日方承认自己对北方四岛的主权，在此基础上欢迎日本参加开发。领土问题仍是日俄两国关系发展的最大障碍，如果两国国内或者国外没有什么重大变化，即没有出现有利于解决该问题的局面，这种僵持局面还会持续下去。

第四章　日本对石油危机政策

1973年10月第四次中东战争爆发后，中东地区产油国家为打击以色列及其支持者，动用了手中的“石油武器”，在石油供应上，采取减产、提价、禁运等措施，与此同时开展石油资源国有化运动，引发了第一次石油危机。1978年底，石油出口大国伊朗，因国内爆发伊斯兰革命，造成其石油出口完全停顿。国际石油市场供求关系因此发生巨变，引发石油价格迅速上涨，第二次石油危机爆发。先后两次大规模石油危机的爆发，给资本主义世界的经济以及政治体系带来巨大冲击，日本不仅被迫转变对中东政策，而且也被迫采取了能源调整对策。

日本作为太平洋沿岸的岛国，国内不仅严重缺少各种资源，而且市场窄小，故自1968年明治维新发展资本主义经济后，便确立了走“贸易立国”之路。但是，日本真正走上“贸易立国”之路，是20世纪50年代中期以后，国内主要产业结构面向国际大市场，围绕出口创汇来确立产业发展方向，形成以进口原料、能源，进行加工制造，再转向国际大市场推销的，以加工制造业为主体的产业结构。50年代中期起，日本经济高速度发展的基础建立在石油之上，即大量进口中东地区石油。据统计，1963—1972年，日本进口中东地区石油占其全部进口额的年均86.8%。当时的中东地区石油，一方面被西方石油公司掌握，保证了对日本的稳定、充分供应;另一方面,在西方石油公司操纵下,国际石油市场价格长期徘徊在每桶原油为1.5—2美元的极低价位间。在低廉、充足的中东地区石油供应前提下,日本确立了以重、化学工业为龙头,带动整个经济腾飞的产业结构。

但是石油危机爆发后,打破了日本这种长期形成的经济高速度发展局面。在第一次石油危机中,日本被迫转变中东政策,推出以确保中东地区石油对日本平稳供应为核心的,带有独立性的,政治、经济、文化三位一体,全面加强与中东地区国家关系的“亲阿拉伯”政策。日本的“亲阿拉伯”政策,对于稳定日本经济起了重要作用。

一、论20世纪70—80年代日本的石油危机对策①

石油作为现代经济发展的主要能源,其供应如何不仅直接影响各国经济发展,而且也影响着各国政权稳定。众所周知,丰富、廉价的中东石油是日本经济腾飞的主要能源基础,也是中东产油国家的核心物质基础。为了维护国家和民族利益,中东产油国起来打破旧日西方列强国家确立的不合理框架,这就是日本及西方工业化国家所谓的“石油危机”。下面就日本对石油危机所采取的一系列对策进行粗略论述。

(一) 稳住石油供应

1973年10月6日第四次中东战争爆发,为更有效地打击以色列及其支持者,阿拉伯产油国家动用了石油武器。在石油供应上,采取减产、提价、限制、禁运等措施,与此同时开展石油资源国有化运动,引发第一次石油危机爆发。

面对突如其来的举动,日本急忙表明自己的“中立”态度,以求稳定石油供应。然而阿拉伯国家在不断失败之后,已经认识到日本等西方国

① 本节发表于《世界历史》2003年1期。

家的中立态度实际上起到坐视强者欺压弱者的作用。对于阿拉伯国家来说，阿以冲突双方就实力而言，表面上看阿拉伯国家人多、地广，实力强大，但是以色列有美国等西方国家的支持，使双方实力对比发生转化。为了改变这种双方实力对比的差距，阿拉伯国家需要日本和西方国家一方面对以色列施加压力，迫使其撤出占领的阿拉伯土地；另一方面还要对美国施加压力，迫使其放弃支持以色列扩张的政策。这就是阿拉伯产油国把石油作为武器对准日本等西方"中立"国家的原因。

1973年10月16日，阿拉伯产油国决定将油价由每桶3.01美元，提高到5.12美元，一举上涨70%。10月17日，阿拉伯石油输出国组织宣布，立即减产，以9月份各成员国产量为基准逐月递减5%，直到以色列撤出1967年战争中所占领的土地，巴勒斯坦人恢复合法权利为止。10月18日，阿拉伯主要产油国先后宣布中断向美国出口石油。

针对日本，10月19日，阿拉伯各国驻日本大使集体约见日本外相大平正芳，向日本方面递交了要求支持阿拉伯国家正义事业的备忘录，同时对日本现行的中东政策表示强烈的不满。当天，科威特驻日本大使阿鲁·古什伊对日本《每日新闻》报发表谈话，指出："日本如果明确对中东战争的态度，可以确保石油安全供应。"①10月22日，阿拉伯石油输出国组织决定实施"分隔作战"，即宣布在两周时间内，把所需中东石油的国家划分为"友好、中立、敌对"三个类别，在石油供应上分别采取"正常、限制、禁止"措施。10月24日日本的最大石油供应国沙特阿拉伯宣布削减对日本石油供应10%。10月25日自顾不暇的五家美国石油公司通知日本，削减对日本石油供应10%。② 10月26日在西方工业化国家的经济合作与发展组织（OECD）召开的紧急石油对策会议上传来确切的情报，阿拉伯石油输出国组织已经把日本列为"中立"国家之类别，即将受到中东产油国的石油供应的限制。

---

① 近代日本研究会编：《日本外交の危機認識》，東京，山川出版社，1985年，第311頁。

② 渡辺昭夫：《戦後日本の対外政策》，東京，有斐閣選书，昭和60年，第70頁。

日本对中东政策的核心是确保中东石油的正常供应，中东石油是日本经济发展的主要能源，其限制供应必然限制了日本经济发展，而且这种限制的力度仍然在不断加大。11 月 5 日阿拉伯石油输出国组织决定再次大幅度减产，以 9 月份各国产量为基准，立即减产 25%，进入 12 月份后，再以 11 月份产量为基准减产 5%，此后继续执行 10 月 17 日逐月减产 5%的决定。

突如其来的石油危机使日本国内经济出现混乱。从 10 月起，人民生活必需品被抢购一空，据统计，11 月份的人民生活必需品的价格比去年同期上涨了 1.4 倍。① 11 月 16 日，日本内阁决定六项石油紧急对策纲要，通过行政指导对石油供应和电力使用进行限制。12 月 7 日，内阁通过《石油供应合理化法》和《稳定国民生产紧急措施法》，并获得国会的批准。前者规定，为了保证在紧急时期的石油供应，对石油的使用加以限制；后者则通过对与日常生活有关的物资设定标准价格等，防止抬高物价，稳定国民生活。②

制止国内经济混乱，关键是恢复中东石油的正常供应，然而要想实现中东石油正常供应，必须改变日本现行对中东政策。对此日本政府内部存在争论。11 月 1 日，中曾根通产相拜会田中角荣首相，中曾根讲："我国应该对阿拉伯国家关于领土的主张给予充分的理解，有必要采取具体行动，支持以色列从占领土地上撤出的 1967 年联合国安理会第 242 号决议。"③中曾根没有对"具体行动"的内容给予说明，但是他进一步解释说，以前西方石油公司控制石油的时代已经结束，今后唱主角的是中东产油国家，应该以石油危机为契机，积极推行改善与中东产油国家关系的对策。然而以大平正芳为首的外务省则认为，日美同盟关系是日本外交的基石，如果日本政府稍微实行靠近阿拉伯国家的政策，就会给日美关系带来恶劣的影响。从日本通产省和外务省的争论来看，这实际上

① 植松忠博：《日本の選択——国際国家への道》，東京，同文舘，平成二年，第 134 頁。
② 冯瑞云：《近代日本国家发展战略》，吉林大学出版社，1991 年版，第 238 页。
③ 宝利尚一：《日本の中東外交》，東京，教育社，1980 年，第 20 頁。

是国家经济安全保障利益为重，还是日美同盟关系的政治、军事利益为重的矛盾。二战后的日美同盟关系实际上成了日本的巨大保护伞，正是在美国的保护下日本经济得以迅速发展。但是随着日本经济实力的增强，特别是1968年日本成为资本主义世界第二大经济强国后，日本是否继续维护日美同盟关系而甘愿冒国家经济安全保障的风险，就成了国内争论的焦点。强大的经济实力必然为政治地位提高打下基础，也为根据自身利益作出新的抉择提供了保证。日本通产省就是这种主张的代表。但是在"冷战"的大环境下，日本对外政策仍受到日美同盟关系的制约，需要美国在政治、军事上的保护。日本外务省就是这种主张的代表。外务省认为，目前要看美国为解决中东地区冲突所作的努力，暂时不将日本的对中东政策大幅度转到倾向阿拉伯国家一边。

在等待美国方面的努力同时，11月7日日本外务省决定，派遣原驻沙特大使田中秀穗、外务省阿拉伯问题专家森本圭两人，以"民间人士"身份前往日本最大的石油进口国沙特阿拉伯进行访问，探询具体要求内容。结果具体要求内容为：（一）谴责以色列继续占领阿拉伯国家领土。（二）要求以色列立即从1967年第三次中东战争中所占领的土地上撤出。（三）支持恢复巴勒斯坦人的合法权利。（四）必须表明如果以色列继续占领阿拉伯国家领土不撤，巴勒斯坦人的合法权利继续受到侵害，将要研究与以色列的关系。①

在阿以冲突中，美国是以色列的后台老板，然而中东石油禁运，已经使美国自顾不暇，石油进口每天约减少200万桶，政府被迫宣布全国处于"紧急状态"。美国曾试图以武力占领油田来恫吓，但是阿拉伯产油国严正警告，如果美国胆敢入侵，将立即炸毁油井及有关设施，彻底摧毁美国在中东地区的全部石油利益，使其不敢贸然动手。

11月14—16日，美国国务卿基辛格来到东京，目的就是劝说日本仍然坚持中立态度。基辛格先后与大平外相、田中首相举行会谈。基辛格

---

① 近代日本研究会编：《日本外交の危機認識》，東京，山川出版社，1985年，第315—316頁。

讲，日本应该“采取自重的行动”[1]，不要给美国的外交努力带来不良的影响。美国、欧洲及日本，为解决石油问题，应该采取慎重的团结一致的行动。日本则辩解说，在此前采取了“自重”的行动，但是现在国内外的形势发生了巨大变化。日本与美国这样的产油国家不同，由于中东产油国的石油供应削减政策，使产业经济结构不得不改变，这是社会的、政治的重大问题，作为日本政府“已被逼到无路可行的困境”。[2] 对此基辛格劝说，阿拉伯国家的石油战略不会持续太久，需要有忍耐性，一定会解决的。田中首相进一步提出，日本政府可以按美国提出的路线走，但是这样一来必然会招致阿拉伯国家的敌意。如果出现石油禁运的局面，美国是否会填补这个缺口呢？基辛格立即对此给予拒绝。

美国政府对石油危机表现出的无能为力，促使日本政府不得不认真思考自己的对策。然而欧共体国家对中东政策的转变，为日本的抉择起到了榜样的作用。欧共体绝大多数国家，不仅拒绝参与美国极力策划的共同抵制石油危机的计划，而且对美国支持以色列政策也给予拒绝合作。11 月 18 日，阿拉伯石油输出国组织作出决定，宣布取消除荷兰外的欧共体各国 12 月份石油供应削减 5%限度的措施。

在这种形势下，日本政府为了恢复中东石油正常供应，只好选择既要尽力减少得罪美国，又要靠拢阿拉伯国家的对策。11 月 22 日，日本内阁官房长官二阶堂进代表政府发表谈话，第一次明确表示支持阿拉伯国家的正义要求，特别指出“日本政府在不断注视着中东地区形势变化的同时，根据形势的发展，再研究对以色列的政策问题”[3]。

二阶堂进的谈话，基本满足了阿拉伯国家提出的要求，标志日本开始转变对中东政策。对此阿拉伯国家表示肯定的态度，11 月 28 日阿盟首脑会议决定，取消原定 12 月份对日本追加削减石油供应 5%的限制，但并没有立即承认其为“友好”国家。12 月 7 日，沙特阿拉伯石油大臣亚

---

① 永野信利：《日本外交省研究》，上海译文出版社，1979 年版，第 255 页。
② 近代日本研究会编：《日本外交の危機認識》，東京，山川出版社，1985 年，第 318 頁。
③ 宝利尚一：《日本の中東外交》，東京，教育社，1980 年，第 26 頁。

马尼在会见记者时公开指出，日本政府受宪法制约而不能向阿拉伯国家提供武器，但是与以色列断交必须有“具体措施”。日本与以色列断交必然影响日美同盟关系，日本是不会接受的。为了进一步缓和阿拉伯国家对日态度，日本政府决定紧急派遣副首相三木武夫为特使出访中东。12月10—18日，三木特使先后访问阿联酋、沙特、埃及、卡塔尔、科威特、叙利亚、伊朗、伊拉克八国。三木副首相除向有关国家领导人解释转变后的日本对中东政策外，主要与上述中东国家签订了一系列经济技术援助协议书。据统计，在这次石油危机中，日本政府先后答应向中东有关国家提供各种贷款达30亿美元。①

随着中东地区形势转变，石油危机趋向缓和，鉴于日本政府对中东政策转变，特别是能够主动向阿拉伯国家提供巨额经济技术援助。12月25日，阿拉伯石油输出国组织作出决定，给予日本以“友好”国家的待遇，这标志着日本摆脱了第一次石油危机的打击，恢复了中东石油的正常供应。此后日本政府长期坚持所谓“亲阿拉伯”的中东政策，从政治、经济、文化等方面加强与中东国家，特别是中东产油国家的关系，目的就是确保中东石油平稳供应给日本。

自50年代中期起，日本实施以重、化学工业为龙头带动整个经济腾飞战略，使经济进入高速发展时期，其主要能源就是中东石油。据统计，到1974年，日本的一次性能源消费中，石油占74.4%，而在1963—1972年，日本进口中东石油占其全部进口额的年均86.8%。② 日本对中东石油有如此巨大的依赖性，决定其必须转变对中东政策，以求得中东石油的稳定正常供应。

(二) 开展国际合作

在稳定中东石油供应的前提下，要想进一步防止石油危机发生，参

① 渡辺昭夫：《戦後日本の対外政策》，東京，有斐閣選书，昭和60年，第169頁。

② 日本亚太研究会编：《中東め政治情勢と日本め選択》，亚太研究会出版，昭和50年，第166—168頁。

与国际合作就显得更加主动并且十分重要。日本参与国际合作，一是与西方工业化国家协调共同抵制措施；二是扩大开展从中东地区以外产油国进口石油渠道，以减少对中东石油的依赖程度。

在第一次石油危机中，美国就极力主张西方石油消费大国采取共同行动抵制产油国的斗争。1973 年 12 月 12 日，基辛格呼吁设立“能源调整中心”，要求日本、西欧等盟国相互协调采取一致行动。但是日本及西欧盟国却采取了静观态度，因为皆怕设置此机构，会刺激阿拉伯产油国而遭到更大的报复。

随着石油危机呈现缓解趋势，1974 年 1 月 9 日基辛格再次发出呼吁，日本与西方盟国马上表示接受美国邀请参加会议。日本此时参加国际协商活动的主要原因为：政治上出于日美特殊关系的考虑，不愿因石油危机问题而过分引起美国的不满。经济上的原因为，此时石油危机已由初期石油供应量限制，转变为石油价格上涨，需要主要消费大国协商对策。

1974 年 2 月 11—13 日，在美国首都华盛顿举行石油消费国会议，日、美、英、法、西德、意等 13 个国家代表出席会议。会议再次围绕基辛格提出设立“能源调整中心”组织问题出现争论。法国表示反对，其外长若贝尔指出：“美国是半个产油国，在对进口石油的依赖上与消费国之间有区别，日本与法国才是真正的消费国。”①但是，日本却在法美之间采取协调方针，在大平外相的活动下，法国最终作出让步，会议决定设立“能源调整中心”组织。会议还决定在紧急状态，石油供应出现严重不足情况下，消费国实施分配制度。另外，作为没有国际石油资本的消费大国，有权从国际石油公司方面获得有关情报。这些都是日本所要解决的难题。日本认为在第一次石油危机时，正是因为美国不能确保补充自己缺少的石油供应差额，又缺少准确石油危机情报才导致被动局面。

1979 年 6 月 28 日，在东京举行西方七国首脑会议，因第二次石油危

① 山村喜晴：《战后日本外交史》5 卷，三省堂，1984 年，第 230 页。

机爆发，会议再次以石油问题为中心议题。石油危机再次袭来，使西方国家感到有必要联合采取行动。会议经过秘密讨论，确立不同国家限制进口石油的数额与今后五年内的限制目标。会议确立限制目标如表4-1所示。①

表4-1　各国进口石油控制目标　（日、万桶）

年限	日本	美国	加拿大	法国	西德	英国	意大利	欧共体
1977	538	881	27	223	271	106	191	960
1978	523	827	23	223	281	83	189	950
1979	540	850	15					1 000
1980	540	850	15	220	280	80	190	950
1985	630—690	850	60	220	280	80	190	950

从表4-1中可以看出，多数国家到1985年基本控制在1978年水准，而日本则明显超出。

日本坚持自己为完全石油进口大国，需要在计划中得到宽松的限制。西方国家采取压缩石油消费数额的对策，无疑是对中东产油国实施石油提价战略的抵制，而日本又获得相对宽松的限制，有利于其经济发展。日本参与西方国家共同抵制产油国家的石油战略，对转变国际石油市场的供求关系起了一定作用。

如果说稳定中东石油供应是日本解决石油危机的急切对策，那么尽力减少对中东石油的依赖程度便是较长期对策，而且更加艰难。自第一次石油危机后，国际石油市场价格保持高价位，但是相对平稳。1978年底伊朗爆发了伊斯兰革命后，石油出口大国伊朗突然停止石油出口，引起国际石油市场供求关系短暂发生变化，引发第二次石油危机。1980年9月两伊爆发战争后，国际石油市场价格一路高攀。1979年石油每桶价格为14.55美元，到了1981年1月竟高达36—40美元。然而市场经济

① 山村喜晴：《战后日本外交史》5卷，三省堂，1984年，第245页。

运作绝非产油国一厢情愿所能为，过高的价格致使消费国难以承受，纷纷减少石油进口。而过高的石油价格，也促使非欧佩克组织成员的产油国家加快石油开采，其大量向国际石油市场抛售石油，不仅填补了国际石油市场的空缺，而且造成了供大于求的状况。最终造成国际市场石油价格转向逆势，一路下滑。1981 年 10 月石油每桶价格为 34 美元，1983 年 3 月降为 29 美元，1985 年 3 月降为 25.85 美元，1986 年 3 月跌致 11.51美元。1986 年以后，油价大致在每桶 14—18 美元间波动。

以石油价格剧烈波动为标志的第二次石油危机，虽然持续时间并不算长，但是却引发了二战后最严重的全球性经济危机。日本在确保中东石油稳定供应的前提下，极力寻找尽量减少对中东石油依赖程度的办法。日本所采取的手段包括，开发利用替代石油的新能源如核能、太阳能等，扩大水力、地热等能源利用，恢复已经被淘汰的煤炭能源。在国际上扩大石油进口新来源，增加从亚太地区的印度尼西亚、中国、文莱等国进口石油，并计划与苏联共同开发苏联远东地区油田。

1974 年 1 月，田中首相在国会发表施政演说中指出，“为确保资源的稳定供应和来源的多元化而锐意努力”①。1974 年 1 月，日本与印度尼西亚两国签订协议，日本向印度尼西亚提供 2 亿美元的日元贷款，用于购买日本的天然气成套设备，开发印度尼西亚的苏门答腊北部和加里曼丹东部的油气田。按协议规定，从 1977 年投产开始，每年向日本出口 750 万吨天然气。1974 年日本从印度尼西亚、马来西亚进口石油款额分别为 45.72 亿美元和 9.79 亿美元，比前一年分别猛增了 106%和 26%。② 1975 年日本从美国的阿拉斯加进口天然气达 96 万吨，从文莱进口天然气达 510 万吨。

1974 年 3 月，苏联主动向日本提出联合开发秋明油田的建议，要求日本提供相当于 24 亿卢布的资金信贷，并且预定从 1981 年开始向日本

① 王泰平：《田中角荣》，浙江人民出版社，1989 年版，第 270 页。
② 冯昭奎：《战后日本外交》，中国社会科学出版社，1996 年版，第 457 页。

每年提供500万吨原油，以后逐年增加，至2000年总计提供4.5亿吨原油，以作为交换。但是，日本出于安全考虑以及运输成本过高等原因，对苏联提议采取了回避态度。1974年4月，日苏两国就合作勘探与开发萨哈林海底大陆架石油达成了一致意见，但在日本如何提供信贷，苏联怎样偿还，设备供应和产品分配等具体问题上未能求得共识。1974年10月，日本成立了“萨哈林石油合作开发株式会社”，专门承担对萨哈林石油合作开发事业。1974年6月，日苏两国就合作开发苏联南雅库特煤矿达成协议，规定从1979年至1998年的16年间，苏联向日本提供总计为8 440万吨南雅库特煤。① 同月，围绕西伯利亚天然气开发问题，日本联合美国，与苏联共同签署三国谈判备忘录，即由日美两国向苏联提供资金信贷、机械设备等，苏联开发出天然气后，在25年内分别每年向日美两国提供100亿立方米的天然气。② 1977年9月，日苏两国第7次经济联合委员会发表共同声明，指出在萨哈林地区联合勘探石油和天然气，尽快促成对西伯利亚天然气的民间联合开发。但是，出于各种原因，日本参与西伯利亚的资源与能源开发一直没有大的突破。尽管如此，石油危机后日本从苏联进口石油、煤炭及木材等均有明显增加。

第一次石油危机后，日本从中国进口的石油、煤炭也有增加，1976年从中国进口的石油占日本进口石油总额的2.6%。③ 1978年9月，河本通产相访问中国时，双方就合作开发油田、煤炭等经济问题磋商。河本通产相回国后表示，准备对中国的石油与煤炭开发给予资金合作，向中国提供贷款，中国以提供原油的形式偿还。第二次石油危机爆发后，日本更急于实现与中国的合作开发，1979年12月，中日两国签订议定书，在中国渤海南部和西部海域，合作开发海底石油和天然气。按规定，在勘探阶段由日方提供1亿—2亿美元的勘探资金；在开发阶段，中方出资为5.2亿美元，日方出资为5亿美元，双方出资比例为51∶49。中方出资

① 冯昭奎：《战后日本外交》，中国社会科学出版社，1996年版，第458页。

②《日本经济问题文集》，中国财政经济出版社，1979年版，第121页。

③《日本经济问题文集》，中国财政经济出版社，1979年版，第121页。

的绝大部分(5亿美元),由日本输出入银行提供相等数额的日元贷款来解决。油田投产后,以每年产量的42.5%为上限提供给日方,作为日方投资的回报。①

为了减少对中东石油的依赖程度,1983年11月,日本通产省、综合能源调查会发表了《长期能源供应预测》,我们根据此把各种能源所占的比率制成表4-2如下。②

表4-2 长期能源需求预测构成比率 (%)

项 目	1982年	1990年	1995年	2000年
能源需求量	3.88亿千瓦	4.6亿千瓦	5.3亿千瓦	6亿千瓦
煤炭	18.5	17.5	18	20
核能	6.9	10.8	14	16
天然气	7	12.1	12	11
水力	5.4	5	5	5
地热资源	0.1	0.3	1	1
新燃料油新能源	0.2	1.7	4	6—9
石油	61.9	52.5	48	42

从上表中可以看出,石油在日本能源的发展规划中,是呈现大幅度下降趋势的。而新燃料油、新能源是未来发展的方向,其包括太阳能、油砂、油页岩、酒精燃料、煤液化油、木炭等。再一个发展方向是核能,1982年日本拥有核能发电能力为1 717.7万千瓦,占日本总发电量的17.6%。煤炭发电本来是被石油发电替代的,可现在又因为依赖石油的可靠性出现威胁而不得不重新拾起。

日本减少对中东石油依赖程度的努力,经过几年后明显见效,如表4-3所示。③

① 林连德:《当代中日贸易关系史》,中国对外经济贸易出版社,1990年版,第175页。
② 日本中東經済研究所編:《中東石油と世界危機》,每日新聞社,昭和54年,第12頁。
③ 日本中東經済研究所:《中東經済》特别号,1983年71期,1988年117期。

表 4-3　日本对中东石油进口状况　(1 000 b/d)

年　限	进口额	占总进口比(%)	年　限	进口额	占总进口比(%)
1975	3 610	79.5	1982	2 619	71.7
1976	3 703	80.2	1983	2 561	71.8
1977	3 765	78.5	1984	2 591	70.7
1978	3 660	78.5	1985	2 405	71.2
1979	3 710	75.8	1986	2 246	69.0
1980	3 267	74.5	1987	2 165	68.0
1981	2 756	70.3			

从表 4-3 中可以看出，在 1975—1987 年，日本对中东石油进口，无论是进口数额，还是所占日本全年进口石油总额的比例，都呈现明显下降趋势。但是，解决石油危机问题绝非一朝一夕就能完成。只要日本经济摆脱不了依赖石油，能源结构摆脱不了以依赖石油为主的框架，其自身又无法提供石油，这种石油危机就无法真正摆脱。另外，核能、煤炭、天然气等已有的能源，生物能、太阳能、煤炭液化等新能源，都存在着各种问题。例如，核能存在安全问题；煤炭存在环保、运输、储存等问题。更重要的是，这些能源的经济成本都高于石油作为能源的价格，这决定了日本很难在短期内用其代替石油作为能源结构的主体。这就决定了日本只能在石油节约、挖效上投入力量。

(三) 调整国内主要产业结构

如果说稳定石油供应与开展国际合作是对外政策，那么调整国内主要产业结构就是对内政策，而且是解决石油危机根本所在。在第一次石油危机爆发后，日本产业界部门之间明显出现差异。整个制造业中，原材料型产业相对衰落，而装配加工型产业则得到顺利发展。这里所指的原材料型产业为钢铁、有色金属、金属产品、化学、纺织、造纸业等，是主要生产工业用原材料的产业；所指的装配加工型产业为民用、工业用的最终产品，如电器机械、一般机械、运输机械、精密仪器等制造产业。造成生产部门出现这种差异的主要原因，就是其所需要的能源负荷的差异。

产品在使用阶段，其能源负荷的主要差异并不作为很重要的决定因素，但是在生产阶段却表现出重要性。日本几乎所有的一次性能源都需要进口，原油价格的大幅度上涨，必然引起能源价格的连锁性上涨，在生产阶段中能源消耗大的产业就不可避免地出现产品成本的上升。这样的成本上升，必然会全面转嫁到产品的出售价格上，造成出口产品在国际市场上丧失竞争力。面对如此严峻的现实局面，日本产业界被迫采取对原材料型产业进行大力调整，对装配加工型产业进行大力扶植发展的产业结构转化对策。

原材料型产业在日本经济高速度发展时期，由于维持着丰富、低廉的资源供应，处于需求剧增的大好时期，加上不断地充分利用从发达国家引进的先进技术和金融界提供的巨额资金，在以重、化学工业为龙头带动整个国民经济腾飞的发展战略下，取得了惊人的成就。但是，石油危机所引发的资源、能源价格的暴涨，使得成本中能源费用比例大幅度上升，原材料型产业所依赖的发展基础条件消失了。原材料型产业从历来的固定产业变成变动产业，成本竞争的重心转移到能源费用的差异上。这样一来，日本的资源、能源几乎完全依赖于进口，必然造成原材料型产业的产品丧失国际贸易市场的竞争力。

日本的钢铁业曾经是经济高速增长时期的时髦产业。1973 年粗钢生产量为 1.2 亿吨，仅次于美苏，为世界第三大生产国，而且其全部生产量的 1/3 用于出口，出口额占世界钢铁贸易总额的 20％以上。以第一次石油危机为转折点，钢铁业进入萧条状态。面对现实局面，钢铁业实施放弃在经济高速增长时期的竞争体制，采取稳定经营基础，改善产业结构的战略转化。在钢铁业内部，以节能增效为目标进行改造，谋求产业合理化。采用低能耗生产工艺，大量引进电子计算机，以实行自主管理来强化工程管理和质量管理。对于能耗大的普通电炉业和铁合金业进行产业调整，冻结、废弃过剩的设备约 300 万吨，推进集约化发展，扶植大型企业集团。把钢铁业所需进口的原料，如原料炭、铁矿石等，在海外建厂供应国内。日本的钢铁业基本维持年产量粗钢铁 1 亿吨左右水准。

有色金属业是受石油危机冲击严重的产业，如何从耗能大的产业中摆脱出来是问题的关键。如铝冶炼业，在两次石油危机后，以世界性经济危机为背景的需求量减少，日本铝冶炼业伴随着石油价格的上涨，使用着世界上最贵的电力费用，而丧失了国际竞争力。在国际铝冶炼业中，在电力能源使用上，加拿大为 100%的水力发电；美国为水力和煤炭发电共计 76%；澳大利亚发电主要为煤炭和水力；欧共体国家发电也主要是水力、煤炭、核能，然而日本的发电依赖石油占比 74.4%。这样就形成，生产一吨铝锭的电费，加拿大为 1.5 万—2.3 万日元；美国为 6 万—7.5 万日元；日本则为 24 万—25.5 万日元。① 面对这种局面，日本的铝冶炼业只能一方面努力寻找削减能耗的新工艺，发展高附加费值产品，如轧制、加工等；另一方面把产业向海外转移，在能源与资源丰富、低廉的国家与地区内建厂生产。

原材料型化学工业面临的问题中，最突出的是日本具有代表性企业的财政收支出现恶化。如三菱化成、住友化学、宇部兴产、三井东压化学、昭和电工、三菱油化、三井石油化学七家企业。其在 1981 年前期决算时，出现总计约 200 亿日元的赤字。石油化学工业在日本经济高速度增长时期，产量迅猛增长。如氨、尿素等化肥产业，在 1972 年实际产量的 80%用于出口，在亚洲贸易市场上处于供应基地的位置。但第一次石油危机爆发后，石油价格的不断上涨，使日本产品与国外产品的成本差距加大。为了扭转这种不利因素，日本努力实施石油化学工业从以原材料型化学产业为主的结构中摆脱出来的战略。在石油化学工业中，加强农药、医药等高收益的精细化学工业产品事业；发展食品工业的多面化；

① 日本兴业银行调查部：《日本产业转化的新时代》，科学技术文献出版社，1988 年版，第 164 页。

实施电子材料向高增长领域深入发展；在石油化学工业上应用培植高工序控制技术，努力实行工程技术产业的深入发展。

日本纺织业是其资本主义经济发展史中最古老的出口创汇产业，第一次石油危机爆发后，日本纺织业遇到了前所未有的危机。纺织业也因动力费用价格暴涨，使其成本直线上升。结果造成国际竞争能力下降，生产长期停滞，设备过剩日趋表面化。为此纺织业首先在内部努力改善供求平衡，企业合并组成卡特尔式联合企业，卖掉闲置资产，压缩过剩人员和借入资金来作出继续减产经营的努力。在生产上转向高加工领域。其次转向新型事业领域，以大规模合成纤维、纺织资本为核心，向石油化学、高分子材料、医药品、住宅建设相关事业、不动产业事业等方向发展。

日本造纸业是伴随着经济高速增长而获得迅猛发展的产业，1980 年日本造纸业产量近 1 810 万吨，仅次于美国居世界第二位。但是石油危机爆发后，由于原料、能源价格暴涨，再加上其他西方国家产品的进口冲击，使日本造纸业处于严重萧条状况。为此，日本造纸业首先对在经济高速增长时期形成的产业过分竞争体制进行纠正，以谋求产业稳定为先决条件。其次强化产业的国际竞争力。对于原材料与能源价格上涨而造成成本增加，采取努力提高纸浆成品合格率的技术开发，利用稻草、甘蔗渣等非木质原料、充分利用旧纸原料等方法。在节能方面致力于改换节能设备，发展节能工艺等。在产品生产上，努力致力于发展高档产品等。

装配加工型产业在日本经济高速增长时期已经有了长足的发展，在第一次石油危机后，伴随着日本国内主要产业结构重心的转移，促使产业得以更加飞速的发展。

日本在 60 年代的主要产业是钢铁、汽车和化学工业，到 70 年代后半期电子工业逐渐占据主要位置。日本电子工业的产值，1966 年为 1 万亿日元，1976 年为 5 万亿日元，到了 1981 年为 10 万亿日元。在出口贸易方面，1980 年电子产品出口额达到 39 977 亿日元，占当年日本总出口贸易额的 11.4%，几乎达到与钢铁、汽车等产业并驾齐驱的水平。日本电子工业居世界第二大生产规模，是美国的40%，超过西德、英、法、意四国产量的总和。日本的电子工业以石油危机为契机，努力实行合理化措施。从以往的妇女作业为特点的民间机器产业，转变为以机械化、自动化为特征的装配型产业，大大提高了竞争能力。在两次石油危机冲击下，日本经济增长速度减慢，但是电子工业及应用领域的发展却在加快。从70年代的发展速度看，1970—1975年为5.8%，1975—1980年为18.9%。①

汽车产业受石油危机冲击巨大，石油危机使发达国家的汽车市场结构发生很大的转变，消费者倾向于购买节省燃料费用型汽车。在1980年国际汽车市场上，小型汽车销售量占总销售量的64%。这种对小型汽车需求的剧增，使原本以生产小型经济车为主的日本汽车产业，大大提高了国际竞争力。第一次石油危机爆发后，日本汽车产业一方面对限制排放废气采取设备投资和技术革新；另一方面努力提高劳动生产率，克服因石油危机而带来的原材料价格上涨的不利因素。采用电子控制燃料喷射技术，既限制了排放废气，又提高了燃料使用效率，节省了汽车燃料费用。在欧美市场不景气状况下，日本小型汽车以高质量、低消耗的优势，迅速提高了市场占有率。

日本的工业机械产业指的是除运输机械、电气机械、精密机械之外的一般机械产业。尽管其产品多种多样，但是生产定额约为8亿日元，相当于汽车产业的半数规模。面对石油危机爆发后的国内经济形势，工业机械产业致力于研制发展产业机器人、数控机床、办公自动化等产品，带动整个产业发展。从1976年起，日本机床产业以数控机床为拳头产品，迅速打入国际市场，与美国、西德等发达国家产品形成激烈竞争。在第一次石油危机爆发前的1973年，日本机床产业出口贸易额仅为350亿日元，到1980年其出口贸易额达到2 700亿日元，增长7.7倍。出口

① 日本兴业银行产业调查部:《日本产业转换的新时代》，科学技术文献出版社，1988年版，第81页。

贸易额仅次于西德，为世界第二大出口国。日本的产业机器人与办公自动化是在1980年开始发展的。1980年生产额达780亿日元。日本产业机器人拥有世界大约半数的设置台数，被称为“机器人王国”。日本的办公自动化产业以往以生产复印机为主，1980年后又增加生产个人用电子计算机、日语信息自动处理机等。1980年，日本个人用电子计算机的生产额为200亿日元，信息自动处理机的生产额为5亿日元。

日本在1956年起成为世界上第一大造船国，并长期保持市场占有率50%的水准。但是第一次石油危机爆发后，世界经济危机引起石油需求量减少，海上石油运输量也大幅度削减，油轮定货量以1973年的3 281万吨为顶峰，1978年降到823万吨。同样日本新造船定货量也剧减。1979年后，日本造船业进行缩小、均衡体制为目标的产业调整。首先削减过剩造船设备。在稳定基础计划为宗旨的设备处理中，计划在977万吨造船能力数额中，削减35%即342万吨。其次采取与当前工程量相符的作业调整措施，把大部分企业合并组成企业集团，减少国内各造船企业间为争取更多的订货合同而相互降低价格的竞争。最后，作为调整的核心，对劳动密集型产业的从业人员大量裁减，以1974年的27万人为顶峰，裁减到1980年的16万人，裁减程度达到60%。这些调整措施的结果，使日本造船业处于能够维持现状的局面。

综上所述，面对石油危机，日本首先加强与中东产油国家的关系，放弃“中立”政策，采取所谓“亲阿拉伯”政策，目的是确保中东石油对日本的平稳供应。其次参与国际合作活动，与西方国家联合行动，共同抵制或者防止石油危机再度发生。同时以尽力减少对中东石油的依赖程度为目的，扩大从中东地区以外国家进口石油渠道及调整国内能源结构，降低对石油的依赖性。最后就是以石油危机为契机，放弃了自50年代中期以来，以重、化学工业为龙头带动整个经济发展的战略，代之以技术尖端行业为核心，以低能耗、高效益，发挥强大的国际竞争力，带动整个日本经济持续发展的战略。石油危机的爆发是各种因素综合作用的结果，同样解决石油危机也需要对各个方面进行综合治理。在这方面日本采取了短、中、长三个对策，即稳定石油供应、开展国际合作、调整国内主要产业结构等，可以说既有轻重缓急又各有重点，基本实现了综合治理。石油作为现代经济发展的主要能源，对人类作出巨大贡献，但石油是不可再生物资，人类迟早都会遇到石油危机。面对迟早都会到来的石油危机，我们也许可从日本的经验教训中找到点答案。

二、石油危机与日本的对策①

众所周知，丰富、廉价的中东石油是日本经济腾飞的重要物质基础。但是，中东石油作为中东产油国家的主要物质基础，为了维护国家利益需要追求尽量丰厚的创汇来发展经济，这一举动付诸实施，就会打破往日西方列强确立的不合理框架，这就是日本及西方工业化国家所称的“石油危机”。本节就不可抗拒的石油危机到来与日本政府被迫实施的对策略加论述。

（一）

中东作为世界上最大的石油出口地区，日本作为世界上最大的石油进口国，双方存在着重要的石油贸易关系。在这种贸易关系中，有两个制约因素在起作用：一是日本对中东石油的需求程度如何；一是中东石油对日本的供应渠道及石油价格如何。

日本从50年代中期经济发展时，确立了重、化工业为龙头、带动整个经济发展的道路。重、化工业都是耗能大产业，而日本自身又严重缺少能源资源，这就决定了日本的经济发展要依赖外部供应能源的局限性。由于石油作为能源要比煤具有更多的优越性，所以日本等先进工业化国家在50—60年代率先采用以石油代替煤的能源结构转化，日本进

① 本节发表于《现代日本经济》1998年5期。

口石油不断增加。

中东是战后崛起的世界上最大石油产地，因其具有油层浅、自喷率高、运输方便、国内需求小的特点，故成为世界上最大的石油出口地区。日本从中东地区进口石油如表4-4所示。①

表4-4　日本从中东进口石油　　（万千升、%）

年　限	进口额	占全年进口比	年　限	进口额	占全年进口比
1963年	5 275	84.7	1968年	13 266	90.3
1964年	6 447	86.9	1969年	15 249	87.4
1965年	7 737	88.3	1970年	17 333	84.6
1966年	9 371	90.1	1971年	18 824	83.9
1967年	11 490	91.2	1972年	19 866	80.7

从表4-4可以看出，日本从中东进口石油额在不断增加，1972年比1963年增加了305%，该时期日本所需进口石油平均86.8%来自中东地区。但是，日本从中东进口石油的渠道却并不掌握在中东产油国手中。

中东石油长期以来是西方列强争夺、控制的目标，西方石油公司不仅控制中东石油的勘探、开采、提炼权利，而且还控制石油及石油制品的国际市场销售价格。据统计，1967年美国的埃克森石油公司、莫比尔石油公司、德士古石油公司、加利福尼亚石油公司、海湾石油公司这五家公司控制着中东石油总产量的57%；英国的英国石油公司控制着总产量的28%；英国与荷兰合资的英荷壳牌石油公司控制了7%；法国的法国石油公司控制了6%，八家西方石油公司控制了中东石油总产量的98%。②即使到了70年代初，中东石油总产量的87.6%，仍然控制在上述八大公司手中，而日本从中东进口石油的90%是来自上述八大公司。另外，国际石油市场也操纵在西方大公司手中，长期以来国际石油价格在每桶

① 日本亚太研究会編：《中東め政治情勢と日本め選択》，亚太研究会出版，昭和50年，第168頁。

② 佟志广等著：《石油输出国组织》，中国财政经济出版社，1980年版，第14页。

1.5—2美元的低价位徘徊，这些状况无疑给日本经济腾飞创造了条件。

为了打破西方列强确立的不合理框架，中东产油国展开了不懈的努力。1960年以中东产油国为主体成立了石油输出国组织，即“欧佩克”；1968年又成立了阿拉伯石油输出国组织；1969年卡扎菲夺取利比亚政权后，强迫提高本国原油价格和石油所得税；在利比亚成功的鼓舞下，产油国与西方国家展开了大规模的斗争，双方于1971年2月签订德黑兰协定，3月签订的黎波里协定，1972年1月签订雷内姆协定。产油国不仅实现了提高油价和石油所得税的目标，而且还扩大了石油资本经营权。

随着中东石油控制权逐渐从西方石油公司手中转移到中东产油国手中，1972年6月上台的日本首相田中角荣指出，“资源问题已成了世界急需解决的重大问题，尤其对日本来说，更是必须要尽快解决的问题”①。然而此时的日本只能说有一点石油危机感，并没有真正认识到石油危机的迫切性、严重性，也就没有认真研究解决石油危机的对策。1973年7月，大平外相召集日本驻中东各国大使举行会议，讨论“中东产油国的动态和我国资源政策”，会议最后确认，“只要日本在阿以冲突中保持政治上的中立态度，就不可能被列为石油禁运国家的对象”②。日本政府的盲目乐观，使其在突如其来的第一次石油危机到来时慌了手脚。

(二)

1973年10月6日，第四次中东战争爆发，彻底打破了西方列强控制中东石油的局面。为了更有效地打击以色列及其支持者，阿拉伯产油国动用了石油武器。10月16日海湾地区产油国家决定，将标准油种——阿拉伯轻质油价格由每桶3.01美元提高到5.16美元，一举上涨70%。10月17日，阿拉伯石油输出国组织决定，立即实行减产、禁运、提价、国

① 永野信利：《日本外务省研究》，上海译文出版社，1979年版，第252页。
② 永野信利：《日本外务省研究》，上海译文出版社，1979年版，第253页。

有化四项措施。减少石油产量，决定以 9 月份各成员国产量为基准，每月递减 5%，对支持以色列的美国停止石油供应。产油国采取不同手段先后实现石油国有化。12 月 23 日，欧佩克再次宣布，自 1974 年 1 月 1 日起，阿拉伯轻质油每桶提价为 11.65 美元，又提价 12%。这样中东产油国不仅真正掌握了本国的石油资源，而且打破了西方列强控制国际石油市场的局面。这就是西方国家所称的"第一次石油危机"。

针对日本，10 月 24 日，沙特宣布削减石油供应 10%；10 月 25 日自顾不暇的五家美国石油公司通知日本，削减石油供应 10%；为了分化西方阵营，更有效地打击主要敌人，阿拉伯产油国家又采取"分隔作战"，即把所需石油国家分为"友好、中立、敌对"三类，以此在石油供应上相应采取"正常、限制、中止"三类措施。因为日本在第四次中东战争爆发后宣布"中立"态度，所以在石油供应上受到限制，逐月减少 5%。

第一次石油危机对日本打击巨大。首先石油供应渠道发生根本性变化，日本进口中东石油从西方石油公司转变到面对中东产油国家。其次石油供应受到限制，中东产油国逐月减少 5%的限制，意味着如不改变现状将会发展到石油供应中断。再则大幅度提高油价，无疑增加了巨额的财政负担。

在第一次石油危机直接打击下，1973 年 11 月 22 日日本政府被迫宣布转变对中东政策，第一次明确表示支持阿拉伯人民的正义要求。接着，日本政府派遣三木副首相为特使紧急出访中东八国，与有关国家签订了一系列经济技术援助协议。鉴于上述，12 月 25 日阿拉伯石油输出国组织宣布日本为"友好"国家，从 12 月起恢复对日本石油的正常供应。

日本在石油危机紧迫的情况下，被迫采取了"乞油"的对策，不仅反映出日本对中东政策的被动性，也暴露出日本经济的脆弱性。

限制石油供应问题解决后，为了确保今后中东石油的平稳供应，日本推出了一系列新的石油对策。除了在政治上站在亲阿拉伯立场、积极开展与中东国家的外交活动之外，在经济上，增加了对该地区的经济技术援助，兴办合资企业，扩大双边贸易，使中东地区在技术、资金等方面依赖日本，改变了日本对中东地区在经济上的单方面依赖关系，通过经济上相互依存保证了石油供应的可靠性。

在贷款方面，日本为获得阿拉伯世界“领导”地位的埃及的好感，1973 年 12 月、1974 年分别给予其贷款 1.3 亿美元与 1 亿美元。1974 年、1976 年又与石油大国伊拉克两次签署贷款协议，各为 10 亿美元，伊拉克以原油出口作为偿还。在合资方面，日本在中东地区建立了最大合资企业，日本三井集团与伊朗政府签订了总投资额为 5 500 亿日元的大型石油化工联合企业建设合同，日方投资为 3 000 亿日元。在贸易方面，以日本对中东政策转变前后比较，1977 年与 1970 年相比，日本对中东出口额增加了 16.4 倍，进口额增加了 7.4 倍。

在经济技术合作方面，1974 年、1975 年，日本分别与伊拉克、沙特签订了经济合作协议。另外，日本与伊拉克签订了大化肥厂建设合同，与伊朗签订了现代化通信网建设合同，与塔卡尔签订了现代化钢铁厂建设合同等。大型建设合同的签订，带动了日本对中东地区成台套设备的出口，1970 年成套设备出口额仅为 4 600 万美元，1975 年为 11.43 亿美元，增长了 24.8 倍，1976 年为 27.7 亿美元，实际增长了 63 倍。成套设备出口额占日本对中东地区出口总额的比重，1970 年为 7.4%，1976 年达到 36.6%。日本对中东地区成套设备出口的不断增加，促使中东国家在经济、技术方面对日本的依赖程度提高。

日本的石油对策在稳定经济中起了重要作用。从日本经济增长率看，1972 年为 9.7%、1973 年为 5.3%、1974 年为 0.2%负增长、1975 年为 3.6%、1976 为 5.1%、1977 年为 5.3%、1978 年为 5.3%。从全国综合消费物价指数看，与前年上涨 5%—6%相比，1973 年上涨 16.6%，1974 年上涨 21.8%，1975 年上涨 10.4%，1976 年上涨 9.4%，1977 年上涨6.7%，1978 年上涨 3.4%。[1] 可以看出，第一次石油危机所引发的经济危机，日本经过两年或两年半时间后克服。

---

① 日本中東經済研究所編:《中東石油と世界危機》，毎日新聞社，昭和 54 年，第 4 頁。

（三）

参与国际协调活动也是日本石油对策的重要内容。自 1973 年 10 月 17 日阿拉伯产油国动用石油武器后，美国就极力主张西方石油消费国采取共同行动抵制产油国的斗争。当年 12 月 12 日美国国务卿基辛格呼吁设立“能源行动中心”组织，要求日本、西欧等盟国相互协调，共同在节省能源、开发新能源、鼓励产油国增产等方面采取行动。但是，日本及西欧盟国对此采取了静观态度，因为皆怕设此机构，会刺激阿拉伯产油国而遭到更大的报复。

随着石油危机呈现缓解趋势，1974 年 1 月 9 日基辛格再次向西方盟国发出呼吁，1 月 14—15 日，日本与西欧盟国先后表示接受美国邀请参加会议。日本此时参与国际协调活动的主要原因为：政治上出于日美特殊关系的考虑，不愿因石油问题而过分引起美国的不满。经济上的原因，首先石油危机已趋于缓和，危机期间日本从其他渠道进口大量石油可以暂时维持国内需求；其次石油危机趋向缓和，国内形势也开始稳定，各方面压力减少；再则此时石油危机由初期石油供应量限制转变为石油价格暴涨，需要主要消费国家协商对策。

1974 年 2 月 11—13 日，西方国家在华盛顿举行石油消费国会议，日、美、英、法、西德、意等 13 个国家代表出席。会议再次围绕基辛格提出设立“能源调整中心”组织出现争论。法国表示坚决反对，其外长诺贝尔指出，“美国是半个产油国，在对进口石油的依赖上与消费国之间有区别，日本与法国才是真正的消费国”①。但是日本却在美法之间采取协调方针，在大平外相活动下，会议最后决定设立“能源调整中心”组织。会议决定在紧急时候石油供应出现严重不足情况下，消费国实施分配制度。另外作为没有国际石油资本的消费大国，有权从国际石油公司方面获得有关情报。这些都是日本所要解决的难题。日本认为在第一次石

① 山村喜晴：《战后日本外交史》5 卷，三省堂，1984 年版，第 230 页。

油危机时，正是因为美国不能够补充自己缺少的石油供应差额与缺少准确石油危机情报，导致自己的被动局面。华盛顿会议后，成立了"能源调整中心"组织。该组织举行了 8 次会议后，并入了西方国家的经济合作与发展组织之内。

1979 年 6 月 28 日，在东京举行了西方七国首脑会议，因此时伊朗伊斯兰革命引发第二次石油危机，会议再次以石油问题为中心议题。石油危机再度袭来，使西方国家皆感到有必要联合采取行动。但对采取什么样的行动有争议。会议经过秘密讨论，确定了不同国家限制进口石油的数额与今后五年内的限制目标。会议确定限制目标如下。

表 4－5　各国石油进口控制目标　（日、万桶）

年限	日本	美国	加拿大	法国	西德	英国	意大利	欧共体
1977 年	538	881	27	223	271	106	191	960
1978 年	523	827	23	223	281	83	189	950
1979 年	540	850	15					1 000
1980 年	540	850	15	220	280	80	190	950
1985 年	630—690	850	60	220	280	80	190	950

从表 4－5 可以看出，多数国家到 1985 年基本控制在 1978 年水准，而日本则明显超出。日本坚持其为完全石油进口大国，需要在计划中得到宽松的限制。日本的主张，得到美国支持获得确认。西方国家采取压缩石油消费数额，无疑是对产油国家实施石油提价战略的抵制，而日本又相对放宽限制，有利于经济发展。

日本参与西方国家共同抵制产油国的石油战略，对转变国际石油市场供求关系起了一定作用。随着石油市场供求关系的转变，这种国际协调活动也放松了。

（四）

如果说稳定中东石油供应是日本解决石油危机的急切对策，那么尽力减少对中东石油的依赖程度便是长期对策，而且更加艰苦，特别是面临第二次石油危机的严峻考验。

自第一次石油危机之后，国际石油市场价格保持高价位，但是相对平稳。1978 年底伊朗国内爆发伊斯兰革命，石油大国伊朗突然停止石油出口，引起国际石油市场供求关系发生变化，第二次石油危机爆发。1980 年 9 月伊朗与伊拉克爆发战争，推动了危机达到顶峰，国际石油市场价格一路高攀。1979 年阿拉伯轻质油每桶价格为 14.55 美元，到 1981 年 1 月竟高达 36—40 美元。然而市场经济绝非欧佩克一厢情愿所能为，过高的价格致使消费国难以承受，纷纷减少石油进口。过高的石油价格，也促使非欧佩克产油国加快石油开采，大量向国际市场抛售石油，不仅填补了国际市场的空缺，而且出现供大于求状况。与此同时，欧佩克内部各成员国在采取对策上不一致，使石油价格转向逆势一路下滑。1981 年 10 月阿拉伯轻质油每桶价格为 34 美元、1983 年 3 月为 29 美元、1985 年 3 月为 25.85 美元、1986 年 3 月跌致 11.51 美元，1986 年以后，油价大致在每桶 14—18 美元间波动。

以石油价格剧烈波动为标志的第二次石油危机虽然持续时间并不算长，但是引发了战后最严重的全球性经济危机。在美国约 1 000 万人失业，在欧洲超过 1 000 万人失业。1982 年美国失业率为 9.5%、国民生产增长率为负 1.9%；英国的失业率为 11.75%、国民生产增长率为负 2.1%；西德的失业率为 7.5%、国民生产增长率负 1.1%。然而日本却没有出现如此严重的危机局面。从国民生产增长率看，1979 年为5.3%、1980 年为 4.6%、1981 年为 3.5%、1982 年为 3.3%。从国内失业率看，1980 年为 2.1%、1981 年为 2.2%、1982 年为 2.5%。从经济贸易看，经常性收支 1979 年为赤字 138 亿美元、1980 年为赤字 70 亿美元、1981 年为盈余 59 亿美元、1982 年为盈余 91 亿美元。① 另外，消费物价指数也比欧美等国相对稳定，工资增长率也相对较低。

---

① 日本中東經済研究所編:《中東石油と世界危機》，每日新聞社，昭和 54 年，第 12 頁。

日本受第二次石油危机所引发的经济危机打击相对程度小，无疑是解决石油危机的对策起了一定作用。日本在确保中东石油稳定供应的前提下，极力寻找尽量减少对中东石油依赖程度的办法。日本减少对中东石油依赖的原因为，中东地区是一个充满了民族矛盾、宗教矛盾、国家间矛盾的旋涡，加之大小霸权国家插手，旧的矛盾难以解决，新的矛盾又孕育而生，这一切都威胁到中东石油的出口，同样也威胁到以中东石油为基础的日本经济。

日本减少对中东石油依赖程度所采取的手段：第一，国内采取节能措施，主要是调整国内生产结构，发展低能耗产业；第二，开发利用替代石油的能源，开发核能、太阳能等新能源，扩大水利、风力等能源，特别是大力恢复已经被淘汰的煤炭能源；第三，扩大石油进口新来源，增加从亚太地区的印度尼西亚、中国、文莱等国家进口石油，并计划与苏联共同开发远东地区石油。

日本减少对中东石油依赖的努力，经过几年后明显见效，如表 4－6 所示。

表 4－6　日本对中东石油进口状况　(1 000 b/d)

年　限	进口额	占总进口比(%)	年　限	进口额	占总进口比(%)
1975 年	3 610	79.5	1982 年	2 619	71.7
1976 年	3 703	80.2	1983 年	2 561	71.8
1977 年	3 765	78.5	1984 年	2 591	70.7
1978 年	3 660	78.5	1985 年	2 405	71.2
1979 年	3 710	75.8	1986 年	2 246	69.0
1980 年	3 267	74.5	1987 年	2 165	68.0
1981 年	2 756	70.3			

从表 4－6 可以看出，此期间日本对中东石油进口无论是进口数额，还是占全年进口额比例都呈现明显下降趋势。据 1983 年 11 月日本通产省、综合能源调查会发表的《长期能源供求预测》，石油能源在日本能

源发展规划中所占比重，1990 年为 52.5%、1995 年为 48%、2000 年为 42%，反映出日本致力摆脱对中东石油依赖的决心。

海湾战争以后，日本利用国际形势的新变化，极力开展参与中东国家石油勘探、开采、提炼等活动。1991 年 4 月，日本石油勘探公司与伊朗签订合约，以 16 亿美元参加伊朗的海上石油钻探，开采后分享石油；以后又购买了部分在也门的石油开采权；利用阿尔及利亚国内经济改革机会向该国的拉甘盆地地震勘探提供财政援助，并组织财团参加哈西迈斯欧德油田的开发。日本三菱公司则参加世界规模最大的天然气卡塔尔北部气田的开发工作，预计从 1997 年起 25 年中，日本每年将从卡塔尔获得 400 万吨液化天然气。1991 年 5 月，日本与沙特签订了合资在沙特和日本兴建炼油厂的意向书，投资 43 亿美元，双方各占 50%。日本与中东产油国家联合开发中东石油，将对日本减少石油危机更为有利。

综上所述，石油危机打破了日本昔日依靠西方列强获取廉价中东石油的局面。面对石油危机，日本政府被迫采取了以“乞油”外交为特征的摆脱紧急状况的对策；以改善同中东产油国关系为特征谋求稳定石油供应对策；以减少对中东石油依赖程度为特征谋求能源来源多元化对策；以扩大解决石油危机领域为特征参与西方国家的国际协调活动对策；海湾战争后利用形势变化而极力展开参与中东国家石油生产活动等对策。日本在解决石油危机对策上收到成效。但是解决石油危机绝非一朝一夕就能完成，只要日本经济摆脱不了依赖石油为主的能源结构，自身又无法提供石油，这种石油危机就无法彻底摆脱。

三、石油危机与日本的产业结构转换[①]

1973 年 10 月，中东产油国为打击以色列的支持者，动用“石油武器”，

① 本节发表于《现代日本经济》2000 年 2 期。

在石油供应上采取限制或禁运以及大幅度提价、实现国有化等一系列措施，从而引发第一次石油危机。1979 年初，伊朗国内爆发伊斯兰革命，造成石油出口停顿，国际石油市场供应关系剧变引起油价迅速上涨，又引发了第二次石油危机。两次石油危机对资本主义世界经济冲击巨大。本节欲就石油危机冲击下，日本主要产业结构被迫进行转化做粗略论述。

(一)

日本作为岛国，不仅严重缺少资源，而且国内市场狭小，故明治维新发展资本主义经济后，确立了走贸易立国之路。但是，日本真正实现贸易立国则是 20 世纪 50 年代中期以后。贸易立国决定了国内主要产业结构要面向国际大市场，围绕出口贸易确立产业发展方向，形成以进口原料、能源，进行加工制造，再转向国际市场推销的以制造业为主的产业结构。50 年代中期日本经济高速发展建立在以战后兴起的中东石油大发展为背景的大量进口石油能源基础上。据统计，1963—1972 年，日本所需进口石油的年均 86.8%是来自中东地区。①

石油使能源和新原料更加丰富。在西方工业化国家中，日本率先采用以石油为主的能源结构，相继建立大型石油火力发电厂。到 1974 年时，日本一次性能源消耗中，石油已占了 74.4%。② 在太平洋沿岸地区，竞相建设大型企业，出现了电力、钢铁、石油提炼和新兴石油化工等相结合的企业集团。当时中东石油几乎都被西方石油公司垄断，即使到 70 年代初，中东石油总产量的 87.6%仍然控制在西方石油公司手中。③ 这就保证了中东石油对日本稳定、充足的供应，而且价格低廉，国际石油市场价格长期在每桶 1.5—2 美元低价位上徘徊。

① 日本亚太研究会編:《中東め政治情勢と日本め選択》，亚太研究会出版，昭和 50 年，第 168 頁。

② 日本亚太研究会編:《中東め政治情勢と日本め選択》，亚太研究会出版，昭和 50 年，第 166 頁。

③ 佟志广:《石油输出国组织》，中国财政经济出版社，1980 年版，第 14 页。

在低廉、充足的中东石油供应的前提下，日本确立了以重、化学工业为龙头，带动整个经济腾飞的产业结构。采用大规模生产，最大限度地发挥批量生产的优势，使钢铁、水泥等固有材料以及采用石油化学方法生产的新材料聚氯乙烯、氯乙烯等价格迅速下跌。结果需要这些材料的领域不断扩大，相关产业也得到发展。合成橡胶、合成纤维等出现，使新原材料生产的产品不断代替天然产品。这些以低廉、充足的中东石油为基础的重、化学工业，就成了 50 年代中期以后日本产业的主体，也可以说是出口贸易的拳头产品。

但是，石油危机后，日本虽然经过努力很快地摆脱了中东产油国制裁的厄运，然而油价大幅度攀升却是此后长期无法回避的现实。据统计，1973 年 10 月前，每桶阿拉伯轻质油为 3.01 美元，到 1974 年 1 月 1 日上涨到每桶 11.65 美元。第二次石油危机再度推动油价上涨，1979 年为每桶 14.55 美元，到 1981 年 1 月竟达到 36—40 美元。此后油价回落，1981 年 10 月每桶为 34 美元；1983 年 3 月为 29 美元；1985 年 3 月为 25.85美元；1986 年 3 月跌至 11.51 美元。其后油价略有反弹，1986 年以后每桶大致在 14—18 美元波动。

石油危机后，日本产业界所使用的原油已非西方石油公司所控制的低廉、充足的中东石油，而是中东产油国自己掌握的本国资源。中东产油国要发展民族经济，就要依赖石油尽可能多地出口创汇，就要尽力保持国际市场石油的高价位。另外，中东石油出口也存在不稳定因素。基于此，日本不得不极力寻找替代石油的能源。但是原子能、煤、天然气等已有能源和生物能、太阳能、煤炭液化等新能源，其经济成本都高于现行的石油价格，很难在短期内替代石油成为能源结构的主体。这就决定日本只能在石油能源节约、挖效能上投入力量。

石油危机造成了日本产业界部门之间出现明显差异：制造业中原材料型产业相对衰落，而转装配加工型产业则得到顺利发展。这里所指原材料型产业为钢铁、有色金属、金属产品、化学、纺织、造纸等主要生产工业用原材料的产业；装配加工型产业为民用、工业用的最终产品的电器机械、一般机械、运输机械、精密仪器等制造业。造成这种差异的主要原因，就是其所需的能源负荷的不同。

产品在使用阶段，其能源负荷的大小并不很重要，但在生产阶段却表现出重要性。日本几乎所有的一次性能源都需要进口，原油价格的大幅度上涨，必然引起能源价格的连锁性上涨，在生产阶段能源消耗大的产业就不可避免地导致成本上升。成本上升转嫁到产品的价格上，造成产品出口在国际市场上缺少竞争力。面对如此严峻的现实，日本产业界被迫采取了对原材料型产业进行调整，大力扶植装配加工型产业的产业结构转化政策。

（二）

在日本经济高速发展时期，因为有丰富、低廉的资源供应，又处于国际市场需求剧增的大好时期，加上不断从发达国家引进的尖端技术和金融界提供的大量资金，原材料型产业取得了很大成就。

但是，石油危机引发的资源、能源价格的暴涨，使得成本中燃料费比例大幅度提高，原材料型产业发展所依赖的基本条件消失了。原材料型产业从历来的固定产业变成变动产业，成本竞争的重心转移到燃料费多少上。像日本这样资源、能源大多依靠进口的国家，原材料价格上涨必然使出口贸易丧失竞争力。另外，作为发展中国家的原料生产国，不仅继续提高原来生产的价格，而且还跻身原料生产的深加工行业，直接与日本原材料型产业形成竞争。有些发展中国家原属于日本原材料型产业的市场，经过其不断努力于自身工业化，使一些历来靠进口的产品实现了自给，甚至成为出口国家。

在日本国内，经济发展以石油危机为转折点，1955—1972 年的 18 年间，实现 GNP 年均增长率为 9.7%的高速度；1973—1990 年的 18 年间，为 4.3%的中速度。① 中速度经济增长，原材料需求大幅度下降。在国

① 孙承：《日本与亚太》，世界知识出版社，1997 年版，第 4 页。

内需求迟钝出口贸易减少和进口费用增多的形势下，原材料型产业被迫实施调整政策。

日本钢铁业曾经是经济高速增长时期的时髦产业，1973 年粗钢生产产量为 1.2 亿吨，仅次于美苏为世界第三大生产国。但是以第一次石油危机为契机，钢铁业进入萧条状态。对此，钢铁业实施了放弃经济高速增长时期的竞争体系，采取稳定经营基础，改善产业结构的战略转化。在钢铁业内部，以节能增效为目标进行改造，谋求合理化。采用低能耗生产工艺，大量引进电子计算机，以实行自主管理来强化工程管理和质量管理；对能耗大的普通电炉业界和铁合金业界进行产业调整，冻结、废弃过剩设备约 300 万吨；推进集约化发展，扶植大型企业，所需进口的原料炭、铁矿石等在海外建厂供应，从而基本维持在年产粗钢 1 亿吨左右的水平上。

有色金属业是受石油危机冲击严重的产业，如何从耗电量大的产业摆脱出来是关键。例如铝冶炼业，在两次石油危机后，以世界性经济危机为背景的需求减少，日本铝冶炼业随着石油价格上涨而丧失了国际竞争力，原因是使用了世界上最贵的电力。在铝冶炼电力使用上，加拿大为 100％的水力发电，美国为水力和煤炭共计 76％，澳大利亚为煤炭和水力，欧共体也是以水力、煤炭、原子能为主，而日本对石油电力的依存度为 74.4％。生产 1 吨铝锭的电费，加拿大为 1.5—2.3 日元，美国为 6—7.5 日元，日本则为 24—25.5 日元。① 在这种情况下，日本铝冶炼业一方面努力寻找消减能耗的新工艺，另一方面向海外转移，在能源、资源丰富或有利的地区建厂生产。

原材料型化学工业面临的问题中最突出的是，日本有代表性的企业三菱化成、住友化学、宇部兴业、三井东压化学、昭和电工、三菱油化、三井石油化学的收支出现恶化。7 家企业在 1981 年前期决算时总计赤字 200 亿日元。石化工业在经济高速增长时期，产量迅猛增长。如氨、尿素

① 日本兴业银行产业调查部编：《日本产业转换新时代》，科学技术出版社，1998 年版，第 164 页。

等，在1972年实际产量的80％用于出口，在亚洲市场上处于供应基地位置。但是石油危机后，一方面国际社会需求减少，发展中国家不断实现自给化；另一方面由于石油价格上涨，加上与国外产品成本的差距，国际竞争力减弱。为扭转这一不利局面，日本企业开始努力从偏重原材料型化学工业中摆脱出来，加强农、医药等高收益的精细化学工业和食品工业发展，在石油化学工业中应用培养高工程序控制技术，致力于工程技术产业的深入发展。

日本纺织业是以原棉、纱为原料的生产部门，是古老的创汇产业。但石油危机后，一方面因劳动密集型产业劳动力成本比重大，另一方面燃料动力价格暴涨，成本直线上升，造成国际竞争力下降，生产停滞，设备过剩日趋表面化。企业无力将提高的成本完全转化到卖价上，低开工又引起固定费负担增大，带来库存过剩与利息负担增加等，产生了前所未有的危机。为此纺织业首先在内部努力改善供求平衡，合并组成卡特尔式联合企业，卖掉闲置资产，压缩过剩人员和借入资金，作为继续减产经营的努力，在生产上转向高加工度领域。其次向新兴事业领域发展，以大规模合成纤维、纺织资本为核心，向石油化学、高分子材料、医药品、住宅相关事业、不动产业等方面发展。

日本的造纸业是随着经济高速增长而得到发展的产业，主要面向国内消费市场。1980年产量近1 810万吨，仅次于美国。但石油危机后，由于原料、能源价格暴涨，加上西方国家产品冲击，产业处于严重萧条状态。为此造纸业首先对经济增长时期的产业过分竞争体制着手进行纠正。其次强化国际竞争力。对原料成本上涨，采取提高纸浆成品合格率的技术开发，利用稻草、甘蔗渣等非木质原料，对旧纸充分利用；在节能方面致力于改换设备、发展节能工艺；并发展高档纸。

（三）

装配加工型产业在经济高速增长时期已有了长足的发展。在石油危机后，随着日本产业结构重心转移，更加得到飞速发展。

日本在60年代的先导产业为钢铁和汽车等重、化学工业，到70年代后半期电子工业逐渐占据了主要位置。日本电子工业的产值在1966年为1亿日元，1976年为5亿日元，到1981年为10亿日元。在出口贸易上，1980年达39 977亿日元，占同期出口总额11.4%，几乎与钢铁、汽车并驾齐驱。

电子工业的特征为，各个部门接二连三地出现新产品，扮演主角的产品在交换地降低产品价格的同时，扩大了整体的需求。日本电子工业居世界第二位的生产规模，为美国的40%，是西德、英、法、意四国的生产总和。其民用产品的70%是面向海外市场，在国际市场拥有1/3的占有率。日本电子工业以石油危机为契机，努力实行合理化措施，从以妇女作业为特征的民间机器生产，转变为机械化、自动化的装配型产业，大大提高了竞争力。在欧美国家靠减裁人员来克服产业不景气时，日本则采取扩大生产规模为前提，依靠推行合理化降低成本和节省能源来解决困境。两次石油危机打击，使日本经济增长速度减慢，但是电子工业及其应用领域的发展却在加快。从70年代的发展速度来看，1970—1975年为5.8%，1975—1980年为18.9%。①

石油危机使发达国家的汽车市场结构发生很大转变。首先因石油危机后经济发展迟钝化及通货膨胀，汽车需求量明显降低。其次面对石油价格猛涨，尤其在美国市场上，消费者纷纷选购小型汽车。1980年在国际市场上，小型汽车占新车销售比为64%。这种对小型经济车的需求，使原本以生产小型经济车为主的日本汽车企业的国际竞争力大大提高。石油危机后，日本车企一方面对限制废气采取设备投资和技术革新；另一方面努力提高劳动生产率，克服燃料原材料价格上涨的不利因素，采用电子控制喷射技术，提高燃料使用效率。在欧美市场不景气下，日本汽车以小型化、质量高、消费低的优势，迅速提高市场占有率。在美国市场，1975年为9.5%，1980年为21.3%。在欧共体市场，尽管英、

① 日本兴业银行产业调查部编：《日本产业转换新时代》，科学技术出版社，1998年版，第81页。

法、意等国限制进口，但仍从 1975 年的 4.6％上升到 1980 年的 9.1％。①

日本的工业机械产业指运输机械、电子机械、精密机械之外的一般机械，尽管其产品多种多样，但生产额约为 8 亿日元，仅相当于汽车产业的半数规模。面对石油危机后国内经济形势，其以研究发展产业机器人、数控机床、办公自动化等拳头产品为主，带动整个产业发展。

数控机床是从 1976 年左右开始发展的。石油危机后，日本机床产业一时感到苦恼，但数控机床出现后，引起汽车等机械工业提高生产率投资，尤其 1979 年后呈现一片活跃景象。这时期机床的生产率从 1979 年的从业人员每人年均 4.7 台，提高到 1980 年的 5.3 台，企业收支持续发展。日本的机床业以数控机床为武器打入国际市场，与美国、西德等国产品相互角逐，势均力敌。石油危机前的 1973 年机床出口额仅 350 万日元，1980 年达到 2 700 亿日元，增长 7.7 倍，出口额仅次于西德。当然主要是数控机床出口额猛增。

产业机器人与办公自动化是在 1980 年左右开始发展的。1980 年被称为“机器人元年”，生产额达 780 亿日元。日本称自己拥有世界半数设置台数，为“机器人王国”。办公自动化以往以复印机为主，1980 年后又增加个人电子计算机，日语信息自动化处理机等。1980 年个人用电子计算机的生产额为 200 亿日元，信息自动处理机为 5 亿日元，此后迅速增长。

造船业是劳动力密集型产业，劳动工资水平以及作业效率对产业界的核算有很大影响。日本正是在这两点上超越欧美，于 1956 年起成为世界第一造船大国，并长期保持国际市场半数占有率。石油危机后，世界性经济危机引起石油需求减少，海上石油运输量大幅度削减。1975 年的货运量比前一年减少 8％。世界新船订货受此影响极大，油轮订货量以 1973 年的 3 281 万吨为顶峰，1978 年降到 823 万吨。同样日本的新船订货量也大幅度下降。为此，在 1979 年后，日本官民一体把均衡体制作为目标，以削减

① 日本兴业银行产业调查部编：《日本产业转换新时代》，科学技术出版社，1998 年版，第 104 页。

过剩设备和依靠联合企业为主要支柱，在设备处理中，在977万吨造船能力的数额中，削减358万吨。采取与当前工程量相符的作业调整措施，把大部分企业组成联合企业，平息了国内企业过分压低订货价格的竞争。另外，作为削减计划的核心是对劳动力密集型产业的从业人员大量削减，从1974年的27万人，削减到1980年的16万人。这些措施的结果，使日本造船业处于能够维持现状的局面。

综上所述，以石油危机为契机，日本主要产业制造业在结构上被迫进行转化。面对石油危机引发的石油价格的不断上涨，世界经济陷入严重的停滞状态，日本放弃了自50年代中期以来实施的以重、化学工业为龙头带动整个经济发展的路线。在制造业中，对原材料型产业进行大力调整，放弃原来竞争型体系，实行以稳定发展为前提的新体系。对能够维持国际竞争力的钢铁业、石油化工业、造纸业等，在加大实施节能措施的同时，重点发展深加工，以高附加值产品带动整个产业的发展。对无力适应新形势的纺织业、有色金属业等，则采取转产或向海外迁移的对策。对装配加工型产业则采取大力扶植政策，以技术尖端行业为核心，以低能耗、高效益、高科技为方向，发挥强大的国际竞争力，带动整个日本经济持续发展。同样，日本主要产业结构的转化，也为摆脱石油危机困惑创造了条件。

四、石油因素在日本对中东政策中的作用①

众所周知，中东地区作为世界上最大的石油出口地区，日本作为世界上最大石油进口国，双方存在着重要的石油贸易关系。由于作为商品的中东石油，存在着所有者、供求关系的变化，而日本作为进口国，存在着进口渠道、需求程度的变化，所以中东石油在日本对中东政策制定过程中起的作用也有变化，本节对此问题略加论述。

① 本节发表于《河北师范大学学报》1999年1期。

(一)

“日本之所以关心石油供应问题，是因为低廉价格的石油是战后日本的产业结构和‘经济奇迹’的润滑油。”①日本与中东地区在石油关系上，有两个制约因素，一个是日本对中东地区石油的需求程度如何，一个是中东地区石油对日本的供应渠道及石油价格如何。这两个制约因素，也同样制约了日本中东政策的制定。

日本从50年代中期经济发展时，确立以重、化学工业为龙头，带动整个经济发展的道路。重、化学工业都是耗费能源大的产业，而日本自身又严重缺少能源，这就决定了日本经济以惊人的速度发展，能源消耗也以高于西方其他工业化国家速度增长。由于石油作为能源使用要比煤具有更多优点，所以世界上先进工业化国家，在50—60年代率先向采用以石油代替煤的能源结构转化。在这次能源结构转化过程中，日本同其他西方工业化国家一样，瞄准了被称为世界“石油库”的中东地区。

中东是战后崛起的世界上最大的石油产地，特别是具有油层浅、自喷率高、运输方便、国内需求小的特点，因此成为世界上最大的石油出口地区。日本从中东地区进口原油如表4-7所示。②

表4-7　日本从中东进口石油　　(万千升/%)

年　限	进口额	占全年进口比	年　限	进口额	占全年进口比
1963年	5 275	84.7	1968年	13 266	90.3
1964年	6 447	86.9	1969年	15 249	87.4
1965年	7 737	88.3	1970年	17 333	84.6
1966年	9 371	90.0	1971年	18 824	83.9
1967年	11 490	91.2	1972年	19 866	80.7

① 渡辺昭夫:《戦略援助と日本外交》,東京,同文舘,平成元年,第169頁。

② 日本亚太研究会编:《中東め政治情勢と日本め選択》,亚太研究会出版,昭和50年,第168頁。

可以看出,日本从中东地区进口数额在逐渐增加,1972年比1963年增加了305%,在1963—1972年日本进口石油年均86.8%来自中东地区。

日本从中东地区大量进口石油,但是中东石油并非掌握在中东地区产油国手中。中东石油长期以来是西方列强争夺、控制的目标,西方石油公司不仅控制了中东石油勘探、开采、提炼的权利,而且还控制了石油及石油制品的国际市场销售价格。据统计,1967年,美国的埃克森石油公司、莫比尔石油公司、德士古石油公司、加利福尼亚美孚石油公司、海湾石油公司等五家公司控制中东石油生产量的57%;英国石油公司控制中东石油生产量的28%;英国与荷兰合资的英荷壳牌石油公司控制中东石油生产量的7%;法国石油公司控制中东石油生产量的6%,合计八家石油公司控制中东石油生产量的98%。[①] 即使到了70年代初,中东石油生产量的87.6%,仍然控制在八大石油公司手中,而日本从中东进口石油的90%是来自上述八大石油公司。[②] 中东石油掌握在西方石油公司手中,日本进口中东石油的渠道来自西方国家,这就造成了日本尽管从中东地区大量进口石油,却不必理睬与中东地区国家关系的怪事。中东石油在日本与中东地区国家关系中无足轻重,日本在制定中东政策时也未重视。

从1952年4月《旧金山和约》生效,日本恢复主权地位,到1973年10月第四次中东战争爆发前,日本外交上极不重视与中东国家的关系,遇到中东地区发生冲突时,总是站在美国一边,表现为紧紧追随美国的中东政策。在此期间,一方面日本政府内阁大臣以上官员没有访问过中东国家,另一方面阿拉伯国家的首脑、要人来访也未给予足够重视。例如,1964年科威特外交大臣贾比尔代表阿联盟访日,仅十几分钟的会谈中,日本外相还以闭目似睡的态度来应付贾比尔谈话,事后遭到科方的

① 佟志广:《石油输出国组织》,中国财政经济出版社,1980年版,第14页。

② 日本经济调查会编:《石油危机后的世界和日本》,1976年版,第174页。

报复。1971年世界上最大的石油出口国沙特国王费萨尔访日，希望与日本签订经济技术合作协议，结果日本敷衍推诿，不予重视，费萨尔只好失望而归。对于中东地区出现的冲突，日本总是追随美国的立场。例如关于黎巴嫩问题，1958年7月日本政府宣布："黎巴嫩内乱是这个国家的国内政治斗争，应该排除外国的干涉。"[①]但是几天后，美国出兵黎巴嫩，日本马上改变决定转而支持美国。至于阿以冲突，日本更是姑息以色列，疏远阿拉伯国家。有时日本也发表一些冠冕堂皇的言辞，但是明里暗里还是站在美国一边，所以人们戏称日本的中东政策为美国中东政策的"日本版"，日本外务省为美国国务院的"日本课"。

（二）

从60年代末开始，中东地区产油国兴起了争取掌握本国石油资源运动。1968年阿拉伯石油输出国组织成立。1969年卡扎菲夺取了利比亚政权后，便强迫提高本国原油价格和石油所得税。在利比亚成功的鼓励下，中东产油国与西方国家展开斗争，逐渐从西方石油公司手中夺回石油控制权。正在这时，1973年10月爆发了第四次中东战争。为了更有效地打击以色列及其支持者，阿拉伯产油国动用了"石油武器"。10月16日，科威特、伊拉克、沙特、卡塔尔、阿联酋等海湾地区阿拉伯国家与伊朗共同坚决的，将标准油种阿拉伯轻质油价格由每桶3.01美元，提高到5.12美元，一举上涨70%。10月17日，阿拉伯石油输出国组织部长级会议宣布，实行减产、禁运、提价、国有化等四项措施，决定立即减少石油产量，以9月份成员国产量为基准，每月递减5%。18日，阿拉伯产油国先后宣布中断向美国出口石油。此后中东产油国采取各种措施，先后实现了对本国石油资源的全部国有化，中东产油国真正掌握了自己的石油资源。12月23日，石油输出国组织决定，自1974年1月1日起再度提高油价，阿拉伯轻质油每桶达到11.65美元，再度提价120%，西方石油

---

① 永野信利：《日本外务省研究》，上海译文出版社，1979年版，第156页。

公司控制国际石油市场价格的历史从此一去不复返。上述这些措施实施的结果就是西方国家所称的“第一次石油危机”。

“石油危机”迅速波及日本。10 月 24 日沙特宣布石油供应削减 10%,10 月 25 日自顾不暇的五家美国石油公司通知日本,削减石油供应 10%。为了应付局势,日本政府一方面慌忙发表冠冕堂皇的“中立”声明,一方面紧急召见阿拉伯各国驻日本大使解释“中立”态度。但是,阿拉伯产油国为了分化西方阵营,更有效地打击主要敌人,采取“分隔作战”,即把所需石油国家分为“友好、中立、不友好”三类,以此在石油供应上分别相应采取“正常、限制、中止”三种措施。日本被作为“中立国”对待,属于被限制之列。

第一次石油危机对日本打击甚大,首先,石油供应渠道发生根本性变化,日本进口中东石油由面向西方石油公司转变到被迫面向中东产油国家。其次,石油供应限制措施,中东产油国的限制措施为逐月递减 5%,意味着如不改变现状会最终发展到石油供应的中断。最后,油价大幅度提高,从 1973 年 10 月 16 日每桶原油 3.01 美元,到 1974 年 1 月 1 日每桶原油 11.65 美元,上涨了 387%,无疑使日本政府增加了巨额财政负担。

在第一次石油危机直接打击下,1973 年 11 月 22 日日本政府被迫改变中东政策,第一次明确表示日本政府支持阿拉伯人民的正义要求。12 月 25 日阿拉伯石油输出国组织宣布日本为“友好”国家,从 12 月起取消对日本石油供应的削减限制。转变后的日本对中东政策,可以说是带有独立性的、政治经济文化三位一体的全新中东政策。

新的中东政策出台后,日本内阁大臣以上官员不断访问中东国家。1978 年福田首相访问中东国家,这也是日本首相初次访问中东国家。日本利用各种场合阐明自己支持阿拉伯人民的正义要求。在经济上,增加对该地区的经济技术援助,兴办合资企业,扩大双方贸易,使中东地区在技术资金等方面依赖日本,改变日本在经济上对中东地区单方面的依赖关系,通过经济相互依存来保证石油供应的可靠性。日本政府也开始意识到加强文化交流的重要性，1974 年 9 月促成埃及著名学府开罗大学设置日本学科，使双方进入相互了解新阶段。

日本新的中东政策与原来完全追随美国的中东政策相比较，明显带有独立性。如日本公开承认并支持巴解组织而美国则不承认巴解组织。但是它并不是与美国的中东政策一刀两断或背道而驰，因为日本整个对外格局仍受美国制约，日美同盟仍处于支配地位，所以说独立性是相对的，有限的。

新的中东政策核心就是确保中东石油平稳供应，为此日本不惜放弃更多经济利润而主动向中东地区，特别是海湾国家投资、贷款。在中东地区这个充满着民族矛盾、宗教矛盾、国家间矛盾的旋涡中，小心翼翼地相交相往，尽力保持"等距离外交"，担心影响到某一方面而得罪众多伊斯兰国家，不惜与美国的中东政策保持距离。日本中东政策变化的直接原因，就是中东石油在供应渠道、供求关系及价格的变化中所起的日益显著作用。

(三)

自第一次石油危机后，日本政府一直寻求尽力减少对中东石油的过分依赖。例如采取国内节能措施，调整生产结构，发展低能耗产业，发展原子能、太阳能等新能源，扩大从印度尼西亚、中国、文莱等亚太地区国家进口石油。上述措施结果如表 4－8 所示。

表 4－8　日本对中东石油进口状况　(1 000 b/d，%)

年　限	进口额	占总进口比	年　限	进口额	占总进口比
1975 年	3 610	79.5	1982 年	2 619	71.7
1976 年	3 703	80.2	1983 年	2 561	71.8
1977 年	3 765	78.5	1984 年	2 591	70.7
1978 年	3 660	78.5	1985 年	2 405	71.2
1979 年	3 710	75.8	1986 年	2 246	69.0
1980 年	3 267	74.5	1987 年	2 165	68.0
1981 年	2 756	70.3			

可以看出，1975—1980 年日本对中东石油进口无论是进口额，还是占全年进口比例都呈现逐渐下降趋势，然而 1981—1987 年不仅与 70 年代进口情况相比变化明显，而且进口额明显大幅度下降，说明日本致力于摆脱对中东石油过分依赖措施有很大的进展。

另一方面在国际社会，自第一次石油危机之后，国际石油市场价格一路高攀，特别是在 1978 年底石油大国伊朗爆发伊斯兰革命后停止石油出口，致使供求关系突变引发第二次石油危机，1980 年两伊战争爆发使石油危机达到顶点。1979 年每桶阿拉伯轻质油价格为 14.55 美元，到 1981 年 1 月竟达到 36—40 美元。然而国际石油市场高价位短暂维持后，却由于西方节能技术和替代能源发展很快，北海油田大力开发以及其他产油大国加入，欧佩克成员措施不一致等因素，价格一路下滑，1981 年 10 月每桶阿拉伯轻质油 34 美元，1983 年 3 月为 29 美元，1985 年 3 月为 25.85 美元，1986 年 3 月跌到 11.51 美元。1986 年以后油价大体在 14—18 美元间波动。

80 年代以来，由于日本对中东石油需求明显减少，特别是国际石油市场价格暴跌，从卖方市场转移到买方市场，无疑加大了日本对中东政策制定过程中的选择余地。日本也由 70 年代对中东国家关系小心翼翼，唯唯诺诺转变为逐渐放松手脚，参与中东冲突的解决。

1979 年 11 月伊朗与美国在引渡伊朗前国王巴列维问题上发生冲突，引发了震惊世界的人质事件。伊朗是日本在中东地区第二大石油进口国，1978 年日本进口原油中 12.9%来自伊朗，所以日本在人质事件初期采取观望态度，避免得罪伊朗。但是随着人质事件冲突升级，美国对日本压力加大，最终被迫使日本 1980 年 4 月末参加西方国家对伊朗的经济制裁，但初期日本仍持比较温和的态度，人质事件解决后很快恢复了与伊朗关系。对于苏军入侵阿富汗事件与两伊战争，日本的态度则更为积极主动。针对苏军入侵阿富汗，日本积极参与西方国家对苏联的抵制活动，不仅推迟或取消与苏联的交往，抵制莫斯科奥运会，而且利用各种场合谴责苏联，扩大与中东国家外交。随着两伊战争进入相持阶段，日本在两伊间“穿梭”外交明显增多。据《日本外交蓝皮书》1984年版刊载，日本为调节两伊战争，仅在1983年8月至1984年8月间，日本要人出访两伊国家8次，两伊国家要人来访6次。① 日本为两伊战争停火做出重要努力。对于中东地区核心问题——巴勒斯坦问题的解决，1988年6月日本外相宇野在访问叙利亚、约旦、埃及后，又访问了以色列。这是日本外相初次访问该国，反映出日本在该地区已经由被动亲近阿方转变到在阿以双方间进行调节外交的“中立”立场上来。

随着中东石油对日本压力逐渐减轻，日本中东政策的政治色彩更加增大。1991年8月海湾危机爆发后，日本很快加入对伊拉克制裁行列。日本共同社发表评论说：“资源小国日本采取包括禁止石油进口的严厉制裁措施是极其异乎寻常的。”日本为以美国为首的多国部队提供了除了派遣军队直接参战之外所能提供的一切援助，日本承担了战争费用130亿美元，约占整个战争费用600亿美元的1/4，日本参与程度之深可见一斑。

海湾战争之后，国际石油市场价格并没有出现像人们预料的那样高涨，而是仍然处于低价位。再加上中东地区国际形势的变化，美国等西方国家利用海湾战争胜利之机，控制了该地区局势。中东石油对日本的制约再度减轻。日本一边加大中东石油进口量；一边又极力参与中东政治经济事务。1991年4月24日，日本政府正式决定向海湾地区派遣6艘舰艇和500名官兵组成的现代化扫雷舰队，这是二战后日本首次向海外大规模派遣军队。在1991年，日本与伊朗、也门、阿尔及利亚、卡塔尔、沙特等国家签订石油开采、提炼等合同，以确保中东石油进口。1992年日本成了海湾合作委员会成员国的最大贸易伙伴，美国也不得不屈居第二位。② 1991年10月马德里中东和平国际会议召开后，日本又成了多边谈判的积极参加国，尽力在中东和平进程中扮演“政治大国”角色。

综上所述，日本在制定中东政策过程中，核心是确保中东石油平稳

① 日本外務省編成：《外交青書——わが外交の近況》，1984年版，第45頁。

② 王京烈：《动荡中东多视角分析》，世界知识出版社，1996年版，第85页。

供应。中东石油问题是其考虑的重要因素。随着中东石油的所有者、供应渠道、供求关系及价格的变化，日本的中东政策屡做调整，石油因素的作用是巨大的。

五、日本与中东的经贸状况简析(1976—1992)①

众所周知，在世界经济大国日本的发展中，丰富、廉价的中东石油起了重要作用，而靠石油出口振兴起来的中东地区，又成为日本商品进军的主要市场。本节就 1976 年至 1992 年日本与中东的经济贸易状况做如下简略分析。

(一) 日本对中东出口概况

本书所指中东地区，即 10 个产油国：阿尔及利亚、巴林、伊朗、伊拉克、科威特、利比亚、阿曼、卡塔尔、沙特、阿联酋；12 个非产油国：阿富汗、埃及、以色列、约旦、黎巴嫩、摩洛哥、苏丹、叙利亚、突尼斯、土耳其、北也门、南也门，共计 22 个国家。

自从 60 年代末开始日本逐步成为资本主义世界仅次于美国的第二大经济大国至今，其出口贸易额剧增。而在其出口贸易中，中东地区曾长期为其主要出口市场(如表 4－9 所示②)。

表 4－9　日本对中东出口与总出口比例(单位：10 亿日元，%)

年　份	日本对中东出口(A)		日本总出口(B)		
	金额	上年比	金额	上年比	A/B
1976	2 323	20.1	19 935	20.5	11.7
1977	2 603	12.0	21 648	8.6	12.0

① 本节发表于《现代日本经济》1994 年 6 期。

② 日本中東經済研究所：《中東經済》特别号，1983 年第 71 号，1984 年第 81 号，1987 年 117 号，1990 年第 144 号，1993 年第 156—2 号。

续表

	日本对中东出口(A)		日本总出口(B)		
年　份	金额	上年比	金额	上年比	A/B
1978	2 460	－5.5	20 556	－5.0	12.0
1979	2 472	0.5	22 632	9.6	11.0
1980	3 406	37.7	29 383	30.4	11.6
1981	4 080	19.8	33 469	13.9	12.2
1982	4 435	8.7	34 433	2.9	12.9
1983	4 274	－3.6	34 909	1.4	12.2
1984	3 592	－16.0	40 325	15.5	8.9
1985	3 103	－13.6	41 965	4.0	7.4
1986	1 812	－41.6	35 290	－15.9	5.1
1987	1 430	－21.1	33 315	－5.6	4.3
1988	1 267	－10.1	33 939	1.9	3.7
1989	1 233	－2.7	37 823	11.4	3.3
1990	1 573	27.6	41 457	9.6	3.8
1991	1 784	13.4	42 360	2.2	4.2
1992	2 046	14.7	43 012	1.5	4.8

从表 4－9 看出，第一，日本对中东出口在 1983—1989 年，连续 7 年逐年减少。1989 年比 1982 年大约减少 360%。原因是，受世界石油市场不景气的影响，中东产油国石油出口锐减，创汇出现困难。产油国政府纷纷实施限制进口政策，而非产油国由于产油国出口创汇减少，其获得产油国的财政援助大大减少。另外由于产油国经济不景气，使得非产油国向产油国的劳务输出大大减少。同样，非产油国政府也实施限制进口政策。这是日本对中东出口连续 7 年减少的主要原因。随着世界石油市场的复苏，进入 90 年代后，日本对中东出口又逐年增长。

第二，日本对中东出口，在日本全年总出口中所占的比例逐渐下降。从两位数字下降到一位数字，而且还有继续下降的趋势。其原因为，进入80年代，亚太地区成了世界上经济最活跃地区，日本身在亚太地区，自然而然就把贸易重心转移到亚太地区。日本对亚太地区出口额增大，造成了对中东地区实际出口额减少。同样，日本对中东出口占全年出口的比例也下降了。

在中东，产油国与非产油国在经济上存在着极大差距。同样，日本对中东地区产油国与非产油国在出口上也存在差异(如表4-10所示①)。

表4-10 日本对中东产油国与非产油国出口比例 (%)

年 限	产油国	非产油国	年 限	产油国	非产油国
1976	83.3	16.7	1985	84.4	15.6
1977	84.0	16.0	1986	79.8	20.2
1978	89.0	11.0	1987	79.1	20.9
1979	87.0	13.0	1988	79.1	20.9
1980	85.9	14.1	1989	81.4	18.6
1981	86.6	13.4	1990	76.9	23.1
1982	87.8	12.2	1991	78.8	21.2
1983	85.4	14.6	1992	78.7	21.3
1984	83.6	16.4			

从表4-10可以计算出，日本对中东出口的平均83%以上集中在中东产油国，中东产油国具有丰富的天然石油资源，石油大量出口创汇，这些国家大量进口各种商品，构成了日本在中东地区的核心贸易市场。

在中东地区贸易市场上，资本主义工业国，特别是主要的工业六国，即美国、日本、法国、原西德、意大利、英国占绝对优势(如表4-11所示②)。

① 日本中東經済研究所:《中東經済》特别号，1983年第71号，1984年第81号，1987年117号，1990年第144号，1993年第156—2号。

② 日本中東經済研究所:《中東經済》特别号，1983年第71号，1984年第81号，1987年117号，1990年第144号，1993年第156—2号。

表 4-11　中东总进口中主要工业六国所占比例　　（%）

年限	美国	日本	法国	原西德	意大利	英国	合计
1977	12.1	10.8	7.5	12.1	7.0	7.4	56.9
1978	13.9	11.3	7.6	12.7	7.4	7.7	60.6
1979	11.6	10.3	10.3	11.9	8.7	7.0	59.8
1980	10.3	10.9	8.3	9.9	8.2	6.8	54.4
1981	11.4	11.5	8.0	10.2	9.2	6.5	56.8
1982	11.5	11.8	7.3	11.2	7.5	6.4	55.7
1983	11.0	12.3	6.9	10.9	7.9	6.0	55.0
1984	10.3	11.5	7.4	9.5	7.8	5.7	51.2
1985	9.6	10.8	7.3	9.4	7.7	6.2	51.0
1986	10.4	9.6	8.0	10.3	7.8	7.2	53.3
1987	10.7	8.5	7.5	10.3	7.2	8.1	52.3
1988	10.6	8.1	6.9	9.8	7.0	7.6	50.0
1989	11.0	7.2	7.8	9.7	7.3	8.2	51.2
1990	11.3	7.6	9.0	11.2	7.9	7.6	54.6

从表 4-11 可以计算出，资本主义主要工业六国在 1977—1990 年对中东出口平均占中东总进口额的 54.5%。六国按出口平均例排列为：美国 11.1%、西德 10.7%、日本 10.2%、法国 7.9%、意大利 7.7%、英国 7.0%。从这个比例来看，日本并没有表现出其资本主义世界第二号经济大国的“风采”。其原因是，中东地区长期动荡不安，各国政府、组织纷纷投入大量外汇购买武器。中东地区是世界上最大的武器销售市场，在六国中除了日本之外，皆为世界上主要武器出口国，他们在向中东出口额中很大比例为武器出口，而日本在武器出口上是小国或弱国，所以日本与其他工业国在向中东出口竞争上，相对存在着“弱项”或“弱点”。这也是日本在对中东出口数额上无增长，所占比例不高的原因之一。

(二) 日本对中东出口的商品及对象国家

日本是世界贸易大国,对中东出口商品也非常全面(如表 4-12 所示①)。

表 4-12 日本对中东出口商品比例 (%)

年 限	食 品	纤维及制品	化学制品	非金属制品	金属制品	机械机器	其 他
1976	1.3	10.1	2.0	1.9	26.2	52.3	6.2
1977	1.2	8.9	1.8	2.5	22.1	58.1	5.4
1978	1.5	7.5	2.0	2.4	22.1	59.9	4.6
1979	2.0	8.6	2.1	2.9	22.9	55.6	6.1
1980	1.7	9.2	2.3	2.6	20.6	56.6	7.0
1981	1.3	8.5	2.3	2.3	17.6	61.1	6.6
1982	1.1	7.2	1.2	2.4	19.1	62.5	8.4
1983	1.1	8.6	1.2	2.2	15.8	64.1	9.5
1984	1.2	8.6	1.5	2.0	12.8	66.2	10.2
1985	1.0	8.0	1.5	1.5	15.2	64.1	11.1
1986	0.9	8.7	1.8	1.2	13.6	64.6	11.7
1987	0.7	8.1	2.4	1.0	9.4	68.5	12.7
1988	0.4	7.1	2.1	0.8	10.8	68.9	9.8
1989	0.5	7.1	2.4	0.8	12.6	64.8	11.7
1990	0.5	5.9	2.8	0.7	10.8	69.6	9.5
1991	0.3	5.5	2.2	0.7	9.5	72.9	8.8
1992	0.3	4.9	1.9	0.8	9.8	75.1	75.1

表 4-12 所指食品类,包括食品、肉制品、饮料、香烟。非金属及制品包括陶瓷、水泥。机械机器类包括一般性机械、电气机器、运输用具、精密机器。其他类包括纸类及制品、橡胶轮胎、家具、鞋等。

① 日本中東經済研究所:《中東經済》特别号,1983 年第 71 号,1984 年第 81 号,1987 年 117 号,1990 年第 144 号,1993 年第 156—2 号。

从表 4－12 明显看出，日本对中东出口商品中，机械机器类占的比率最大，其主要是电气机器与运输用具，出口比例第二位的是金属及制品类，但是其出口的比例逐年下降。其原因为，中东主要产油国大规模的油田开发及基础建设已经告一段落，所需钢铁及制品大大减少。

日本对中东出口的平均 83％集中在产油国，而进一步分析日本对中东出口的主要国家，按日本出口的所占比例排列前五位国家如表 4－13 所示。①

表 4－13　日本对中东出口前五位国家比例　（％）

年　限	沙特	伊朗	阿联酋	科威特	伊拉克
1976	24.1	12.8	8.1	9.2	8.0
1977	24.1	19.8	8.8	9.7	8.9
1978	28.0	23.4	8.6	6.6	8.1
1979	34.0	8.4	9.3	7.9	14.4
1980	32.3	10.5	9.0	8.4	14.6
1981	31.8	8.1	8.0	8.9	16.4
1982	37.3	5.3	8.3	10.1	15.4
1983	37.4	15.8	7.5	9.9	3.5
1984	37.3	11.1	7.4	9.5	5.4
1985	30.5	10.3	9.0	12.0	10.0
1986	26.3	10.9	9.7	11.6	11.7
1987	33.3	10.8	11.4	8.9	4.0
1988	31.7	8.2	13.0	7.4	4.1
1989	30.7	10.3	14.4	7.4	5.5
1990	30.6	14.7	14.3	3.8	2.4
1991	29.4	18.7	16.2	3.3	0.0
1992	30.0	16.5	16.9	4.7	0.0

① 日本中東經済研究所：《中東經済》特别号，1983 年第 71 号，1984 年第 81 号，1987 年 117 号，1990 年第 144 号，1993 年第 156—2 号。

从表 4 - 13 可以看出，日本对中东出口最多的国家是沙特阿拉伯，平均占日本对中东出口的 31.1%，也就是说日本对中东出口的近 1/3 是向沙特阿拉伯出口。按平均比例排第二位是伊朗，为 13.2%，特别值得一提的是，1979 年伊朗伊斯兰革命后，伊朗受到以美国为首的西方世界孤立时期，日本仍然与伊朗保持着较为密切的贸易往来。依次排列三至五位的国家是，阿联酋平均为 10.6%，科威特平均为 8.2%，伊拉克平均为 7.8%。1990 年 8 月 2 日伊拉克入侵科威特后，日本执行联合国安理会决议，对伊拉克实行严厉的经济制裁，所以表 4 - 13 中 1991 年、1992 年日本与伊拉克没有贸易往来，1990 年的贸易也仅在该年上半年进行。科威特由于受到伊拉克入侵，虽经过多国部队帮助重新解放了家园，但是其已受到严重毁坏。科威特的经济处于恢复阶段，所以日本对科威特的出口也处于低水平。

(三) 日本对中东的石油进口

日本是世界经济大国，但是日本又是几乎不产石油的资源穷国，所以日本经济具有极大的对外依赖性。对世界石油主要产地中东的依赖程度，日本要大大高于其他资本主义工业国(如表 4 - 14 所示①)。

表 4 - 14　美国、日本、西欧对中东石油依存度　(%)

	1980	1981	1982	1983	1984
美国	38.2	32.1	20.1	17.1	17.3
日本	72.5	69.3	67.4	67.3	66.3
西欧	73.7	69.3	65.5	58.7	54.6

日本的经济振兴、发展，其中一个重要因素就是得益于中东地区丰

① 日本中東經済研究所:《中東經済》特别号，1983 年第 71 号，1984 年第 81 号，1987 年 117 号，1990 年第 144 号，1993 年第 156—2 号。

富、廉价的石油。日本对中东石油进口状况如表 4－15 所示。①

表 4－15 日本对中东石油进口状况 (单位:万千升)

年 限	进口额	占总进口比	年 限	进口额	占总进口比
1975	3 610	79.5	1982	2 619	71.7
1976	3 703	80.2	1983	2 561	71.8
1977	3 765	78.5	1984	2 591	70.7
1978	3 660	78.5	1985	2 405	71.2
1979	3 710	75.8	1986	2 246	69.0
1980	3 267	74.5	1987	2 165	68.0
1981	2 756	70.3			

从表 4－15 可以计算出,日本在 1975—1987 年,年平均从中东进口石油占日本全年石油总进口的 73%,但也可以看出,日本从中东进口石油的数额在不断下降。其原因是,自 1973 年石油危机后,日本开始尽力寻找替代石油的新能源,所需石油的总数在不断减少。此外,日本在尽力减少对中东石油的依赖程度,以防止一旦中东石油出现风波,严重威胁日本正常的经济发展。特别是中东地区在阿以冲突中,1973 年中东产油国利用石油武器打击支持以色列的西方国家,使得日本在经济、政治上都受到严重损失。为此日本要尽力扭转这种被动局面。日本选择的办法,就是扩大从中东以外国家进口石油,如扩大从印尼、中国、文莱等亚太地区产油国进口石油。这样也可以相对减少从中东进口石油的路程。

日本所需石油绝大部分来自中东,我们进一步分析日本对中东石油进口的主要国家,如表 4－16 所示。②

① 日本中東經済研究所:《中東經済》特别号,1983 年第 71 号,1984 年第 81 号,1987 年 117 号,1990 年第 144 号,1993 年第 156—2 号。

② 日本中東經済研究所:《中東經済》特别号,1983 年第 71 号,1984 年第 81 号,1987 年 117 号,1990 年第 144 号,1993 年第 156—2 号。

表 4-16 日本对中东石油进口主要国家比例 (%)

年 限	沙特	阿联酋	伊朗	科威特	阿曼	伊拉克	卡塔尔
1975	29.8	9.0	25.3	9.2	2.7	2.0	0.1
1976	34.2	11.5	20.2	7.4	3.2	2.8	0.0
1977	33.8	11.4	17.0	8.3	3.6	3.2	0.7
1978	32.9	10.1	17.3	8.6	3.7	3.3	2.3
1979	32.1	10.2	11.4	9.5	4.0	5.3	2.9
1980	35.3	13.6	6.6	4.0	3.0	7.8	3.0
1981	37.6	13.7	3.4	4.6	4.1	1.5	3.5
1982	39.7	13.6	5.9	2.2	3.6	1.7	3.6
1983	33.3	15.3	11.0	1.9	5.0	0.4	3.7
1984	32.0	15.3	7.3	3.0	6.1	0.4	6.1
1985	23.3	21.1	7.3	1.6	8.9	1.7	5.9
1986	18.0	22.1	6.6	3.6	8.4	4.9	4.8
1987	22.0	18.8	7.3	5.9	6.7	3.2	3.5

从表 4-16 可以看出，日本从中东进口石油，主要集中在海湾地区产油国，表 4-16 所列举的前七位石油进口国皆为海湾地区国家。日本从七国进口石油，平均占日本全年石油进口额的 66.6%，平均占日本从中东进口石油的约 91%。按日本从七国进口石油的年平均例排列一至七位是：沙特 31.1%、阿联酋 13.5%、伊朗 11.3%、科威特 5.4%、阿曼 4.8%、卡塔尔 3.1%、伊拉克 2.8%。这里非常明显是沙特阿拉伯，日本全年进口石油总额的平均 31.1%是来自这个国家，或者说日本从中东进口石油平均约有 43%是来自沙特，可见沙特石油对日本经济发展的重要性。

综上所述，日本与中东经济贸易有以下几个特点。第一，日本对中东地区的石油具有极大的依赖性。日本虽想尽力扭转这种被动局面，但是进展不大。我们把日本对中东地区的商品出口与日本对中东地区的石油进口放在日本经济发展这个“天平”上衡量，后者明显对日本经济发展至关重要。这也是日本与中东经济贸易中处于一种被动局面的根源。

第二，由于中东地区各国经济发展极为不平衡，所以日本与中东经济贸易关系上具有局限性。日本对中东贸易集中于产油国家，特别是与沙特阿拉伯具有极深的贸易关系。日本对中东的商品出口平均 31.1%是向沙特阿拉伯出口，日本对中东的石油进口平均 43%来自沙特阿拉伯。日本与沙特阿拉伯这种极深的经贸关系，必然反映在双方的政治关系上，例如海湾战争中日本表现出异常“热情”就是佐证。

第三，中东地区仍是日本商品出口不可缺少的重要市场。中东地区，特别是海湾地区产油国家，大量的石油出口创汇，使其具有极大的购买力，加之长期的殖民统治，单一的石油工业经济发展，必然造成其需要大量进口各种商品的局面。日本对第三世界发展中国家的贸易出口，中东地区仍然是其主要的贸易伙伴，而且可以预料，日本与中东地区的经济贸易关系今后一定还将有进一步发展。

六、试析 20 世纪 80 年代中东经贸状况①

中东以丰富的石油资闻名于世，70 年代中东地区在石油工业的带动下，经济贸易曾出现长足发展，而进入 80 年代以后，由于石油价格的大幅度波动，中东各国经济贸易状况也随之发生巨大变化。

(一) 中东经贸在世界经贸中的地位

本节所指中东地区，即 10 个产油国：阿尔及利亚、巴林、伊朗、伊拉克、科威特、利比亚、阿曼、卡塔尔、沙特、阿联酋，12 个非产油国：阿富汗、埃及、以色列、约旦、黎巴嫩、摩洛哥、苏丹、叙利亚、突尼斯、土耳其、北也门、南也门(1990 年 5 月南、北也门合并为也门共和国)，共计 22 个国家。中东地区经济贸易在世界经济贸易中所处的地位，如表 4－17、4－18 所示。②

① 本节发表于《中东研究》1994 年 2 期。

② 日本中東經済研究所：《中東經済》特别号，1988 年第 117 号第 2 頁，1992 年第 144 号第 8 頁。

表 4－17　世界经贸出口状况(FOB)　(10 亿美元,%)

	世界合计		先进工业国			中东各国		
年限	金额	前年比	金额	前年比	世界比	金额	前年比	世界比
1980	1 875.7	23.0	1 239.5	17.1	66.1	257.9	43.0	13.7
1981	1 842.8	－1.8	1 218.5	－1.7	66.1	238.9	－7.4	13.0
1982	1 709.9	－7.2	1 155.6	－5.2	67.6	190.9	－20.1	11.2
1983	1 674.8	－2.1	1 140.5	－1.3	68.1	164.1	－14.0	9.8
1984	1 776.6	6.1	1 214.2	6.5	68.3	155.1	－5.5	8.7
1985	1 810.2	1.1	1 258.2	3.6	69.5	139.8	－11.0	7.7
1986	1984.1	9.6	1 463.8	16.3	73.8	107.8	－22.9	5.4
1987	2 354.4	18.7	1 716.5	17.3	72.9	125.6	16.6	5.3
1988	2 683.8	13.9	—	—	—	127.3	1.4	4.7
1989	2 912.2	8.5	—	—	—	149.7	17.6	5.1

表 4－18　世界经贸进口状况(CIF)　(10 亿美元,%)

	世界合计		先进工业国			中东各国		
年 限	金额	前年比	金额	前年比	世界比	金额	前年比	世界比
1980	1 928.1	23.0	1 369.3	19.8	71.0	142.4	29.5	7.4
1981	1 912.1	－0.8	1 298.1	－5.2	67.9	166.9	17.2	8.7
1982	1 793.8	－6.2	1 219.5	－6.1	68.0	169.7	1.7	9.5
1983	1 737.4	－3.1	1 201.4	－1.5	69.1	165.8	－2.3	9.5
1984	1 851.1	6.5	1 309.8	9.0	70.8	153.5	－7.4	8.3
1985	1 892.0	2.3	1 360.5	3.9	71.9	133.5	－11.2	7.1
1986	2 067.2	9.3	1 529.5	12.4	74.0	121.7	－8.9	5.9
1987	2 435.2	17.8	1 801.0	17.8	74.0	130.0	6.8	5.3
1988	2 762.4	13.4	—	—	—	136.2	4.8	4.9
1989	3 002.0	8.7	—	—	—	140.5	3.2	4.7

从表 4－17、4－18 可以计算出，在世界出口总额中，20 个先进工业国[①]约占69.0%，中东各国约占 7.9%；在进口额中，先进工业国约占70.8%，中东各国约占 7.1%。如果我们排除这 20 个先进工业国所占份额，其余出口额的 31%，进口额的 29.2%可以视为所有发展中国家和社会主义国家共同拥有的份额。以此为基数计算，中东各国在出口和进口中的比例分别为 25.5%和 24.3%。也就是说，22 个中东国家在第三世界及社会主义国家的进出口贸易总额中所占份额均在四分之一左右，这足以说明其所处地位是很重要的。

(二) 中东经贸概况

在表 4－17、4－18 可以看到，在出口额上，中东各国在 1981—1986 年，连续 6 年出现递减，在进口额上，中东各国在 1983—1986 年，连续 4 年出现递减。其原因为，除受世界经济不景气影响外，中东石油贸易出现下滑是其主要原因。自 1973 年石油危机出现后，西方工业国家都极力采取节能技术和石油替代能源，收效很大，1979 年西方工业国家又遇到大规模经济危机，导致世界石油需求下降。相反在石油供应方面，虽然中东产油国极力采取限产或减产来保持石油价格，但是受到非中东产油国大量石油上市冲击，从 1983 年至 1986 年，国际市场石油价格不断下跌，以石油经济为主导的中东经济贸易随之出现了滑坡。1986 年为中东经济贸易的最低谷。这一年的出口额仅为最高年份（1980 年）的41.8%，进口额约为最高年份(1982 年)的 85.5%。1987 年以后，中东经济贸易开始出现缓慢的回升。

中东经济贸易，石油贸易起着主导作用，所以中东产油国与非产油国(包括小产油国)在经济贸易上存在很大差距。如表 4－19 所示。[②]

---

① 20 个先进工业国指：美国、加拿大、奥地利、日本、新西兰、澳大利亚、比利时、丹麦、芬兰、法国、西德、爱尔兰、意大利、荷兰、挪威、西班牙、瑞典、瑞士、英国、冰岛。

② 日本中東經済研究所：《中東經済》特别号，1992 年第 144 号第 4—5 頁。

表 4－19　中东产油国与非产油国经贸状况　（亿美元，%）

	产油国		非产油国		产油国		非产油国	
年限	进口	比例	进口	比例	出口	比例	出口	比例
1980	960	76.9	454	32.1	2 367	91.9	209	8.1
1981	1 131	68.1	529	31.9	2 144	90.3	230	9.7
1982	1 193	71.0	488	29.0	1 669	88.0	228	12.0
1983	1 096	68.3	508	31.7	1 402	86.5	219	13.5
1984	963	65.0	517	35.0	1 248	83.6	244	16.4
1985	810	64.2	451	35.8	1 103	82.5	234	17.5
1986	692	59.6	470	40.4	802	76.8	242	23.2
1987	666	55.9	525	44.1	935	76.3	290	23.7
1988	792	58.2	569	41.8	938	73.5	337	25.5
1989	830	59.3	570	40.7	1 122	74.6	381	25.4

从表 4－19 中可以看到，在出口额上，中东产油国约占中东各国出口总额平均数的 82.4%，而非产油国仅占 17.6%；在进口额上，中东产油国约占中东各国进口总额平均数的 63.8%、而非产油国仅占 36.2%。

（三）中东主要产油国经贸状况

中东主要产油国经济贸易状况如表 4－20 所示。①

表 4－20(1)　中东主要产油国出口状况　（亿美元）

年限	阿尔及利亚	伊朗	伊拉克	科威特	利比亚	阿曼	沙特	阿联酋
1980	156	141	288	204	219	33	1 020	216
1981	133	100	106	163	156	44	1 132	212
1982	115	163	100	109	133	41	758	168
1983	130	193	81	115	114	42	459	187

① 日本中東經済研究所：《中東經済》特别号，1992 年第 144 号第 4—5 頁。

续表

年限	阿尔及利亚	伊朗	伊拉克	科威特	利比亚	阿曼	沙特	阿联酋
1984	131	152	93	123	111	39	375	142
1985	128	137	104	98	109	47	275	140
1986	74	81	75	78	64	25	202	158
1987	86	110	96	102	73	33	232	159
1988	82	83	96	86	70	34	285	158
1989	92	118	124	113	76	37	319	190

表 4－20(2)　中东主要产油国出口状况　　（亿美元）

年限	阿尔及利亚	伊朗	伊拉克	科威特	利比亚	阿曼	沙特	阿联酋
1980	106	128	139	65	68	17	302	86
1981	113	129	207	70	84	23	353	97
1982	107	112	215	83	86	27	407	102
1983	104	190	103	74	77	25	292	84
1984	105	139	98	69	71	27	337	70
1985	98	110	106	65	55	32	236	65
1986	92	88	89	61	47	24	191	64
1987	70	87	73	56	53	18	201	69
1988	81	87	93	61	63	22	258	85
1989	89	97	102	65	57	24	356	96

表 4－20(3)　中东主要产油国经贸收支状况　　（亿美元）

年限	阿尔及利亚	伊朗	伊拉克	科威特	利比亚	阿曼	沙特	阿联酋
1980	50	13	48	139	151	16	718	130
1981	20	－29	－101	93	72	21	789	115
1982	8	51	－115	27	47	14	251	66
1983	26	3	－22	41	37	17	67	103

续表

年限	阿尔及利亚	伊朗	伊拉克	科威特	利比亚	阿曼	沙特	阿联酋
1984	26	13	—5	54	40	12	38	72
1985	30	27	—2	33	54	15	39	75
1986	—18	—7	—14	17	17	1	11	94
1987	16	23	23	46	20	15	31	90
1988	1	—4	3	25	7	12	27	73
1989	3	21	22	48	19	13	63	94

从表 4－19 和表 4－20 所列举的数字可以看出，沙特阿拉伯是产油国家中最大的经济贸易国家，其出口额平均占中东出口总额的 28.3%，进口额平均占 20.3%。依次排列为，阿联酋，分别占 11.1%和 5.8%；伊朗，分别占 8.19%和 8.16%；伊拉克，分别占 7.5%和 8.4%；科威特，分别占7.3%和 4.7%；阿尔及利亚，分别占 7.1%和 6.2%；利比亚，分别占 6.7%和 4.6%；阿曼，分别占 2.4%和 1.7%。

中东产油国在 80 年代，仍然没有改变靠单一石油出口创汇局面。中东主要产油国，除阿联酋外，石油出口仍占其出口额的 90%以上。

（四）中东主要非产油国的经贸状况

中东主要非产油国家的经济贸易状况如表 4－23 所示。①

表 4－23(1)　中东主要非产油国出口状况　（亿美元）

年限	埃及	以色列	约旦	黎巴嫩	摩洛哥	叙利亚	突尼斯	土耳其
1980	30	55	5	10	24	21	22	29
1981	32	57	5	10	23	21	25	47
1982	31	53	8	9	21	20	20	57

① 日本中東經済研究所：《中東經济》特别号，1992 年第 144 号第 4—5 頁。

续表

年限	埃及	以色列	约旦	黎巴嫩	摩洛哥	叙利亚	突尼斯	土耳其
1983	32	51	5	6	21	19	18	57
1984	31	58	7	4	22	19	22	71
1985	18	63	7	4	22	19	17	80
1986	22	72	7	4	24	13	17	75
1987	20	84	8	5	29	14	21	102
1988	21	98	10	6	35	13	24	117
1989	26	111	11	5	33	30	30	116

表 4－23(2)　中东主要非产油国进口状况　　（亿美元）

年限	埃及	以色列	约旦	黎巴嫩	摩洛哥	叙利亚	突尼斯	土耳其
1980	49	97	24	38	42	41	35	77
1981	88	102	32	38	44	50	39	89
1982	91	90	32	34	43	10	34	88
1983	103	96	30	36	36	45	32	92
1984	108	98	28	29	39	40	32	107
1985	55	100	27	20	39	40	28	113
1986	88	108	24	20	39	26	29	110
1987	76	143	23	18	42	25	28	143
1988	87	150	28	23	47	22	37	143
1989	74	141	21	22	55	21	44	158

通过表 4－19 和表 4－23 我们可以计算出中东主要非产油国在中东各国经贸总额中所占比例。依其数额排列：土耳其，出口额平均占中东总出口额 5.3％，进口额平均占 8.1％；以色列，出口额平均占 4.7％，进口额平均占 8.1％；埃及所占份额分别为 1.7％和 5.3％；摩洛哥分别为 1.7％和 3％；突尼斯为 1.4％和 2.4；叙利亚为 1.2％和 1.9％；约旦为 0.5％和1.9％；黎巴嫩为 0.4％和 1.9％。

另外，从表4－23(1)与表4－23(2)比较看，中东主要非产油国几乎皆为赤字，如表4－24所示。

表4－24　中东主要非产油国进出口贸易状况　　（亿美元）

年限	埃及	以色列	约旦	黎巴嫩	摩洛哥	叙利亚	突尼斯	土耳其
1980	－19	－42	－19	－28	－18	－20	－13	－48
1981	－56	－45	－27	－28	－21	－29	－14	－42
1982	－60	－37	－24	－25	－21	－20	－14	－32
1983	－71	－45	－25	－30	－15	－25	－14	－35
1984	－77	－40	－21	－25	－17	－21	－10	－36
1985	－37	－37	－20	－16	－17	－24	－11	－33
1986	－66	－36	－17	－16	－15	－13	－12	－35
1987	－56	－57	－15	－13	－13	－11	－7	－41
1988	－66	－52	－18	－17	－12	－9	－13	－36
1989	－48	－40	－10	－17	－22	9	－14	－42

表4－24反映出中东主要非产油国家经济贸易收支的赤字情况。除了叙利亚在1989年盈余9亿美元外，皆为连年赤字。以其年平均赤字额为序排列为：埃及为55.6亿美元，以色列为43.3亿美元，土耳其为38亿美元，黎巴嫩为21.5亿美元，约旦为19.6亿美元，摩洛哥为17.1亿美元，叙利亚为16.3亿美元，突尼斯为10.9亿美元。

80年代中东地区的经济贸易，受到世界经济贸易不景气的影响，加上国际市场石油贸易价格下跌的严重打击，整个中东地区经济贸易出现了由高峰(1980年)向低谷下滑(1986年为最低谷)的局面。在逐渐回升的曲线变化过程中，中东主要产油国变化最明显，而非产油国变化却不十分明显。中东主要产油国凭借着多年积累的巨大财力，以及继续保持石油出口创汇，仍能保持经济贸易上的盈余局面。中东地区的非产油国，虽然变化不十分明显，但是由于产油国的石油工业不景气，使其劳务输出创汇受到限制，获得产油国的财政援助或者贷款减少，因而贸易局面更加困难。1987 年以后伴随着世界经济的回升，石油需求量不断增长，中东地区，无论产油国和非产油国的对外出口均有不同程度的增长，这种势头由于 90 年代海湾战争的影响而受阻，但是，从总的趋势来看，中东地区仍不失为世界上一个重要的贸易区。

第五章 日本对中东外交政策

日本对中东政策是成功的，成功之处首先就在于，其确保了中东地区石油源源不断地向日本供应，确保了日本经济发展、繁荣；其次就是借用中东地区这个国际大舞台，充分展示了日本的政治、军事实力，为其实现“政治大国”目标迈出关键性步伐。展望日本对中东政策的未来，一方面日本会在经济上尽力摆脱受中东地区石油制约的不利因素，发展双边经济贸易；另一方面日本会在政治上插手中东地区事务，发挥所谓“政治大国”作用，争取在中东地区获得一定的主导权。

1973 年 10 月第四次中东战争爆发前，日本政府在外交政策上不重视中东地区国家关系，遇到中东地区发生冲突时，总是站在美国一边，紧紧地追随美国的中东政策。在第一次石油危机打击下，日本对中东政策被迫发生转变，实施所谓“亲阿拉伯”政策。日本开始重视与中东地区各国的关系，由以往与中东地区国家单纯的石油经济关系转变为全面的政治、经济、文化关系。但是，日本对中东地区发生的冲突，虽然采取了不同于美国的“独立性”对策，表示自己坚决站在阿拉伯国家方面，但是缺少实际行动，仅停留在发表纸上声明支持程度上。20 世纪 80 年代日本在对外政策上，把实现“政治大国”作为自己的目标。表现在对中东政策上，由以往对待中东冲突仅发表纸上声明表度，转变到直接参与中东地区冲突的解决。在中东地区相续出现的人质事件、阿富汗事件、两伊战争等冲突中，日本由被动参与，发展到主动参与；由配合实施经济制裁，发展到充当冲突双方的调解人。日本直接参与中东地区冲突的解决，表明其从70年代转变中东政策后，由仅注重加强经济关系，利用经济、技术援助来加强双边关系，发展到利用自己国际地位来扩大或加强双边关系，并明显加大了政治色彩。如果说在整个80年代，日本的对外政策是为实现"政治大国"目标准备条件和打下基础的话，那么90年代日本的对外政策便进入积极行动阶段。表现在日本对中东政策上，日本全面参与中东地区冲突的解决，从80年代提供财政援助、充当冲突的调解人，发展到派遣人员直接参与冲突的解决，甚至发展到动用国民自卫队参与冲突的解决。中东和平进程如何发展，不仅是关系到中东地区国家的稳定与发展的大事，而且也是关系到整个国际社会的稳定与发展的大事。日本在80年代就试图参与中东和平进程，马德里和会召开后，日本不仅是多边谈判的积极参与国，而且还是多边谈判小组会议的主持国或领导国。

一、20世纪80年代日本中东外交的强化①

——推行"政治大国"战略目标的重要内容

进入80年代，日本在对外政策方面明显开始转向推行"政治大国"战略目标。表现在对中东政策上，由70年代对中东地区发生的冲突采取"观望""纸上声明"，发展到直接参与解决中东地区的冲突，充当国际调节人。本节谨以80年代中东地区发生的主要事件为线索，做一粗略论述。

（一）日本加强对中东外交政策的背景

80年代日本对外政策转变的根本原因是有了强大经济实力为后盾。

① 本节发表于《河北师院学报》1996年1期。

1980年日本的国民经济总产值已经超过一万亿美元，占世界经济总产值的十分之一，日本成为世界贸易、外汇储备、资本输出大国，与此同时自然就要提出"发挥与经济大国相称的国际作用"。日本的所谓政治大国地位，就是要以其强大的经济实力为后盾，积极参与世界各项政治活动，并在其中享有与其经济相称的政治发言权。更具体地说是拥有总值主宰权。80年代中曾根内阁把"政治大国"作为战略目标加以积极推行，他在1983年7月23日向故乡群马县民讲话时说："不仅增加日本作为经济大国的分量，而且增加作为政治大国的分量。"经济大国是向政治大国转化的基础，实现政治大国又是为了更有力地在全世界范围内谋求日本的经济利益。在推行"政治大国"目标下，日本开始加强对中东外交政策。

70年代末以来的国际形势变化，特别是美苏两国争霸加剧，是日本加强对中东外交政策的重要原因，对于日本来说，能源的威胁并不亚于军事威胁。1979年底苏军入侵阿富汗，日本感到苏联南下波斯湾逼近中东石油库，与苏联在东南亚扩张，凭借金兰湾威胁马六甲海峡是相呼应的，严重危及日本的石油供应。一旦苏联控制中东截断石油运输线，日本经济就会自行崩溃。从自身利益出发，日本需要加强中东外交，配合西方国家抗衡苏联。另外美国里根政府把巩固西方资本主义阵地，遏制苏联作为对外政策中心，美国要求盟国同其一道采取行动，作为盟国的日本为了配合美国的行动，亦不得不加强中东外交。

第二次石油危机爆发，更加促使日本重视对中东外交。70年代末期，伊朗国内爆发了全国规模的反对巴列维王朝统治的运动。国内的政治动乱，直接影响伊朗经济，伊朗石油产量从1978年10月急剧滑坡。同年12月末石油出口完全停止。日产量600万桶①的产油大国在国际石油市场上消失，致使供求关系紧张，欧佩克组织决定分阶段提高石油价格，累计提高14.5%，这标志着第二次石油危机的爆发。1979年3月欧佩克再次决定从4月份提高石油价格9.05%，使油价从原来的每桶14

---

① 綜合研究開発機構编：《米ソの中東政策と日本課題》，平成二年，第121頁。

美元上涨到 32 美元。[①] 日本虽安然度过危机，但是石油危机再次发生，对于主要依赖中东石油的日本，就不能不更加关心中东地区。

(二) 日本与人质事件

日本参与解决人质事件，是 80 年代日本加强对中东外交政策的开始。1979 年 2 月伊朗的伊斯兰革命胜利后，由于在引渡前国王巴列维问题上与美国发生矛盾，1979 年 11 月德黑兰大学生冲击美国驻伊朗大使馆，强行占领并扣压使馆内 52 名美国人为人质。[②]

超级大国美国与石油大国伊朗发生冲突，给日本外交带来难题。日美关系不用多言，日美协调为日本对外政策的基轴。日本与伊朗关系，在伊朗革命前双方保持良好关系，伊朗是日本第二大石油供应国。1978 年日本进口原油的 12.9%来自伊朗。[③] 日本在中东最大合资企业三井伊朗石油化工联合企业就设在伊朗，所以日本首先担心的是，如果得罪了伊朗会在经济上蒙受巨大损失。其次，当时在伊朗约有 1 000 名日本人，日本担心对伊朗采取过激的措施，会影响这些人的安全。另外日本也担心如过分附和美国，会引发中东国家的不满情绪。为此，日本首相大平正芳在第 90 届临时国会上讲："我国对美国和伊朗双边关系的加剧表示深切关注，强烈希望从人道主义立场出发，早日使问题得到圆满的解决。"[④]对于美国提出并要求盟国对伊朗实施经济制裁的呼吁，日本不予理睬。通产省认为，"日本与美国的石油状况完全不同，即使美国与伊朗断交，日本也没有必要抵制从伊朗进口原油"[⑤]。因此，日本企业界仍然继续从伊朗进口原油。

日本对人质事件的长期观望态度，引起美国的极大不满。在美国，

---

① [日]竹内宏：《八十年代的日本》(中译本)，世界知识出版社，1982 年版，第 160 页。
② 日本外務省編成：《外交青書——わが外交の近況》，1983 年，第 197 頁。
③ 综合研究開発機構编：《米ソの中東政策と日本課題》，平成二年，第 121 頁。
④《大平正芳传》，吉林人民出版社，1984 年版，第 588 页。
⑤《伊朗革命和石油、日本》，日本钻石社，1980 年，第 165 页。

公民们不断向日本驻美国领事馆打电话，提出抗议，一些共和党议员在国会上提出谴责日本的议案。在巴黎参加国际会议的美国国务卿万斯当面指责日本外相大来佐武郎，认为日本对人质事件是“麻木不仁”。①

美国朝野上下对日本的强硬态度，迫使日本在美伊这架天平秤上最终倾向美方。大来外相发表讲话说：“伊朗的美国大使馆事件，无论原因如何，都是违反外交使节不受侵犯的国际法准则的，是不能接受的。”②通产省也派审议官天谷直弘前往美国，说明日本的态度。同时大平首相利用会见来访美国官员之机解释日本的立场，以缓和双方矛盾。对于日本的动向，伊朗多次提出警告后，于 1990 年 4 月 21 日宣布停止向日本出口原油。对此日本政府决定：(1) 减少日本驻伊朗使馆人员。(2) 对于进入日本的伊朗人采用验证制度。(3) 用行政指导手段控制对伊出口。③ 5 月，日本政府又决定，除粮食和医疗用品外，原则上停止人质事件发生后所签订的所有出口合同。

日本参与对伊朗经济制裁，是日本参与解决中东冲突的开始，标志着日本对中东外交政策的改变。从日本对人质事件的态度看，其既不想得罪伊朗，又不想得罪美国。在美国的压力下，日本不得不对伊朗实行制裁时，在措施和态度上又相对温和，所以随着 1981 年 1 月人质事件的解决，日伊两国关系又恢复正常。

(三) 日本与阿富汗事件

1979 年 12 月苏联军队悍然入侵邻国阿富汗，对此日本政府迅速作出反应。如果说日本参与人质事件是被动的，那么这次便是主动的，而且是积极的。其原因是：第一，苏军入侵阿富汗，意味着苏联势力南下中东，直接威胁日本石油供应地。第二，日本也是苏联的邻国，从自身安全

---

① [日]浅进信雄：《中东动乱的原因》，日本广播出版社，1988 年，第 317 页。
② 日本中央公论社编：《现代日本外交入门》，1988 年，第 77 页。
③ [日]永野信利：《日本外交概况》，行政问题研究所，1987 年，第 207 页。

保障考虑，也要迅速与国际社会一道采取抵制措施。第三，苏军入侵阿富汗引起中东国家普遍反对，为了加强与中东国家的关系，日本也要积极表明自己站在中东国家一边的立场。

针对苏军入侵阿富汗事件，日本政府除了领导人发表谈话给予谴责外，采取了一系列的抵制措施。

第一，在外交事务上推迟或者取消原定与苏联的互访与交流。日本推迟了邀请苏联最高苏维埃代表团来访，推迟了苏联外长和外贸部长的来访，推迟了日苏文化协定的谈判；取消了苏联驻日本大使拜访自民党领导人的安排。这些措施实际上停止了日苏两国间的国家关系往来。

第二，抵制莫斯科奥运会。1980 年 1 月沙特阿拉伯奥委会率先发表拒绝参加莫斯科奥运会的声明，美国等西方国家均予积极响应。日本在奥运会报名期满前夕，明确了自己的抵制立场。

第三，利用各种场合谴责苏军入侵阿富汗，共同抵制苏联。1980 年 3 月的伦敦国际会议上，日本代表宫泽喜一发表演说，呼吁日美欧加强协调，共同抵制苏联。1982 年 3 月的“阿富汗日”（欧洲议会制定），日本外相发表谴责苏军入侵阿富汗的讲话。在 11 月的联合国大会上，日本对要求苏联从阿富汗撤军等议案投赞成票。① 日本政府对解决阿富汗事件的立场为：苏军从阿富汗境内全部撤出，恢复阿富汗的政治独立及不结盟的地位，尊重阿富汗人民的自决权，安全遣返阿富汗难民。②

第四，适时扩大中东外交。中东国家多为不结盟国家，既要警惕苏联继续侵略中东，又不愿让美国过多插手，希望日本能够发挥作用。1980 年 2—3 月，日本外相园田直访问阿联酋、伊拉克、阿曼、叙利亚、沙特阿拉伯五国，目的是要修筑对付苏联的“防波堤”。此外日本利用经济手段援助阿富汗难民，以此扩大在中东地区的影响。日本政府通过联合国机构，向流入巴基斯坦的阿富汗难民提供援助，1982 年援助 1 500 万

---

① 日本外務省編成：《外交青書——わが外交の近況》，1983 年，第 203 頁。
② 日本外務省編成：《外交青書——わが外交の近況》，1986 年，第 197 頁。

美元，1983 年援助 1 700 万美元，1985 年援助 40 亿 8 000 万日元；向流入伊朗的阿富汗难民提供援助，1985 年为 9 600 万日元。[①]

对于苏军入侵阿富汗事件，日本的态度明朗、立场坚定，采取了一系列措施，赢得了中东国家的好感，扩大了日本在中东的影响。

(四) 日本与两伊战争

1980 年 9 月，伊拉克以边界问题为由发动了对伊朗进攻，长达八年的两伊战争爆发了。日本对两伊战争的解决，采取了更加积极、主动的参与态度。其原因如下。

首先，日本与两伊国家都有良好的经贸关系，据统计，1979 年日本从中东进口石油中，11.4%是来自伊朗，5.3%是来自伊拉克，按日本从中东各国进口石油所占比例来看，伊朗与伊拉克分别占第二、第五位。1979 年日本对中东出口贸易额中 14.4%是对伊拉克，8.4%是对伊朗。按日本对中东出口贸易额各国所占比例来看，伊拉克与伊朗分别占第二、第四位。[②] 日本担心战火蔓延会影响其经济利益。

其次，日本与两伊国家都保持着友好的外交关系，“战争的继续，成为日本与两国关系发展的障碍”[③]。所以日本不能坐视不管。

再次，两伊战争也为日本提供一次发挥“国际作用”的机会。对于伊朗，人质事件使其与西方国家矛盾很深，苏联正深陷阿富汗泥潭，伊朗又标榜“不偏向东方，也不偏向西方”的对外政策。因此，只有经济大国日本可能在两伊国家间斡旋，成为双方都能信赖的调解人。

两伊战争爆发后，日本一直呼吁双方停火并派使团前往两国，两伊国家也派使团前来日本，特是 1983 年两伊战争进入相持阶段后，日本的斡旋外交更加活跃。现将日本外务省公布的《外交青书》有关“两伊纠纷

---

① 日本外務省編成：《外交青書——わが外交の近況》，1983 年，第 203 頁；1984 年，第 205 頁；1986 年，第 203 頁。

② 日本中东经济研究所：《中东经济研究》特别号，1983 年 71 期，第 5 页、第 23 页。

③ 日本外務省編成：《外交青書——わが外交の近況》，1983 年，第 203 頁。

与我国外交努力”(要人交流)一节编制成表 5－1,我们可以从中了解日本外交斡旋的活跃程度。

表 5－1　两伊战争时期日本外交斡旋情况一览①

与伊拉克	与伊朗
安倍外相访问(1983 年 8 月)	鲁迪比利副外长访日(1983 年 6 月)
中山外务省顾问访问(1983 年 9 月)	安倍外相访问(1983 年 8 月)
中岛外务审议官访问(1983 年 10 月)	信利环保部长访日(1983 年 10 月)
波多野中近东非洲局长访问(1984 年 5 月)	中岛外务审议官访问(1984 年 1 月)
阿加兹外长访日(1984 年 5 月)	波多野中近东非洲局长访问(1984 年 6 月)
波多野中近东非洲局长访问(1984 年 9 月)	阿奇兹外交委员长访日(1984 年 8 月)
	鲁迪比利副外长访日(1984 年 8 月)

在 1985 年 9 月联合国大会之际,日本外相安倍抓住时机,提出两伊代表出席安理会会议,在联合国秘书长的中介下实现双方对话。② 日本在两伊之间开展斡旋外交,对于调节两伊矛盾起了重要作用。这促进日本更加突显自己在中东地区的独特作用。日本在历史上,军国主义侵略魔爪从来没能伸向中东,所以与中东国家没有历史上的恩怨问题。二战后日本宪法明文规定放弃战争,又使中东国家免除疑惑。日本为世界经济技术强国,而中东国家多为发展中国家,双方本着友好、互惠原则容易发展关系。在两伊间展开外交斡旋,为日本加强中东外交增强了信心。

(五) 日本与中东和平进程

中东和平进程以 1977 年 11 月埃及总统萨达特访问以色列,双方领导人就阿以冲突举行会晤为标志开始。十几年艰难的中东和平进程,核心是巴勒斯坦问题。

---

① 日本外務省編成:《外交青書——わが外交の近况》,1984 年,第 45 頁。
② 日本外務省編成:《外交青書——わが外交の近况》,1986 年,第 53 頁。

进入80年代,日本不仅事实上承认巴解组织并给予准国家的待遇,而且还试图参与解决中东和平进程问题。1981年10月,巴解组织主席阿拉法特应邀访问日本。虽然日方是以日本巴勒斯坦友好议员联盟这一非官方组织出面接待,但是实际上都是由外务省运筹。日方给予阿拉法特以"准贵宾的资格待遇"①,首相和外相分别与阿拉法特会谈,日本自民党以及各界要人多次与之会晤。日本邀请阿拉法特来访,首先表明日本对解决巴勒斯坦问题的重视程度。其次有助于日本了解巴解组织在中东和平进程问题上的立场与态度,以利于日本制定有效的中东外交政策。

1983年4月,巴解组织驻东京办事处代表阿布杜·哈米德作为阿拉伯外交使团成员,参加安倍外相主持的日本天皇生日招待会。巴解办事处虽然不享有驻外使馆的特权,但是日本已默许其"享有同等的待遇"。②

1982年6月,以色列军队以镇压巴解游击队为由,悍然发动入侵黎巴嫩事件,日本迅速作出反应。首先,支持联合国安理会对以色列的制裁决议,宫泽代理外相发表谈话,谴责以色列的侵略行径。其次日本对难民采取经济援助措施。1982年6月、11月,日本政府分两次对包括巴勒斯坦人在内的黎巴嫩难民提供总计200万美元的紧急援助。③ 日本的措施得当,反应及时,反映出日本政府对中东和平进程问题有较强的分析判断能力。

1988年11月巴勒斯坦国宣告成立,12月阿拉法特宣布:(1)接受联合国安理会第242、338号决议。(2)承认以色列的生存权。(3)放弃恐怖行动。④ 这样为巴解组织直接与美国对话开辟了道路。面对中东和平进程出现的新变化,日本采取了更加积极主动的政策。

日本虽然没有马上承认巴勒斯坦国,但是却重视阿拉法特领导下的

① [日]中谷武世:《阿拉伯与日本》,原书房,1983年,第383页。
② [日]浅进信雄:《中东动乱的原因》,日本广播出版社,1988年,第317页。
③ 綜合研究開発機構编:《米ソの中東政策と日本課題》,平成二年,第131頁。
④ 日本外務省編成:《外交青書——わが外交の近況》,1989年,第234頁。

巴解组织所采取的实现、稳健政策。1989 年 10 月，阿拉法特首次应邀正式访问日本。这是其访问法国后，正式访问的第二个西方大国。阿拉法特在访日期间，分别与日本首相、外相及各在野党首脑举行会谈。日方再次明确提出“中东和平”三原则：(1)以色列撤出占领地区。(2)巴勒斯坦人实行民族自决，其中包括建立独立国家。(3)承认以色列生存权。① 阿拉法特在访日期间，出席了巴解组织在东京办事处升格为“巴勒斯坦常驻总代表团”的揭牌仪式。巴解组织驻东京机构的升格，反映出日本对其重视程度的提高。

1988 年 6 月，日本外相宇野在访问叙利亚、约旦、埃及后，又访问了以色列，这是日本内阁大臣第一次访问以色列。日本积极地活动于阿以双方国家间，意味着日本试图参与解决中东和平进程问题，以此来发挥所谓“政治大国”的国际作用。

综观 80 年代日本对中东外交政策，可以说日本参与解决中东冲突程度逐渐提高，而且也逐渐表现出积极、主动的态度，充当国际调节人是 80 年代日本推行“政治大国”战略目标的重要内容。由于中东具有特殊的地理位置和丰富的石油资源，所以长期以来其一直是世界上“热点”地区之一。中东就如同世界上政治、经济、军事等方面的大舞台，各个大小霸权国家都要争先恐后地登台献艺，以求捞得经济的实惠和展示自己的实力。跃跃欲试、梦求早日成为“政治大国”的日本，绝不会放弃中东这个国际大舞台，这也是 80 年代日本加强对中东外交，开始全面参与解决中东冲突问题的原因。日本国会通过向叙利亚派驻维和部队决议，反映了日本中东外交的新动向。

二、20 世纪 90 年代初日本对海湾政策②

——推行“政治大国”进程的重要步骤

如果说在整个 80 年代，日本的对外政策是为实现“政治大国”做准

---

① 日本外務省編成：《外交青書——わが外交の近況》，1990 年，第 235 頁。

② 本节发表于《吉林师范学院学报》1996 年 1 期。

备和打下基础的话,那么90年代初日本的对外政策便进入积极行动阶段。90年代初日本对海湾政策,集中反映出日本加快推行“政治大国”的进程。

(一) 日本与海湾危机

1990年8月2日拂晓,伊拉克以10万大军突然袭击的方式占领了临近小国科威特,科威特政府被迫流亡国外,海湾危机爆发了。日本政府对海湾危机迅速作出了反应,积极参与解决海湾危机。

美国的积极“邀请”是日本参与解决海湾危机的主要外部因素。海湾危机爆发后,美国成为解决危机的急先锋。此时的美国实际上是世界上唯一的超级大国,它绝不能容忍新兴的地区霸权国家伊拉克控制海湾地区。但是为避免“出兵他国”的忌讳和影响与阿拉伯世界的关系,美国竭力呼吁其他国家出兵组成多国部队解决海湾危机。对于日本来说,首先日本是进口海湾地区石油的最多的国家,其次日本是仅次于美国的经济大国,最后日本与美国有“伙伴关系”的约束。8月14日美国总统老布什给日本首相海部俊树打电话,要求日本从经济上援助因对伊拉克实行制裁而受到损失的中东国家。8月28日,美国政府高级官员会见日本记者时说,美国对日本政府在对伊拉克实行经济制裁后没有拿出具体对策表示强烈不满,并警告说,日美两国的“全球伙伴合作关系”可能会陷入无法修复的危机。正是这些带有威胁性的“邀请”,为跃跃欲试的日本提供了极好的借口。

石油是日本积极参与解决海湾危机的主要经济因素。众所周知,80年代日本每年所需石油的60%—70%来自中东地区,其中主要出自海湾地区。中东石油是日本经济繁荣的基础,为了确保石油的稳定供应,对于伊拉克破坏海湾地区秩序的行径,日本政府绝不能袖手旁观。

谋求政治大国地位是日本积极参与解决海湾危机的主要政治因素,也可以说是日本的根本动力所在。1990年8月2日海湾危机爆发,8月3日日本政府宣布,“冻结科威特所有在日本的财产”。8月5日在美国总统布什的要求下，日本官房长官坂本发表了日本政府对伊拉克所采取经济制裁的措施：(1) 全面禁止从伊拉克和科威特进口石油及石油制品。(2) 禁止对伊拉克和科威特出口。(3) 中止对伊拉克和科威特的投资与金融贸易。(4) 停止与伊拉克的经济合作。

日本以往对待中东地区出现的“危机”，多采取“低调”“观望”的态度，即使是采取制裁也是比其他国家“慢三拍”。但是，日本政府这次对待海湾危机的反应却一反常态，十分迅速。日本对伊拉克的经济制裁措施，反映出 90 年代初日本对外政策的新特征。因为日本对伊拉克采取经济制裁措施，就意味着日本要承担巨大的经济损失。日本每年从伊拉克、科威特进口石油，约占其全年石油进口额的 12%，被迫停止。伊拉克所欠日本债务总计为 7 400 亿日元，其中国家债务为 400 亿日元，民间债务为 7 000 亿日元，无法收回。日本政府发布对伊拉克实施经济制裁措施的当天，日本共同社发表评论说：“资源小国日本采取包括禁止石油进口的严厉制裁措施，是极其异乎寻常的。”

8 月 14 日，美国总统老布什打电话给日本首相海部，要求日本从经济方面援助因对伊拉克实行经济制裁而受到损失的国家，海部首相对此表示，“援助不仅限于海湾，而应扩大到整个中东”。反映出日本想以其雄厚的经济财政实力扩大在中东地区的政治影响。

为了寻找日本援助的最佳对策，8 月 17—23 日，日本中山外相代替原定海部首相出访了沙特、阿曼、约旦、埃及、土耳其五国。中山外相在结束访问的当天对记者说：“此行使我意识到全球规模的日美合作关系应具体化，同时也意识到要对中东地区发生纠纷地区周围的国家制定出给予财政援助的方针，这将成为我国对中东地区作出贡献的主要措施。”

在中山外相出访中东五国的基础上，8 月 29 日日本政府正式公布了在海湾危机中所采取的六项措施：(1) 派遣阵容为百人的医疗队。(2) 租借民间飞机和船舶运输非军事物资。(3) 对多国部队提供资金援助。(4) 向海湾国家提供活动住宅等物资。(5) 对伊拉克周围国家进行经济援助。(6) 向国际红十字等组织提供资金以援助科威特。

根据上述决定，日本政府向以美国为首的多国部队提供经费 20 亿美元，向“周边国家”埃及、约旦、土耳其等援助 20 亿美元，共计 40 亿美元。

从日本政府公布的“六项措施”内容看，其不仅是日本对中东政策的史无前例，而且也是战后日本对外政策上的史无前例。日本向海湾危机地区派遣非军事人员；提供飞机、船舶等运输工具；向多国部队提供巨额资金等。也就是说，日本除了派遣军队直接参与之外，提供了所能提供的一切援助措施。

（二）《合作法案》之争

随着海湾危机的不断加深，日本参与解决的程度也在加大。在提供了财力、物力之后，在提供人力上，特别是提供什么样的人力上，日本朝野内外出现了大的争论。

1990 年 8 月 29 日，海部首相在公布六项援助措施而举行的记者招待会上，首次提出《联合国和平合作法案》（简称《合作法案》）的想法。法案经过以外务省为中心的团队精心策划、起草而形成。9 月 27 日，海部首相第一次公布了《合作法案》草案内容，其主旨为：健全体制，以便对联合国决议涉及的维持和平活动提供合作。在人力、物力和财力等方面提供同日本国的国际地位相称的合作。法案的核心是设立一支名为“联合国和平合作队”的海外援助队。合作队的任务为：(1) 监督停战。(2) 协助选举。(3) 准备运输。(4) 协助通信。(5) 提供医疗。(6) 帮助难民。(7) 帮助复兴。合作队的组成：除在社会上广泛征召外，自卫队部分组织或队员将参加和平合作队，接受合作队的指挥，合作队员将作为普通公务员，保持自卫队员的身份。

10 月 11 日，日本内阁正式通过《合作法案》，并进一步规定“将对其他有关的法律部分修改，包括修改后使自卫队和海上保安厅可以执行和平合作队的任务”。10 月 15 日，执政的自民党内部进行审议并批准该法案，提交国会审议。该法案的正式提交国会审议文本再次增添新内容，允许合作队员携带小型武器，其使用的条件是日本刑法上规定的正当防卫和紧急避难的原则。不难看出，《合作法案》的核心问题就是为日本自卫队直接参与海湾危机解决，提供法律依据。

《合作法案》在国会审议期间，受到来自自民党内外反对势力的责难。社会党、共产党、公明党、民社党等在野党组成一致的反对势力，他们的主要观点是，自卫队员参加和平合作队并派往海外就是向海外派兵，是违反日本宪法的。战后日本宪法明文规定，日本放弃战争，不拥有武力。1954 年国民自卫队成立时，国会通过决议，禁止将自卫队派往海外。自民党内持不同观点的主要是党内最大派系竹下派，该派系会长、国会议员、前副首相金丸信说："自卫队的任务是专守防卫，不能让邻近各国感到不安。难道我们在现行法律的范围内就找不到更好的方法？难道惟有向海外派遣自卫队吗？"

《合作法案》也受到日本新闻界的批驳。日本三大报纸——《朝日新闻》《读卖新闻》《每日新闻》纷纷发表文章提出反驳意见。例如，9 月 28 日《朝日新闻》发表评论文章说："自卫队以组织形式参加一事虽然被认为是受辖于和平合作队，但是实际上却构成了向海外派遣自卫队的事实。"

日本人民珍惜在和平宪法之下建立起来的繁荣局面，不愿意重蹈战争覆辙，所以他们反对"派兵"，反对"修宪"。在国会审议《合作法案》的日子里，几乎每天都有成千上万的人参加集会。10 月 26 日晚，在东京明治公园举行的集会上，参加人数达三万余人，这是日本近年少有的规模，反映了人民群众的态度。

日本的邻国几乎都是当年遭受日本侵略的国家，所以对日本提出向海外派遣军队都非常敏感。中国、朝鲜、韩国、新加坡等领导人纷纷发表谈话，报刊上连续发表文章，警告日本政府不要重蹈战争的覆辙。9 月 30 日，中国政府外交部的声明说："中国和其他亚洲国家对过去不幸的历史记忆犹新，希望日本政府采取慎重的态度。"

10 月 29 日、30 日两天，日本《朝日新闻》记者对全体众议院议员进行采访调查，结果在 78%的议员回答中，有 49.2%议员持赞同意见，有 14.3%议员持消极意见，有 36.5%议员持反对意见。反映出《合作法案》很难在本届国会上通过。

面对上述反对势力的压力，11 月 8 日即本届国会休会前两天，自民党与社会党、公明党、民社党三党的要人举行协商，最终宣布《合作法案》正式作为报废案件处理，使其胎死腹中。

《合作法案》之争，不仅仅是向海湾冲突地区派兵问题之争，而且涉及是捍卫，还是篡改战后和平宪法的问题。此次争论，不仅反映出日本要参与解决海湾危机程度，而且也反映出日本要走向什么样的“政治大国”道路的大问题。

（三）日本与海湾战争及战后

经过长达半年的海湾危机，一方面伊拉克不识时务坚持顽抗到底，另一方面以美国为首的联合国多国部队经过大规模调兵遣将的充分准备，1991 年 1 月 17 日多国部队发动进攻。海湾战争终于爆发了。

海湾战争爆发后，日本作为西方集团的重要成员，在财力上给予联合国多国部队以最大限度支持。1 月 20 日，日本自民党举行第 53 届党代会，大会强调海湾战争是日本自第二次世界大战后所面临的最严峻的考验。由于美国对日本最初提出的援助 40 亿美元资金感到不满足，于是 1 月 24 日海部首相在召集内阁暨自民党首脑会议上，日本政府具体确定了日本支援多国部队的三项措施：(1) 提供资金 90 亿美元。(2) 修改自卫队法，派遣自卫队 C130 运输机运送安曼和开罗之间的战争难民。(3) 政府租借民用飞机以接回亚洲地区的难民。

日本政府的这一决定，在国内掀起了轩然大波，90 亿美元意味着每一个日本人都要负担 1 万日元，为此海部首相在 1 月 25 日的国会上发表施政演说，再次强调日本向多国部队提供 90 亿美元是“必不可少的”，派遣自卫队运送难民与宪法的基本精神不相抵触。如果日本不做这些贡献，就会“在国际上逐步走向孤立的道路”。

然而 90 亿美元的援助并没有使美国感到真正的满足，在美国的外交压力下，最终日本政府为海湾战争承担的财政援助义务为 130 亿美元，占整个战争费用 600 亿美元的近四分之一。日本政府提供如此巨额资金，是前所未有的，其反映日本对海湾战争的参与程度。日本政府原来打算以派遣自卫队到海湾地区来扩大自己的政治影响，结果未能实现。因此，日本只好以巨额的财政力量来扩大自己的实力影响，其目的就是使中东，乃至全世界都注意到 90 年代初的日本实力。

海湾战争中日本的巨额财政援助，给其所带来的直接后果如何？海湾战争爆发后，正处于在经济结构调整时期，需要投入大量资金进行企业改造的日本却承担巨额财政援助，与西方其他盟国积极参加多国部队的目的一样的。其目的就是尽可能地多分享战后红利，不仅要在海湾地区保持自己的影响力和发言权，保证石油供应及优惠合理的油价，而且还要在遭到毁灭性破坏后的科威特重新建设上尽多插手。可是战争结束后，其结果完全出乎日本政府预料。美国获得了最大份额的战争红利，英法等盟国仅取得比例很小的战后重建合同，而日本、德国在战争中承担巨额财政援助，可是在战争红利分配方面几乎没有得到多少直接利益，未能相对扩大其在海湾地区的政治影响。其反映出日本仅仅以经济外交手段开展外交活动的局限性，这也进一步促使日本加快推行“政治大国”的前进步骤。

面对《合作法案》的受挫，日本政府并不肯就此罢休。海湾战争结束后，日本政府不顾国内外舆论的强烈反对，于 1991 年 4 月 27 日公然决定派遣自卫队现代化扫雷艇驶向海湾地区，执行扫雷任务，这是日本自成立国民自卫队以来首次大规模远距离向海外派兵，它标志着日本已经毫无限制地、全面地参与纠纷解决。

日本政府向海外派兵的成功，更加激发其通过扩充显示军事力量提高国际地位的欲望。1991 年 9 月 19 日，海部内阁再次拟定了《联合国维持和平活动合作法》，该法案在日本国会第 122 届临时会议上再次受挫。但是，宫择内阁上台后全力以赴，在参众两院以强行通过的方式，使该法于1992年6月15日完成了全部立法程序。

该法案的通过，是日本战后对外政策的重要事件。第一，其使日本向海外派兵有了法律依据。第二，标志着日本推行“政治大国”进程中具有了战略性、方面性、阶段性的重要成果。其为日本修改自卫队法并最终修改宪法埋下伏笔。

90年代初日本加速推行“政治大国”的进程，是由于其自身实力的增强和国际形势的剧变。

日本经济实力增强。日本已经成为举世公认的经济、金融、科技、贸易大国。日本的国民生产总值(GNP)约占世界国民生产总值(GNP)的15％，进出口贸易占世界进出口总贸易额9.3％。日本已经成为世界上“第一大债权国”“第一大援助国”。凡是需要经济援助的国家与纠纷地区，无不把眼光投向日本，这就为日本运用其经济实力，推行其对外政策创造了条件。

美苏关系的缓和，特别是1989年底马耳他双方首脑会晤后，第二次世界大战后形成的“冷战体系”开始解体，世界进入建立新秩序的摸索阶段。伴随着“冷战”的结束，军事力量在综合国力竞争中的作用相对减弱，经济、技术的作用进一步突出。另外，长期的争夺霸权活动，也使美苏两个超级大国的实力相对削弱，失去了往日支配国际局势的力量，世界正向着多极结构转化。日本正是借此机会，加速推行其“政治大国”的进程。

三、第二次世界大战后日本对中东政策的演变①

对外政策是建立在国家利益的总概念基础之上的，目的是用来增进保护该国的利益。日本对中东政策是日本对外政策的重要组成部分。本节以战后日本与中东国家关系史为背景，以主要历史事件为线索，对

① 本节发表于《史学月刊》1999年1期。

战后日本对中东政策的演变过程，演变原因加以粗略探讨，并且加以评析。

(一) 50—70 年代初日本对中东政策

从 1952 年 4 月日本依据《旧金山和约》恢复主权及外交权，到 1973 年 10 月第四次中东战争爆发前，日本对中东政策主要表现为外交上极不重视与中东国家关系，遇到中东地区出现冲突时，总是站在美国一边，紧紧追随美国的中东政策。

在此期间，一方面日本政府现职内阁大臣以上官员没有访问过中东国家，另一方面阿拉伯国家要人来访也不予应有重视。例如 1964 年科威特外交大臣代表阿联盟访日，在两国外长仅十几分钟会谈上，日本外相还以闭目似睡的态度来应付，结果事后遇到科方报复。从日本的外事机构编制、人员配备上看，中东也不是其所重视的地区。战后的日本外交，以“经济外交”为主要特征。1951—1976 年日本对中东国家直接投资仅占同期对外直接投资总额的 7%。1970—1972 年日本对中东国家出口额仅占全年出口额的 3%—4%。与之相反，1963—1972 年日本进口中东石油占全年进口石油总额的 86.8%。

日本一方面不重视与中东国家关系，一方面又不断增加从中东地区进口石油。其主要原因：第一，日本与中东分别处于亚洲的东部与西部，在一定的发展条件下，地理位置阻隔了双方交往。第二，日本是受中国传统文化熏陶而发展的国家，中东为伊斯兰文化，传统思想意识形态阻隔双方交往。第三，日本的战败国地位，此时期美国的严格控制，使日本对外交往难以扩展。第四，此时期日本能源结构是从以煤为主逐步转化为以石油为主，日本对石油依赖程度也是逐步加大。第五，中东石油长期被西方列强控制，即使 70 年代初中东石油产量的 87.6%仍控制在西方八大石油公司手中，而日本从中东进口石油的 90%来自这八大石油公司。这就造成日本尽管从中东进口大量石油，却不必理睬与中东国家关系的怪事。

战后中东一直是国际关系热点地区之一，面对中东国家的冲突，日本完全追随美国的中东政策。例如 1958 年黎巴嫩内乱，日本政府决定“应该排除外国干涉”，但是数天后美国出兵黎巴嫩，日本改变既定方针，完全支持美国行动。对于中东地区核心问题阿以冲突，日本更是站在美国一边，姑息以色列，疏远阿拉伯国家。所以有人称此期间日本的中东政策是美国中东政策的“日本版”。其主要原因为：战后的日本是在美国扶植下恢复、发展起来的，日本在政治、经济、军事上都要依赖于美国。所以战后日本对外政策的基轴是日美关系，是在服从美国全球战略和维护日美同盟的前提下实施对外政策。

（二）70 年代转变后的日本对中东政策

1973 年 10 月第四次中东战争爆发，为了更有效打击以色列及其支持者，阿拉伯产油国动用了石油武器。阿拉伯石油输出国组织决定实行减产、禁运、提价和国有化四项措施。面对突如其来的第一次石油危机，在痛苦之中的日本政府被迫做出抉择。1973 年 11 月 22 日，日本内阁官房长官二阶堂进代表政府发表谈话，第一次明确表示日本政府支持阿拉伯人民的正义要求，这标志着日本对中东政策开始转变。

日本对中东政策转变的原因：第一，第一次石油危机的直接打击。石油供应削减，造成日本国内经济出现危机，为了避免经济危机的扩展，特别是为了避免中东石油禁运恶果出现，日本只能做出这种抉择。第二，美国政府对石油危机表现出无能为力。美国控制的石油公司是日本中东石油主要来源，此时美国面临禁运与逐渐丧失控制权，促使日本不得不重新考虑中东石油的进口渠道问题。第三，西欧国家对中东政策转变。西欧国家为获得石油正常供应，拒绝支持美国的亲以色列政策，对日本起了直接促动作用。第四，日本经济实力增强，国际地位提高。日本已成为资本主义世界第二大经济强国，为根据自身利益而做出新的抉择提供了可靠的保证。第五，70 年代初国际形势的变化，特别是美国力量相对下降。尼克松政府被迫推行新的平等“伙伴”关系，客观上为日本摆脱以往完全追随美国的中东政策创造了条件。第六,与70年代初日本政府整个对外政策调整有关。田中内阁主动抢在美国之前恢复与中国邦交正常化是向独立对外政策转变的重要标志,日本对中东政策转变是其进一步延续和发展。

转变后的日本对中东政策,概括地说,是一种带有独立性的,政治、经济、文化三位一体的全新的对中东政策。

在政治方面,双方领导人互访增多,日本首相出访中东。日本调整对中东地区外事机构,利用各种场合表明自己对中东和平的立场。在经济方面,日本增加了对该地区的经济、技术援助,兴办合资企业,扩大双边贸易,使中东地区在技术、资金等方面依赖日本。改变日本对中东地区在经济上的单方面依赖关系,通过经济上的相互依存来确保能源供应的安全性。为了加强与中东国家关系,日本政府也开始意识到加强文化交流的重要性,例如促成埃及开罗大学设置日本学科。日本对中东政策转变后,与原来完全追随美国的中东政策相比较,明显带有独立性,但是它并不是与美国的中东政策完全一刀两断或背道而驰的政策。因为日本的整体对外政策仍受到美国的制约,日美合作仍处于支配地位,所以日本对中东政策的独立性只能是相对的、有限的。

(三) 80年代日本对中东政策

进入80年代,日本在整体对外政策上明显开始转向争取实现“西方一员”“政治大国”的目标。表现在日本对中东政策上,由70年代转变政策后的仅发表“纸上声明”阶段,发展到直接参与中东地区冲突阶段,并且明显地加强了政治色彩。

日本加强对中东政策的原因:第一,经济实力膨胀是政治实力加强的基础。1980年日本国民生产总值占世界国民生产总值1/10,成为世界贸易、外汇储备、资本输出大国。经济大国是向政治大国转变的基础。第二,在日本整体对外政策积极推动“政治大国”目标下,必然出现日本对中东政策上明显加大政治色彩。同样日本加强对中东政策,也是80

年代积极推行“政治大国”的重要内容。第三，国际形势的变化，苏军入侵阿富汗与在东南亚扩张，威胁到日本能源供应。里根政府要求盟国参与遏制苏联扩张，促进了日本对中东政策加强。第四，第二次石油危机的爆发，日本虽然安然度过，但是主要依赖中东石油的日本不能不加强中东政策。

日本参与人质事件，是 80 年代日本加强对中东政策的开始。人质事件出现后，日本出于经济利益，担心在伊朗的日本人安全，担心过分附和美国而引起中东国家的不满情绪，所以在人质事件出现初期，采取了观望态度。美国对此极为不满，采取了强压措施，最终迫使日本参加美国、西欧等国家组织的对伊朗的经济制裁。

对于苏军入侵阿富汗事件，日本政府迅速做出反应。如果说日本参与人质事件解决是迫于美国压力，那么日本参与反对苏军入侵阿富汗便是主动的，而且表现出积极的态度。其原因为：第一，苏军南下直接威胁日本的石油供应地。第二，日本也是苏联的邻国，从自身安全保障考虑也要抵制苏联的行动。第三，日本要与国际社会，特别是与中东国家一起抵制苏联的行动。针对苏军入侵阿富汗，日本政府采取了一系列的抵制措施：在外交事务上推迟或者取消原定与苏联交往；抵制莫斯科奥运会；利用各种场合发表谴责言论，呼吁国际社会共同抵制；利用这次机会开展中东外交。

日本为两伊战争的解决，采取了更加积极、主动的参与态度。其原因为：第一，日本与两伊国家都有良好的经济贸易关系和外交关系。第二，两伊战争也为日本提供一次发挥“国际作用”的时机。两伊战争爆发后，日本一直呼吁双方尽快结束战争，日本派往两伊国家的外交使团连年不断，同样两伊国家也分别派出各自使团前往日本。日本利用自己独特的地位，成功地在两伊战争期间展开斡旋外交，成为双方信赖的国际调解人，也为此后参与解决中东地区冲突增强了信心。

进入 80 年代，日本对中东地区核心问题，即巴勒斯坦民族自决权问题的政策有了明显进展。日本不仅事实上承认了巴勒斯坦解放组织，给予其准国家的待遇，而且还试图直接参与解决中东和平问题进程。继1980年日本政府非正式邀请阿拉法特访日后，1989年又正式邀请其访日。1988年日本外相访问阿拉伯国家后又访问以色列，反映其在中东地位的提高。

(四) 90年代日本对中东政策

如果说在整个80年代，日本对外政策是为实现"政治大国"做准备和打基础的话，那么90年代日本的对外政策便进入积极行动阶段。表现在日本对中东政策上，日本全面参与中东地区冲突的解决，从80年代的提供援助资金，充当冲突调解人，发展到派遣人员直接参与冲突的解决，甚至发展到动用自卫队参与冲突的解决。

日本进一步加强对中东政策的原因为：第一，对外政策转变的根本原因是有了强大的经济实力做后盾，进入90年代日本已成为举世公认的经济、金融、科技、贸易大国。第二，美苏关系的缓和，"冷战体系"开始解体，世界进入建立新秩序的摸索阶段。第三，苏联东欧剧变，不仅给日本经济带来一个"新市场"，而且也为日本扩大国际政治活动提供了一个"新舞台"。

1990年8月2日伊拉克入侵科威特，海湾危机爆发。日本政府在美国的积极"邀请"下，出于确保中东石油平稳供应到日本和借此机会谋求政治大国地位的考虑，对海湾危机迅速做出反应。8月3日，日本宣布对伊拉克实施经济制裁；8月29日，又宣布在海湾危机中采取六项措施：派遣非军事人员，提供飞机船舶等运输工具，向多国部队及有关国家提供巨额资金等。10月11日，日本内阁向国会提交《联合国和平合作法案》，企图为日本国民自卫队直接参与海湾危机解决提供法律依据。结果遭到自民党内部、在野党及日本人民和国际社会的强烈反对，11月8日内阁被迫宣布放弃该法案。

1991年1月17日海湾战争爆发后，日本作为西方集团的重要成员，在财力上给予多国部队最大限度支持。日本为海湾战争提供资金130

亿美元，占整个战争费用600亿美元的近1/4。

海湾战争结束后，日本政府不顾国内舆论的强烈反对，于1991年4月27日公然派遣国民自卫队现代化扫雷艇驶向海湾地区，执行扫雷任务。这是日本自成立国民自卫队以来首次大规模远距离向海外派兵，它标志着日本已经毫无限制地、全面地参与解决中东地区冲突。

日本政府海外派兵的成果，更加激发其通过显示军事力量提高国际政治地位的欲望。1992年6月15日宫泽喜一内阁在参众两院以强行通过方式，使《联合国维护和平活动合作法》完成了全部立法程序。该法使日本向海外派兵有了法律依据。1995年8月，日本政府决定向叙利亚的戈兰高地派遣50名军事观察员，接替原驻在那里的联合国脱离接触部队中的加拿大士兵。

（五）简略评析

综观战后日本对中东政策，大致上经过了从轻视与中东国家关系，完全追随美国的中东政策，转变到重视与中东国家关系，实施带有独立性的中东政策，以及不断加强对中东政策的演变过程。从这一演变过程看，战后日本对中东政策明显有以下主要特征。

第一，战后日本对中东政策始终围绕着石油这一核心问题。表现为一切外交努力都是为中东石油平稳地供应到日本。

第二，战后日本对中东政策始终受到美国对中东政策的影响。表现为日美关系为日本外交基础，日本需要借用美国势力扩展自己在中东的地位，确保中东石油平稳供应。

第三，战后日本对中东政策存在不平衡或者局限性。表现为日本主要重视与海湾地区的产油国家关系。

第四，战后日本对中东政策，是日本推行“政治大国”对外战略目标的一个突破口。表现为日本推行“政治大国”对外政治的重大举动都是在借用中东这个国际大舞台。

战后日本对中东政策，可以说是一个成功的政策，成功之处就在于，其确保了中东石油源源不断地向日本供应，确保了日本经济发展、繁荣。展望日本对中东政策的未来，一方面日本会在经济上尽力摆脱对中东石油的依赖程度，另一方面会在政治上尽力发挥"政治大国"的作用。

四、"联合国和平合作法案"之争[①]

——海湾危机时期日本向海外派兵问题

《联合国和平合作法案》(以下简称《合作法案》)，是1990年海湾危机时日本政府"向中东贡献"而提交国会的法案之一，法案的核心问题，是向海湾地区派遣自卫队。因此它不仅引起战后日本朝野内外最大一次争论，而且也引起亚洲，乃至世界人民的瞩目。本节就《合作法案》的出台，争论及废弃，略作论述。

(一)《合作法案》的出台

1990年11月9日，日本前首相中曾根在访问伊拉克后拜会首相海部俊树时说："对日本外交政策来说，海湾问题是国际政治战略上的一个十字路，为了确保今后的地位，日本应积极参与并发言。"他的这番讲话充分概括了日本政府对海湾危机的态度。

美国的积极"邀请"是日本积极参与解决海湾危机的主要外部因素。海湾危机爆发后，美国成为解决危机的急先锋。此时的美国实际上成了世界上唯一超级大国。它绝不容忍新兴的地区霸权国家伊拉克控制海湾石油，但是，为避免"出兵他国"的忌讳和影响与阿拉伯世界的关系。美国竭力呼吁其他国家出兵组成多国部队解决海湾危机。对于日本来说，(一) 日本是需要海湾石油最多的国家。(二) 日本是仅次于美国的经济大国。(三) 日本与美国有"伙伴关系"的约束。8月14日美国总统布什给海部打电话，要求日本从经济上支援因对伊实行经济制裁而受到

---

① 本节发表于《中东研究》1994年1期。

损失的中东国家。28 日美国高级官员会见日本记者时说,美国对日本政府在对伊实行经济制裁后没有拿出具体对策表示强烈不满,并警告说,日美两国的"全球伙伴合作关系"可能陷入无法修复的危机。这一威胁性的"邀请"为跃跃欲试的日本提供了极好的借口。

石油是日本积极参与解决海湾危机的主要经济因素。日本所需石油的 71%来自中东地区。其中来自海湾地区的达 64%。中东的廉价石油是日本经济繁荣的基础。为了确保石油的稳定供应,对于伊拉克的所作所为,日本决不能袖手旁观。

谋求政治大国地位是日本积极参与解决海湾危机的主要政治因素,也可以说是日本的根本动力所在。这是日本自 70 年代成为世界经济大国之后不断"努力"的目标。外务省次官栗山说:"日本已成为发达国家中的主要成员,这次的外交不能像以往那样被动,那样在世界上已行不通。"日本为什么选择这一时机谋求外交"姿态"的突破呢?首先是世界形势发生巨变。1989 年以来,长期"冷战"格局的消失,使得军事力量在综合国力竞争中作用相对减弱。经济技术的作用却进一步突出,这就为日本积极参与国际事务提供了极好的国际环境。其次是苏联全球战略收缩,美国成为当今世界"主宰",美国的积极"邀请"也为日本提供了借口。日本所谓政治大国地位,就是要以其强大的经济实力为后盾,积极参与世界各项政治活动,并在其中享有与其经济实力相称的政治发言权,更具体地说享有政治主宰权。因此,日本把派遣自卫队到海湾地区作为谋求政治大国的极其重要的一步。

1990 年 8 月 2 日,伊拉克入侵科威特,海湾危机爆发。8 月 5 日日本宣布对伊拉克实行经济制裁。17 日外相中山太郎出访中东五国,寻找解决危机的具体措施。29 日日本正式决定在海湾危机中采取六项措施:(一)派遣医疗队。(二)租借民间飞机和船舶运输非军事物资。(三)对多国部队提供资金合作。(四)向海湾国家提供活动住宅等物资。(五)对伊拉克周围国家进行经济援助。(六)向国际红十字会等提供资金以援助科威特。30 日,日本决定向多国部队提供 10 亿美元资金援助。

9 月 3 日海部要求抓紧研究落实向埃及、土耳其、约旦、阿曼四国提供资金援助。因此，援助的"价码"在不断提高，实施措施的范围在不断扩大。这样便导致以派遣自卫队为核心的《合作法案》的出台。

8 月 29 日，海部在就上述六项措施而举行的记者招待会上，首次提出《合作法案》的想法。9 月 27 日，海部宣布了《合作法案》草案。草案宣称法案的主旨是："健全体制，以便对联合国决议涉及的维持活动提供合作。在人力、物力和财力等方面提供同我国的国际地位相称的合作。"合作队的任务是："（一）监督停战。（二）协助选举。（三）帮助运输。（四）协助通信。（五）提供医疗。（六）帮助难民。（七）帮助复兴等。"合作队人员除在社会上广泛征召外，"自卫队部分组织或队员将参加和平合作队，接受合作队指挥"。合作队员将作为普通公务员，保持自卫队员的身份，但不从事自卫队的工作，并着合作队制服，而且"不必修改自卫队法，可以依照和平合作法的附则"。

10 月 11 日，日本政府正式通过《合作法案》，它进一步规定"将对其他有关法律做部分修改，包括修改后使用自卫队和海上保安厅可以执行和平合作队的任务"。

10 月 15 日，自民党审议并批准了政府提交的法案草案，而后提交国会审议，这标志着《合作法案》的出台。法案的正式文本再次增加内容，允许合作队员携带小型武器，其使用条件是日本刑法上规定的正当防卫和紧急避难的原则。

（二）《合作法案》的争论

争论主要是在执政党自民党及政府与在野党之间进行。

国会召开之前的法案之争主要表现为，各在野党领袖纷纷发表谈话，但他们尚未形成一致的反对势力。其中，社会党和共产党持坚决反对态度，公明党主张修改法案，而民社党则表示支持。

10 月 16 日日本国会开始审议法案草案后，朝野双方的争论呈白热化。公民党放弃了同意修改法案的主张，民社党也由支持转为反对，在野党在反对法案上形成一致。

争论主要集中在几个问题上。第一,向海外派遣自卫队问题。在野党认为此举“违宪”,“给向海外派遣自卫队开辟道路”。执政党及政府认为,“向海外派遣自卫队的前提是不能将它用于武力威胁和行使武力,这是属于宪法规定范围的”。第二,行使武力问题。执政党及政府认为,参加合作队的自卫队补给船和运输机将不卸除通常的武器,自卫队员携带小型武器,受到攻击时可以自卫。在野党认为,在现代战争中很难区别前线和后方,而且后方往往首先遭到攻击,假如在后援中被卷入武力冲突而应战,就成了行使武力。第三,关于阻止向海外派兵的依据问题。在野党以 1954 年参议院全体会议上“禁止自卫队向海外出动决议”为依据。执政党及政府认为,“关于对维护和平活动提供合作,当时并没有想到要向海外派遣”。第四,关于亚洲各国的批判问题。在野党认为,《合作法案》实施会引起亚洲各国的反对。执政党及政府认为:“向联合国提供合作,是遵守包括代表亚洲的中国在内的联合国安理会的决议所做出的。对那种兼并弱国的不应有的行为如此纠正。有助于整个亚洲的和平与稳定。”此外,争论还涉及自卫队加入联合国部队问题及派遣与派兵的区别等等。

争论也在自民党不同派系之间进行。

持反对观点的国会议员,前官房长官后藤田正晴在接受记者采访时说:“虽然法案中说不使用武力,但是自卫队以组织形式参加合作队,不是有向海外派兵之嫌吗?作为日本来说,这是绝对应该避免的。”自民党内持不同观点的主要是党内最大派系竹下派,该派会长、国会议员、前副首相金丸信说:“自卫队的任务是专守防卫,不能让邻近各国感到不安。难道我们在现行法律的范围内就找不到更好的方法?难道惟有向海外派遣自卫队吗?”对此,海部认为:“我们觉得这是一项最完善的法案,所以才提出的。我坦率地说,与其争论是否修改法案的主要内容,还不如按照原样通过。”显然海部不同意党内以金丸信为代表的要求大幅度修改的主张。

争论也在新闻界展开。日本三大报纸——《朝日新闻》《读卖新闻》《每日新闻》纷纷发表文章提出反驳意见。

例如,9月28日《朝日新闻》发表文章,说:“自卫队以组织形式参加一事虽被认为是受辖于和平合作队,实际上却构成了向海外派遣自卫队的事实,”“日本尊重并原则上服从联合国决议……不等于说只要有联合国决议,就可以无条件地派遣和平合作队。日本政府应有主见地做出自己的判断。假如以组织形式将自卫队派往海外,日本战后的安全保障政策便会出现大转折,这也将是自卫队的转折点。”

综观上述争论,焦点就是向海外派遣自卫队问题。战后日本宪法明文规定,日本放弃战争,不拥有武力。1954年自卫队成立时,国会通过决议,禁止将其派遣到海外。然而自民党及政府内一些核心人物却千方百计要派遣自卫队到海外,其目的是要把日本推进政治大国行列,冲破战后和平宪法的束缚,参与世界纠纷的“战火”。再进一步说,就是要恢复战前局面,使日本成为“列强”争霸行列中的一员。

(三)《合作法案》的废弃

10月底,《朝日新闻》记者对全体众议院(511人,缺1人)进行采访调查,其中77.7%(397人)的议员做了回答。在答复的181名自民党议员(占该党议员63.7%)中,表示积极赞成该法案的仅占49.2%;14.3%属于消极赞成,即认为“自民党已做出决定只得赞成”和“如果修改就将赞成”;其余36.5%属于反对的。回答的社会党议员134人(占该党议员的96.4%),公明党全体议员46人,共产党全部议员16人都一致表示反对该法案。回答的民社党全体议员14人,其他政党议员6人(占其50%),对该法案的态度分为“希望慎重审议”、“要求修改”和“未定”三类。

上述调查表明,《合作法案》很难在本届众议院获得通过。为了做最后的努力,执政党及政府曾提出让在野党提交法案,双方法案综合,或者延长本届国会会期,结果都遭到在野党的坚决抵制。于是,11月8日,即本届国会休会前两天，自民党与社会、公明、民社三党领袖举行协商，最终宣布《合作法案》正式作为废案处理。这标志着《联合国和平合作法案》胎死腹中。

促成《合作法案》废弃的原因。第一是在野党的坚决抵制。在野党全力谴责执政党及政府以合作队为招牌向海外派遣自卫队违反宪法，是将日本引向危险道路。特别是社会党和共产党攻势猛烈，斗争得法。公明党改变原来妥协态度，民社党也由支持转为反对。在野党联合起来穷追猛打，迫使自民党及政府一味退让，最后只能放弃该法案。

第二是自民党内反对派系的作用。以金丸信为代表的反对派系要求慎重行事，担心法案的实施不但引起日本人民的反对浪潮，而且会引起亚洲邻国的不满而使日本面临国际孤立。金丸信曾提醒说，鉴于战争的历史，“不能认为这样的机会今天又来了”。反对派系的言行，实际上对自民党起了“打退堂鼓”的作用。

第三是日本人民的作用。日本人民珍惜在和平宪法之下的繁荣局面，不愿意重蹈战争覆辙，所以他们反对“派兵”，反对“修宪”。在国会争论《合作法案》的日子里，几乎每天都有成千上万的人参加集会。10 月 26 日晚在东京明治公园举行的集会上参加人数达三万余人，这是近年来少有的。人民群众的普遍反对，使得自民党及政府不得不认真对待。

第四是新闻舆论的作用。日本舆论界不仅对《合作法案》给予大力批驳，而且在关键时刻搞了几次大规模的民意调查。8 月 31 日和 9 月 1 日，共同社记者实施紧急电话舆论调查，结果有 83％的人表示反对向海外派遣自卫队。10 月 21 日《每日新闻》社记者进行一次全国范围的舆论调查，结果表示反对派遣自卫队的人占 53％，支持者仅占 13％。10 月 27 日、28 日，共同社记者再进行紧急电话舆论调查，结果表示反对派遣的人占 67％。支持者仅占 13％，民意调查的结果给自民党及政府敲响了警钟。

第五是亚洲邻国的反对。日本的邻国几乎都是当年遭到日本侵略的国家，所以对日本提出想海外派兵都非常敏感。中国、朝鲜、韩国、新加坡及中国香港领导人纷纷发表谈话，报刊连续发表文章，警告日本政府不要重蹈大战的覆辙。9月30日中国外交部的声明说："中国和其他亚洲国家对过去不幸的历史记忆犹新，希望日本政府采取谨慎的态度。"亚洲各国，特别是中国的态度，无疑从外界给自民党及政府巨大压力。

最后还有一个值得考虑的原因，就是日本政府与自民党之间的矛盾。虽然目前掌握资料很少，但从点滴新闻报道中，可以看出蛛丝马迹。在8月29日记者招待会上，海部曾明确回答记者："不考虑派遣自卫队。"然而自民党实力人物却认为："假如平日有组织地接受训练的自卫队不参加，就产生不了什么作用。"小泽干事长等人主张："不应敷衍了事，而应堂堂正正地派遣自卫队。"这些实力人物动摇了在党内基础薄弱的海部首相，政府与自民党的矛盾对放弃该法案起了多大作用，我们还难下结论，但它至少给《合作法案》的审议过程投下阴影。

综上所述，可以看出，以向海外派兵为核心的《合作法案》的提出，表明日本在加紧推行它的"政治大国"计划。日本究竟要成为什么样的"政治大国"？这是今后世人瞩目的焦点。这次，《合作法案》的争论，实质上是捍卫还是篡改和平宪法之争。《合作法案》的废弃，表明日本人民，进步人士是拥护和平宪法的，这是一种正义的，符合当今历史潮流的行动。

五、日本对中东的"政治大国"外交[①]

日本的所谓政治大国外交，就是要以其强大的经济实力为后盾，积极参与世界各项政治活动，并在其中享有与其经济实力相称的政治发言权，更具体地说是拥有政治主宰权。80年代中曾根内阁把"政治大国"作为外交战略目标加以积极推行，他在1983年7月28日向故乡群马县县民讲话时指出："不仅要增加日本作为经济大国的分量，而且也要增加作为政治大国的分量。"经济大国是向政治大国转变的基础，实现政治大国

① 本节发表于《近现代亚太地区国际关系研究》，天津人民出版社2001年版。

又是为了更有力地在世界范围内谋求日本的经济利益。在推行“政治大国”外交战略目标下，日本从80年代以来开始加强对中东外交，本节对此粗略论述。

（一）日本与中东和平进程

中东和平进程是以1977年11月埃及总统萨达特访问以色列，双方领导人就阿以冲突问题举行会晤为标志开始的。中东和平进程虽然历经20余年，至今仍无最终结果，但是通过和平手段解决阿以矛盾，是阿以双方经过长期武装冲突后得出的共同认识。

中东和平进程的核心问题，是如何解决巴勒斯坦问题。进入80年代后，日本不仅事实上承认巴勒斯坦解放组织（简称：巴解组织）并给予准国家的待遇，而且还试图参与解决中东和平进程问题。1981年10月，巴解组织主席阿拉法特应邀访问日本。虽然日本方面是以“日本巴勒斯坦友好议员联盟”这一非官方组织出面邀请、接待，但是实际上这一切都是由外务省运筹。日本方面给予阿拉法特主席以“准贵宾的资格待遇”，①首相、外相分别与其举行会谈，日本的自民党以及各界要人多次与其会晤。日本邀请阿拉法特来访，首先表明对巴勒斯坦问题的重视程度。其次有助于了解巴解组织在中东和平进程问题上的立场与态度，使日本能够制定有效的中东外交政策。

1983年4月，巴解组织驻东京办事处代表阿布杜·哈米德作为阿拉伯国家外交使团成员，参加了日本外相安倍晋太郎主持的天皇生日招待会。巴解办事处虽然不享有驻外使馆的特权，但是日本已默许其“享有同等的待遇。”

1982年6月，以色列军队以镇压巴解组织游击队为由，悍然发动了入侵黎巴嫩事件。日本对此迅速作出反应，首先支持联合国安理会对以色列的制裁决议，宫泽喜一代理外相发表谈话，谴责以色列的侵略行径。

① 中谷武世:《アラブと日本》,原書房,1983年,第383頁。

其次对难民采取经济援助措施。1982 年 6 月、11 月，日本政府分两次对包括巴勒斯坦人在内的黎巴嫩难民提供总计 200 万美元的紧急财政援助。[①] 日本的这一措施运用得当，反应及时，反映出日本政府对中东和平进程问题有较强的分析判断能力。

1988 年 11 月，巴勒斯坦国宣告成立。12 月，阿拉法特宣布：(1) 接受联合国安理会第 242 号、第 338 号决议；(2) 承认以色列的生存权；(3) 放弃恐怖行动。[②] 巴解组织的这一政策变化，不仅为巴解组织直接与美国对话开辟了道路，而且也给中东和平进程带来新的变化。日本虽然没有立即承认巴勒斯坦国，但是却非常重视阿拉法特领导下的巴解组织所采取的现实、稳健政策。1989 年 10 月，阿拉法特首次应邀正式访问日本，这是其访问法国后，正式访问的第二个资本主义世界大国。在阿拉法特访日期间，日本首相、外相及各在野党首脑分别与其举行会谈。日本方面再次明确提出"中东和平三项原则"：(1) 以色列撤出占领土地；(2) 巴勒斯坦人实行民族自决，其中包括建立独立国家；(3) 承认以色列的生存权。[③] 阿拉法特在访日期间，出席了巴解组织驻东京办事处升格为"巴勒斯坦常驻总代表团"的揭牌仪式。巴解组织驻东京机构的升格，反映出日本对其重视程度的提高。

另一方面，1988 年 6 月，日本外相宇野在访问叙利亚、约旦、埃及后，又访问了以色列，这是日本现任内阁大臣首次访问该国。日本积极地活动于阿以双方国家之间，意味着日本试图参与解决中东和平进程问题。但是，在 80 年代日本始终没有能够真正参与解决中东和平进程问题。在人们期待着中东和平进程能够出现进一步转机之际，进入 90 年代后的一场海湾战争又使其终止不前。

1991 年 2 月 28 日，海湾战争以美国为首的多国部队的胜利和伊拉克的失败而告终。海湾战争的结局使中东地区出现了有利于美国的政

---

① 綜合研究開発機構编：《米ソの中東政策と日本課題》，平成二年，第 131 頁。

② 日本外務省編成：《外交青書——わが外交の近況》，1989 年，第 234 頁。

③ 日本外務省編成：《外交青書——わが外交の近況》，1989 年，第 235 頁。

治新格局。与此同时，作为另一个超级大国苏联却因国内改革而矛盾重重，最终于1991年12月解体。二战以来的东西方“冷战”格局彻底打破，为日本真正参与解决中东和平进程问题创造了条件。此时美国认识到要想长期控制中东地区，必须首先解决阿以冲突问题，于是解决中东和平进程问题又被提出。美国在中东地区有关国家“穿梭”外交活动中，感到苏联在阿拉伯国家中仍有不可低估的影响，于是拉其入伙为陪衬。海湾战争不仅使阿拉伯世界出现分裂局面，而且因巴解组织支持伊拉克，使其战后在阿拉伯世界的地位低落，外交上困难重重，为此巴解组织不得不采取更加灵活、务实的对策，也为中东和平进程发展创造了条件。

1991年10月30日，经过美苏及各方面的8个多月的艰苦努力，解决阿以冲突的中东和平国际会议在西班牙首都马德里举行，史称“马德里和会”。然而由于以色列政府不肯作出让步，使阿以双边会谈没有实质性进展。为了推动双边会谈的进展，中东和会又举行了多边会谈，即阿以冲突有关各方就共同关心的军控、水资源、能源、生态环境、难民等区域合作问题举行多边谈判。日本是多边会谈的积极参与国，并作为独立一方派代表参与，标志着其真正参与解决中东和平进程问题。日本参与了1992年1月在莫斯科举行的多边谈判筹备会议，接着又分别参加了1992年5月在华盛顿举行的军控与安全会议；在比利时布鲁塞尔举行的经济与发展会议；在奥地利维也纳举行的水资源会议；在加拿大渥太华举行的难民会议。特别是1992年5月在日本东京举行的环境会议，日本作为主持国，主持会议召开。在日本的精心组织下，环境会议先后在日本东京（1992年5月）、荷兰海牙（1994年4月）、海湾国家巴林（1994年10月）、约旦安曼（1995年6月）举行了7次会议，是多边谈判分组会议中举行会议次数最多的工作组。另外，在日本东京，1993年12月还举行了多边谈判指导委员会会议。目前，日本在中东和平多边谈判国际协商的工作委员会中担任多项重要职务。日本官员分别出任环境工作委员会委员长，经济开发、水资源、难民事务等委员会的副委员长，还是运营委员会成员国等。

积极开展环境外交，是日本外交的新特征。同样，在中东地区日本也在极力推行环境外交。冷战结束后，随着世界经济的发展和国际关系重心的转移，环境问题的重要性日益突出，人们已经认识到环境问题将是影响人类社会生存与发展的关键性问题，谁在此问题上掌握了主动权，谁在未来的全球战略格局中就会处于主导地位。在中东地区，日本试图利用环境问题为突破口，逐渐加大参与中东地区事务的力度，最终实现操纵或控制该地区。

正当中东和平进程步履艰难之际，1992 年 6 月以色列大选，主张以“土地换和平”的工党领袖拉宾获胜。接着巴以双方于 1993 年 8 月底签署奥斯陆协定，9 月 9 日阿拉法特与拉宾相互致函，宣布巴解组织承认以色列的和平生存权；以色列承认巴解组织为巴勒斯坦人民的代表。9 月 13 日，巴解组织和以色列政府代表在美国华盛顿正式签署巴以《临时自治安排原则宣言》，日本政府代表，首相宫泽喜一作为嘉宾出席仪式。1994 年 5 月 4 日，巴以双方又在埃及开罗签署《加沙——杰里科自治执行协定》，日本政府也派出代表、外相出席仪式。1995 年 9 月，日本首相村山富士在访问沙特阿拉伯、埃及、叙利亚后，又访问了以色列和巴勒斯坦，这是日本现任首相第一次访问这两个国家。日本首相敢于涉足中东地区矛盾焦点国家，反映出其在该地区的国际地位提高，也反映出其参与中东和平进程的态度。

正在阿以和谈顺利向前推进之时，1995 年 11 月 4 日，力主推动中东和平进程的以色列总理拉宾遇刺身亡。接着以色列外长佩雷斯出任总理，并表示继承拉宾事业加快和谈进程。然而出乎人们的意料，1996 年 5 月 29 日以色列大选，利库德集团领导人内塔尼亚胡击败佩雷斯，以色列政坛再次出现利库德集团掌权时期。内塔尼亚胡上台后，顽固地坚持既定的强硬立场，使中东和平进程又一次进入艰难时期。

（二）日本与中东冲突的解决

第一次石油危机后，日本虽然转变了对中东政策，但是也正如巴解组织驻东京办事处代表阿布杜·哈米德指出的那样:“不外乎纸上声明。”[①]然而进入 80 年代后,日本在“政治大国”外交战略目标推动下,对中东外交明显转变为不断加大参与中东地区各种政治性冲突解决的力度。

日本参与人质事件的解决,是参与中东冲突解决的开始。1979 年 2 月,伊朗伊斯兰革命胜利后,在引渡前国王巴列维问题上与美国发生矛盾。当年 11 月 4 日,德黑兰的青年学生冲入美国驻伊大使馆,强行占领并扣压使馆内 52 名美国人为人质。[②] 美伊之间冲突给日本外交带来难题。日美关系不用多言。日伊关系,在伊斯兰革命前,两国保持亲密关系。伊朗不仅是日本第二大石油供应国,也是日本在中东地区主要经济合作国家。所以在人质事件的初期,日本对美国提出对伊实施经济制裁的呼吁不予理睬。通产省认为:“日本与美国的石油状态完全不同,即使美国与伊朗断交,日本也没有必要抵制从其进口原油。”[③]

日本对人质事件采取观望态度,引起美国方面的极大不满。美国国会一些共和党议员提出谴责日本议案,美国国务卿万斯在国际会议期间,当面指责日本外相大来佐武郎“麻木不仁”。在美国的压力下,1980 年 4 月日本宣布:(1)减少驻伊使馆人员;(2)对进入日本的伊朗人采用验证制度;(3)用行政指导手段控制对伊出口。[④] 5 月,日本又决定除粮食和医疗用品外,原则上停止人质事件发生后所签订的一切出口合同。这种经济制裁持续到 1981 年 1 月人质事件解决后结束。

如果说日本参与人质事件解决是被动的,那么参与抵制苏军入侵阿富汗事件则是主动的、积极的。1979 年 12 月苏军入侵阿富汗后,日本政府除了领导人发表谈话谴责外,采取了一系列抵制措施。

第一,在外交事务上推迟或取消原定与苏联的互访与交流。日本推

① 宝利尚一:《日本の中東外交》,教育社,1980 年,第 101 頁。
② 日本外務省編成:《外交青書——わが外交の近況》,1983 年,第 197 頁。
③ 東洋經済編:《ィラン革命と石油·日本》,昭和 54 年,第 165 頁。
④ 永野信利:《日本外交概况》,行政问题研究所,1987 年,第 207 页。

迟了邀请苏联最高苏维埃代表团来访；推迟了苏联外长和外贸部长的来访；推迟了两国文化协定的谈判；取消了苏联驻日大使拜访自民党领导人的安排。这些措施实际上停止了两国间的国家关系交往。

第二，抵制莫斯科奥运会。1980 年 1 月，沙特阿拉伯奥委会率先发表声明拒绝参加莫斯科奥运会，接着美国等西方国家纷纷响应。日本在奥运会报名期满前夕，表示拒绝参加。

第三，利用各种场合呼吁国际社会共同抵制。1980 年 3 月的伦敦国际会议上，日本代表宫泽喜一发表演说，呼吁日美欧加强协调，共同抵制苏联。1982 年 11 月的联合国大会上，日本对要求苏联从阿富汗撤军的议案投赞成票，并表示自己的立场：苏军从阿全境撤出；恢复阿富汗的政治独立及不结盟的地位；尊重阿富汗人民的自决权；安全遣返阿富汗难民。①

第四，适时扩大中东外交。1980 年 2—3 月，日本外相园田直访问了阿联酋、叙利亚、沙特阿拉伯等国，目的是修筑对付苏联的“防波堤”。另外，日本通过联合国机构，向流入巴基斯坦的阿富汗难民提供援助，1982 年为 1 500 万美元，1983 年为 1 700 万美元，1985 年为 40 亿 8 000 万日元。向流入伊朗的阿富汗难民，1985 年提供 9 600 万日元援助。②

对于苏军入侵阿富汗事件，日本的态度明朗、立场坚定，措施得当，赢得了中东国家的好感，扩大了在该地区的影响。但是，其与日本参与人质事件一样，都是中东国家与非中东国家间发生的冲突，受到中东地区之外很大因素的影响。然而日本参与的两伊战争调解是真正的中东国家间的冲突，显示出日本在该地区的国际地位。

1980 年 9 月，伊拉克以边界问题为由发动了对伊朗进攻，持续 8 年的两伊战争爆发了。两伊战争为日本提供了一次发挥“国际作用”的机会。日本与两伊国家不仅具有密切的经济贸易往来，而且因人质事件使

① 日本外務省編成：《外交青書——わが外交の近況》，1983 年，第 203 頁。
② 日本外務省編成：《外交青書——わが外交の近況》，1983 年，第 203 頁。

伊朗与西方国家关系紧张，苏联又深陷阿富汗泥潭，唯有经济大国日本成为两伊皆能信赖的调解人。两伊战争爆发后，日本一直呼吁双方停火并派出使团前往两国，两伊国家也分别派出使团前往日本。1983 年两伊战争进入相持阶段后，日本的斡旋外交更加活跃，如日本外务省编制《外交蓝皮书》1984 年版记载。①

两伊纠纷与我国外交努力（要人交流）
伊拉克
安倍外相访问（83 年 8 月）
中山外务省顾问访问（83 年 9 月）
中岛外务审议官访问（83 年 10 月）
波多野中近东非洲局长访问（84 年 5 月）
阿加兹外长访日（84 年 5 月）
波多野中近东非洲局长访问（89 年 9 月）
伊朗
鲁迪比利副外长访日（83 年 6 月）
安倍外长访问（83 年 8 月）
倍利环保部长访日（83 年 10 月）
中岛外务审议官访问（84 年 1 月）
波多野中近东非洲局长访问（84 年 6 月）
阿奇芝外交委员长访日（84 年 8 月）

在 1985 年 3—4 月，伊拉克外长阿加兹再次访问日本，7 月初伊朗国民会议议长拉夫桑贾尼访问日本。在 1985 年 9 月联合国大会之际，日本外相安倍晋太郎提出，两伊国家代表出席安理会会议，在联合国秘书长的中介下实现对话。② 日本的斡旋外交，为两伊国家实现对话并最终

① 日本外務省編成:《外交青書——わが外交の近況》，1983 年，第 45 頁。
② 日本外務省編成:《外交青書——わが外交の近況》，1986 年，第 53 頁。

实现停火起了重大推动作用。

如果说80年代日本外交是为实现“政治大国”做准备和打下基础，那么90年代初日本外交更进入积极行动阶段，集中表现为海湾战争前后对中东外交上。1990年8月2日，伊拉克大军突然占领邻近小国科威特，震惊世界的海湾危机爆发了。次日，日本政府宣布：“冻结科威特所有在日本的财产。”8月5日，又宣布：(1) 全面禁止从伊拉克和科威特进口石油和石油制品；(2) 禁止对伊拉克和科威特出口；(3) 中止对伊拉克和科威特的投资与金融贸易；(4) 停止与伊拉克的经济合作。日本对伊拉克的严厉经济制裁措施，本身意味着要承担巨大的经济损失。日本每年从伊科两国进口石油，约占全年进口额的12%，被迫停止。另外伊拉克所欠的7 400亿日元债务，也无法收回。日本共同社发表评论指出：“资源小国日本采取包括禁止石油进口的严厉制裁措施，是极其异乎寻常的。”①

8月29日，日本政府正式公布了在海湾危机中所采取的六项措施：(1) 派遣百人阵容的医疗队；(2) 租借民间飞机和船舶运送非军事物资；(3) 对多国部队提供资金援助；(4) 向海湾国家提供活动住宅等物资；(5) 对伊拉克周边国家提供经济援助；(6) 向国际红十字等组织提供资金援助科威特。② 从“六项措施”内容看，不仅是日本对中东外交上史无前例的，而且也是战后日本外交上史无前例的。日本向中东冲突地区派遣非军事人员、提供飞机与船舶、提供巨额资金，也就是除了派遣军队直接参与之外，提供了一切所能提供的援助措施。关于是否派遣日本国民自卫队参与，在日本国内引起了激烈的争论。日本内阁与自民党主张参与，但是遇到其他在野党和广大人民的反对，被迫放弃这种主张。

经过长达半年的海湾危机，一方面伊拉克不识时务地坚持顽抗到底；一方面以美国为首的多国部队加紧大规模调兵遣将的准备。1991年

① 西北大学中东研究所：《中东研究》，1994年1期，第14页。
② 西北大学中东研究所：《中东研究》，1994年1期，第14页。

1月17日，多国部队发动进攻，海湾战争爆发了。1月24日，日本政府再次决定实施支援多国部队的三项措施：(1)提供资金90亿美元；(2)修改自卫队法，派遣自卫队C130运输机运送安曼与开罗之间的战争难民；(3)政府租用民用飞机接回亚洲地区的难民。① 然而90亿美元的援助并没有使美国满足，在美国的压力下，最终日本政府为海湾战争承担的财政援助义务为130亿美元，占整个战争费用600亿美元的近1/4。②日本政府提供如此巨额的资金，是历史上前所未有的，反映了其对海湾战争的参与程度。

海湾危机时期，日本政府曾极力主张派遣军队直接参与，结果遭到挫折，但是其并不肯就此罢休。海湾战争结束后，日本政府不顾国内外舆论的强烈反对，于1997年4月27日，公然决定派遣自卫队现代化扫雷艇驶向海湾地区，执行扫雷任务。这是日本自成立国民自卫队以来，首次大规模远距离向海外派兵，它标志着日本已经毫无限制地、全面参与解决中东地区冲突。此举成功也更加激发其通过扩充显示军事力量来提高国际政治地位的欲望。1991年9月19日，海部内阁再次拟定《联合国维持和平活动合作法》，目的为向海外派兵寻找法律依据，结果在国会第122届临时会议上再次受挫。但是，宫泽喜一内阁上台后全力以赴，在参众两院以强行通过的方式，使该法案于1992年6月15日完成了全部立法程序。这不仅使日本向海外派兵有了法律依据，也标志着日本在推行“政治大国”外交进程中，获得了具有战略性、方向性、阶段性的重要成果。

(三) 中东在日本“政治大国”外交中的地位

中东地区由于具有重要的战略位置和丰富的石油资源，所以第二次世界大战结束以来，世界上大小霸权主义国家都不同程度地插手该地区

① 上海外国语大学主办：《阿拉伯世界研究》，1995年1期，第53页。
② 王铁铮等：《动荡的中东》，西北大学出版社，1993年版，第49页。

事务，造成冲突不断，该地区始终成为国际关系热点地区之一。对于大小霸权主义国家来说，中东地区就如同一个国际大舞台，它们分别扮演着不同角色登台献艺，既可以获得丰厚的经济实惠，又可以展现自己的政治、军事实力，并以此来标榜自己在国际社会中的地位。同样，中东地区这一国际大舞台，对于日本来说也是十分重要的。中东地区不仅为其提供了丰富的石油资源和重要的贸易市场，而且也为其提供了展现政治、军事实力的舞台，成为推行“政治大国”外交战略目标的一个突破口。

日本要想在国际社会上树立起自己的“政治大国”形象，首先就要确立自己的独立性对外政策。众所周知，日本自战后恢复独立地位，就确立了吉田茂制定的“对美一边倒”的外交路线，紧紧追随美国的对外政策，以日美同盟关系为其外交的基轴。在吉田茂路线下，日本重点发展经济，以出让领土给美国驻军换取国家安全保障，以追随美国外交换取在国际社会的庇护。但是，无论是吉田茂路线也好，还是其他路线也好，都不是打算使日本永远成为二等国家，更不打算永久地听从美国的指挥，成为美国帐下的一个小卒。早在1951年1月20日，日本外务省提交吉田茂的媾和文件“D作业”中就指出：“日本完全恢复自主性”，与美国“应以合作伙伴关系缔结和约。”在当年1月31日提交美国方面的备忘录中，吉田茂明确要求：“日美作为平等的伙伴进行相互安全合作。”①吉田茂路线的实施，完全是出于日本当时所处的环境和未来发展道路而不得已的选择。但是，日本并没有因此放弃追求“政治大国”目标。日本要想在国际社会上树立起自己的“政治大国”形象，首先就要确立自己独立性对外政策，即摆脱完全追随美国外交的局面。可以说，日本在这方面的尝试也是不断进行的。如1956年10月，日本与苏联恢复了邦交正常化，就是要在美国之外寻找自己外交领域的实践。由于当时日本经济实力有限，国际地位不高，特别是国际环境处于美国独霸天下的局面，所以这种外交的扩展也仅能说是一种“尝试”，而且次数有限。但是，随着日

① 冯昭奎等：《战后日本外交》，中国社会科学出版社，1996年版，第123页。

本经济实力的增强，特别是1968年成为资本主义世界第二大经济强国后，加上国际环境的变化，世界格局演变成为美苏两霸相争的局面，日本提出独立性对外政策便有了可能。日本这种独立性对外政策的提出，首先表现在对中东外交上。1973年11月22日，在第一次石油危机的直接打击下，日本提出"亲阿拉伯"政策。这是二战后日本外交史上，首次在国际间冲突中，形成与美国互相支持对立一方的局面，而且这一政策长期坚持执行。

日本在对中东政策上，公开站在不同于美国的立场上，这在日本走向独立性对外政策历程上是标志性变化。进入80年代后，日本政府公开提出把实现"政治大国"作为自己外交战略目标，表现在对中东外交上，日本主动承担调解两伊战争中双方停火。日本在两伊战争期间，成功地展开斡旋外交，发挥了东西方其他大国无法发挥的国际作用，充分显示了自己的国际地位，而且也是战后历史上日本首先独自承担调解两个地区大国间的武装冲突。进入90年代后，随着海湾危机出现以及最终海湾战争爆发，日本这一"政治大国"外交表现更加充分。海湾战争中，日本承担了130亿美元的战争费用，占整个战争费用600亿美元的近1/4。日本提供如此巨额战争费用，在二战后历史上是首次。海湾战争刚一结束，日本又派出现代化扫雷艇驶向海湾地区，这是日本国民自卫队建立以来，首次大规模远距离执行海外任务，不久，日本国会又通过《联合国维持和平活动法》，为今后向海外派兵制定法律依据。

日本在实施"独立性"外交政策上，在推行"政治大国"外交战略目标中，这些带有突破性的举动往往首先采用在对中东政策上，使我们有理由确认中东地区是日本推行"政治大国"外交战略目标的突破口。众所周知，战后日本外交长期的重点为东南亚地区。但是，东南亚地区曾在第二次世界大战中，遭到日本法西斯势力的残酷侵略，痛苦的过去使人们记忆犹新，所以这里的各国人民对日本提出的许多带有政治性的主张采取一种戒备，或者抵制的态度，目的是防止旧日那种遭受残酷侵略的噩梦重演。满受风霜的东南亚人民，同亚太地区其他当年遭受日本法西斯势力侵略的国家一样，都不愿看到日本再次成为军事大国走向侵略扩张的道路。而在中东地区，由于在第二次世界大战中，日本法西斯势力的侵略魔掌尚未能伸到这里就已经灭亡，所以他们缺少像亚太地区国家人民那样的戒备心态，很容易接受日本在“经济、技术大国”的招牌下，推行的“政治大国”外交路线。

日本在中东地区实施这些带有突破性“政治大国”外交举动，无非就是要借用中东地区这一国际大舞台，展现自己的政治、军事实力，引起国际社会的重视，以此来证明自己在国际社会中的“大国”地位。冷战结束后，联合国作为处理全球事务和解决国际间冲突的唯一权威机构，其作用和威望都大大提高。所以日本把实现联合国安理会常任理事国作为自己推行“政治大国”外交战略目标进程的关键一步。1994 年 9 月，日本外相河野洋平在第 49 届联大会议上，正式提出这一申请。为了成为安理会常任理事国，需要众多的联合国会员国的支持是必不可少的。日本是不会放弃中东地区众多的联合国会员国的作用的，所以其加大经济技术援助，以换取中东地区国家对自己的支持。另外，冷战结束后，随着世界经济的发展和国际关系重心的转移，环境问题已被提到首要地位。可以看出，谁在环境问题上掌握了主动权，谁就能在 21 世纪全球战略格局中处于主导地位。在中东地区，由于美国的长期争夺，已经形成了其的主导地位。而日本要想在中东地区拥有一定的作为，特别是在 21 世纪中拥有更大的作为，选择环境问题作为突破口是可行的。1991 年 10 月马德里和会后，日本成了中东和会多边谈判小组会议中环境问题小组会议的主持国，在日本的主持下该小组会议正在一步步努力工作。日本凭借着强大的经济实力，利用中东地区特殊的环境，以环境保护问题为契机，为自己未来在中东地区发挥更大的作用找到了出路。

综上所述，日本在推行“政治大国”外交战略目标中，中东地区不仅是其重要组成部分，而且担任着突破口作用。所以我们在研究日本“政治大国”外交问题上，应该特别重视日本对中东外交问题。另外，作为一个国家，要想巩固自己的政权，要想在经济上得到更大的发展，致力于提高本国的政治地位，是常理。但是这种政治地位的提高，如果不仅是为了巩固政权、发展经济，而是要干涉别国的内政，甚至动用武力侵略别国的话，那就犯了众怒。日本在 1868 年明治维新以后，直到 1945 年 8 月 15 日宣布战败投降前的几十年历史，可以说是提高自己“政治大国”地位的历史，然而更明确地说，是几十年的对外侵略邻近弱小国家的历史。如今日本又一次提出实现“政治大国”目标，加上日本千方百计遮掩过去侵略他国的历史事实，每年 8 月 15 日又大肆举行祭祀侵略战犯的活动，使世人不能不警惕，今天日本的“政治大国”到底走什么路？特别是日本周边的亚太地区国家人民更加警惕，担心日本再度成为侵略战争的发动者。

六、二战后日本对中东政策的主要特征[①]

在当今世界上，没有一个国家可以独立地生存，所有国家均要与其他国家进行某种交往并制定相应的对外政策。对外政策是以维护国家根本利益为基础的。第二次世界大战后，日本国家的总目标是复兴与发展经济、保障国家安全、提高本国的国际地位。其对外政策也是根据此而定。战后的日本由于处于战败国的特殊国际地位，所以对外政策具有独特性。日本对中东政策是日本对外政策的重要组成部分，也是日本对外政策的具体体现，所以日本对中东政策也有其独特性。本节对第二次世界大战后日本对中东政策的主要特征粗略论述如下。

(一)

战后日本对中东政策始终围绕石油这一核心问题。

① 本节发表于南开大学历史系编《南开大学历史系成立 75 周年纪念文集》，南开大学出版社 1998 年版。

“日本之所以关心石油供应问题，是因为低廉价格的石油是战后日本的产业结构和‘经济奇迹’的润滑油。”①众所周知，中东地区之所以被世界上主要国家瞩目，引起大小霸权主义国家插手干涉，主要原因为：一是中东地区具有重要的战略位置；二是中东地区具有丰富的石油资源。由于日本在第二次世界大战后处于战败国的位置，特别是战后1947年5月3日正式生效的《日本国宪法》，其第9条规定：“永远放弃以国权发动的战争、武力威胁或武力行使作为解决国际争端的手段”，为此，“不保持陆海空军及其他战争力量，不承认国家的交战权”。这部美国强加给日本的和平宪法，宣告日本退出第二次世界大战后军事争霸的行列，所以中东地区的重要战略位置对它吸引力不大。然而日本自50年代中期经济发展时，选择的是以重、化工业为龙头工业，带动国内整个经济发展的道路。重、化学工业是耗费能源多的产业，而日本自身又是严重缺少能源资源的国家，这就自然决定了日本的经济发展依赖外部供应能源的局限性。随着日本经济以惊人的速度发展，日本的能源消耗也以高于西方其他工业化国家的速度增长。由于石油作为能源使用要比煤炭作为能源使用具有更多优点，所以世界上各个先进工业化国家，在50—60年代率先进行以石油代替煤炭的能源结构转化，在这次能源结构转化中，日本要比其他西方国家速度更快，故石油需求量、增长速度都高于其他西方国家。同样，在这次能源结构转化过程中，日本同其他西方工业化国家一样，瞄准了被称为世界“石油库”的中东地区。这就是人们常说的，西方工业化国家在第二次世界大战后的经济大发展，是伴随着对中东石油掠夺而同步进行的。

日本与中东地区的石油关系上，有两个方面的制约因素，一个是日本对中东地区石油的依赖程度，一个是中东地区石油对日本的供应渠道及石油价格。同样，这个制约因素也制约了日本对中东政策的制定。在1973年10月第四次中东战争爆发前，随着日本能源结构的转化，日本对

① 渡辺昭夫：《戦略援助と日本外交》，東京，同文舘，平成元年，第169頁。

中东石油的依赖程度逐年提高，但是当时的中东地区石油几乎完全控制在美国为首的西方国家手中，而日本与美国有“特殊”的同盟关系，所以日本不必理睬与中东地区国家关系。表现在日本与中东政策上，外交上极不重视与中东地区国家关系，遇到中东地区发生冲突时，总是站在美国一边，紧紧追随美国的中东政策。但是，不甘心受欺侮的中东地区产油国家人民，从 60 年代末开始了从西方石油公司手中夺回本国石油资源运动，中东地区石油控制权开始逐渐向中东地区产油国家手中转移。面对中东地区石油控制权逐渐转移，为了确保中东地区石油稳定供应，日本采取了“中立”对策，主要表现为对中东地区发生的冲突，特别是对中东社会基本矛盾之一阿以冲突，采取中立态度。目的是与往日追随美国，支持以色列的政策拉开一定的距离，避免中东地区产油国在石油供应上对日本采取措施。

1973 年 10 月第四次中东战争爆发后，中东地区的石油控制权发生了根本性的变化，中东地区的产油国家真正地控制了日本石油资源。同时，中东地区产油国家也手握石油，开始了与西方工业化国家的真正“对话”。中东地区产油国家并没有被日本所谓的“中立”政策蒙蔽，认识到正是美国等西方国家的支持，才使阿以冲突中，双方实力发生巨大转变。日本所谓的“中立”，实质上是坐视强者欺压弱者，要打击以色列，必须打击其支持者，包括日本这种所谓中立国家。在“石油武器”的直接打击下，随着中东石油供应渠道及石油价格的变化，决定了日本对中东政策的转变，其被迫推行所谓“亲阿拉伯”政策。

所谓“亲阿拉伯”政策，就是一改往日日本对中东政策，由原来轻视中东国家关系，转变为重视中东国家关系；由原来追随美国支持、姑息以色列，转变为公开支持阿拉伯国家的立场，其核心是确保中东石油供应。石油危机的威胁，石油价格的不断上涨，促使日本调整国内主要产业结构转化，放弃自 50 年代中期起实施的以重、化学工业为龙头，带动整个国内经济腾飞的战略，开始实施以低能耗、高科技、高附加值为主要特征的装配加工型产业结构。另外，也极力减少对中东地区石油能源的依赖程度，寻找替代能源，扩大非石油能源的利用。在目前无法解决替代石油能源为主的能源结构下，尽力减少对中东地区石油依赖，扩大从中东地区以外国家进口石油。日本国内主要产业结构转化和能源结构调整，在几年以后明显收到成效，日本对中东地区石油的依赖程度明显降低。

一方面日本对中东地区石油依赖程度逐渐下降；另一方面国际石油市场的价格又出现下跌。70 年代末 80 年代初第二次石油危机过去后，国际石油市场价格一路下跌，从原来每桶原油 40 美元，下跌到每桶原油 10 余美元。国际石油市场，从卖方市场转向买方市场。这就意味着日本与中东地区石油关系紧绷着的弦，有所放松。于是出现了 80 年代，日本对中东"参与"政策。正是由于日本对中东地区石油依赖程度逐渐降低和国际石油市场供大于求局面的出现，才使日本放开手脚参与中东地区冲突的解决。反过来说，日本参与中东地区的冲突解决，也是为了平稳中东地区紧张局势，目的还是要确保中东石油的稳定供应。

1990 年 8 月海湾危机爆发后，伊拉克吞并科威特，直接威胁沙特阿拉伯等海湾地区产油国家，目的就是改变中东地区石油控制权的现状。伊拉克要改变中东地区石油控制权的现状，不仅有关中东地区产油国家不答应，而且对中东地区石油有依赖性的西方工业化国家也不答应。这两者不答应，就构成了沙特阿拉伯等海湾地区产油国邀请美国为首的西方国家参与解决海湾危机局面。同样，日本对美国为首的多国部队以巨额财政援助，目的也是希望美国为首的多国部队打败伊拉克，恢复往日中东地区石油控制的局面。海湾战争后，国际石油市场价格并没有像人们所预料那样出现上涨，而是继续处于低价位。国际石油市场长期处于买方市场，实际上给日本对中东政策制定及实施创造出一个"宽松的环境"。海湾战争后，日本对中东政策表现为全面参与中东事务，不仅派遣军队参与排雷、维和行动，而且还全面参与中东和平进程。日本采取这些举动的原因，就是要在中东地区扩大自己的影响，核心是为确保中东地区石油的平稳供应。

在第一次石油危机的直接打击下，日本被迫转变了对中东政策。此后日本越来越关心中东地区的各种变化，也逐步参与中东地区各种事务的解决，实质上这一切都是关心中东地区石油能否平稳地向日本供应问题。为了确保中东地区石油的平稳供应，日本不惜放弃更多的经济利润而主动向中东地区有关国家投资、贷款。为了确保中东石油的平稳供应，日本在中东地区国家之间尽力保持“等距离外交”，担心影响到某一方面而得罪了众多的伊斯兰国家。在中东地区这个充满着民族矛盾、宗教矛盾、国家间矛盾的旋涡中，小心翼翼地相交相往。为了确保中东石油的平稳供应，日本不惜与美国在中东政策上发生分歧，推出带有“独立性”的日本对中东政策。

总之，只要日本找不出代替石油的新能源，找不出石油供应的新来源，其能源结构摆脱不了以依赖石油为主的框架，上述两个方面制约因素就会影响到日本对中东政策的制定，日本对中东政策也就不会改变以石油为核心问题的局面。

(二)

战后日本对中东政策始终受到美国中东政策的影响。

战后日本对外政策的变化，实际上有两个因素起着主要作用：一是日本自身的经济实力的增长；一是国际形势的变化，特别是美国对外政策的变化。同样，这两个因素也作用于日本对中东政策的变化。1973 年 10 月第四次中东政策前，日本完全追随美国的中东政策，其原因为，一是日本经济实力还有限，日本经济虽然在 50—60 年代得到飞速发展，但是在国际社会的影响力还有限；二是国际形势处于美国在 50—60 年代的独霸世界时期。也正是这两个方面发生了变化，才促使日本在第一次石油危机的直接打击下转变对中东政策。转变后的日本对中东政策虽然带有独立性，但是其并没有完全摆脱受美国中东政策的影响，其独立性仅为相对的、有限的。因为整个国际局势仍然处于战后“冷战”体系下。第二次世界大战后，日本处于战败国的地位，其政治、经济、军事都受到严格的控制，特别是受直接占领其领土的美国的严格控制，所以造成了战后日美同盟的特殊关系。

战后日美同盟关系，表面上看日本处于不平等，或者被动的地位，但是实际上美国成了日本巨大的保护伞，日本正是借用了这把巨大的保护伞的护卫，才发展到今天的地步。对于第二次世界大战后日美同盟关系的理解，我们可以从近代以来日本的对外扩张、发展史来寻找线索。由于日本自身的局限性，国土窄小、人口众多、严重缺少资源，发展起步晚等因素，所以日本在对外政策上，往往利用国际关系中大国之间的矛盾，确立有利于自己发展的地位。例如，1902 年日本与英国缔结同盟，目的是为了对付向东方扩张的沙皇俄国势力。1907 年日本又与俄国签署密约，目的是为了对付在亚太地区扩张势力的英美两国。1936 年日本与法西斯德国缔结反共协定，目的是为了发动全面侵略中国的战争。1939 年日本又与德意两国缔结三国同盟，目的是为了发动太平洋战争等等。虽然这些条约的缔结，与第二次世界大战后日美同盟缔结的背景不同、内容不同，但是其对日本的对外发展中所起的作用是相同的。第二次世界大战后，国际形势长期处于东西两大阵营对峙的局面，作为战败国的日本只有心甘情愿地投入到美国的保护伞下，借助美国在世界上的霸权主义势力，才有利于发展自己的实力。

在日本对中东政策上，1973 年 10 月第四次中东战争前，日本采取的是追随美国中东政策的路线，其原因是美国为首西方国家控制着中东地区石油。在第一次石油危机中，中东地区产油国家把“石油武器”的矛头指向日本，也因为其是美国为首西方集团的重要成员，特别是与美国具有特殊的同盟关系。中东地区产油国家的目的是，要日本向美国施加压力，改变美国支持以色列政策。而日本并没有按中东地区产油国的愿望所为。在第一次石油危机中，日本靠所谓的“亲阿拉伯”政策蒙蔽过关，摆脱石油危机的困扰，但是这种“亲阿拉伯”的“亲”的程度，非常有限。

日本实施所谓的“亲阿拉伯”政策，在与美国中东政策相比较上，仅存在着对阿以双方的态度上不同。日本对阿拉伯国家的支持，可以说并没有起到对美国中东政策实施的影响作用。日本对阿拉伯国家的支持，实际上仅为道义上、舆论上，有限的经济上支持。然而第一次石油危机困境刚一摆脱，日本立即加入美国组织的西方石油消费国会议，与美国为首西方国家共同研究对付石油危机的措施。另一方面美国实际上对日本的“亲阿拉伯”政策，采取默认的态度。在第一次石油危机中，日本政府曾明确向美国政府提出补充石油缺额要求，但是美国本身面临着严峻的石油禁运困扰，根本无力帮助日本摆脱石油危机，只好默认日本采取与美国中东政策保持一定距离的“亲阿拉伯”。假如美国坚决反对日本转变中东政策，就意味着日本以石油能源为基础的经济生产结构受到打击，如果日本经济受到冲击，不仅影响到日本自身经济发展，而且还会影响到以美国为首的整个西方社会的经济发展，甚至会影响到日美两国关系的发展。美国正是基于这种认识，才能长期默认日本的对中东政策保持同美国的一定距离。

摆脱石油危机的困境，对日本来说是暂时的对策，而确保中东地区石油长期稳定供应必须有长期的对策。日本把确保中东地区石油长期稳定供应对策，寄托在美国能够控制中东地区局面上。美国对中东政策，在排除了英法老牌殖民主义势力后，在苏联解体大大减少对中东地区影响后，重要手段就是打以色列牌。美国在中东地区扶植亲美势力的同时，很重要手段就是打以色列这张王牌。美国操纵联合国，使以色列得以成立，这也埋下了第二次世界大战后至今不解的阿以冲突的祸根。美国支持以色列，使其扩展野心不断膨胀，不仅占领巴勒斯坦地区，而且还占领了周边阿拉伯国家的大片领土。美国支持以色列政策，造成中东地区长期动荡不安局面，使得美国乘机插手中东地区事务。在军事上不能战胜以色列的情况下，阿拉伯国家只好选择和平解决冲突的途径，然而要使强硬的以色列接受和平解决方案，只有请出以色列的后台老板美国出面主持，这就为美国操纵、控制中东地区局面创造了条件。

对于美国支持以色列政策，日本从支持转变为反对，但是日本的反对，实际上也就是利用各种场合公开谴责以色列扩张行径，并没有采取实际行动来阻止以色列的扩张行径，甚至在第一次石油危机时期，阿拉伯国家要日本与以色列断交，日本也没有做到。对于美国主导的中东和平进程，日本采取全力配合对策。日本不仅公开声明和平谈判是解决阿以冲突的唯一选择，而且还按照美国旨意，对敢于与以色列签署和约的埃及给予财政援助。对中东和平进程很重要国家约旦给予财政援助，因为约旦具有很大倾向西方国家色彩，马德里国际和平会议召开后不久约以也签署和约。对于美国和伊朗之间爆发的人质事件，日本最终选择倾向美国一边。对于苏军入侵阿富汗事件，日本与美国为首的西方国家共同抵制。在海湾战争中，日本更是美国为首的多国部队的有力财政支持者。

进入 90 年代后，虽然“冷战”体系基本瓦解，但是日美两国特殊同盟不仅没有解体，反而得到进一步加强。日美两国关系加强，对于双方都是不可缺少的。美国需要日本这个强大伙伴在经济、技术上的支持，而日本也需要美国这个强大伙伴在政治、军事上的支持。日美两国关系对于远东地区，对于太平洋地区，以及世界国际关系格局都起到重要作用。对于日本来说，仍然尚未恢复到全面的世界级大国地位。要想达到这一切，必须借用美国超级大国的力量。在这种大趋势下，日本对外政策仍以日美同盟关系为基轴，所以日本对中东政策仍然受到美国中东政策的影响。例如，现在日本仍然需要借用美国在中东地区的势力，促使中东地区国家关系趋向平稳、和睦相处，以保证中东地区石油对日本的平稳供应。另外，日本也仍然需要借用美国的军事力量，确保海上运输航线的畅通无阻，使中东地区的石油能够顺利运抵日本海港。总之，只要日美同盟特殊关系存在，日本对中东政策就必将受到美国中东政策的影响。

（三）

战后日本对中东政策存在着不平衡性，或者局限性，主要表现为日本重视与海湾地区产油国家关系。并且，战后日本对中东政策，也是日本推行其“政治大国”对外战略目标的一个突破口。

日本对中东政策的核心问题是，确保中东地区石油的稳定供应，因此决定日本对中东政策的重点为盛产石油的海湾地区国家关系。日本与海湾地区国家拥有巨大的经济联系。从日本对中东地区出口贸易额比例上看，处于前5位的国家都是海湾地区产油国。如表5－2所示：

表5－2　日本对中东出口贸易额前五位国家比例关系　(%)

年份	沙特	伊朗	阿联酋	科威特	伊拉克
1976年	24.1	12.8	8.1	9.2	8.0
1977年	24.1	19.8	8.8	9.7	8.9
1978年	28.0	23.4	8.6	6.6	8.1
1979年	34.0	8.4	9.3	7.9	14.4
1980年	32.3	10.5	9.0	8.4	14.6
1981年	31.8	8.1	8.0	8.9	16.4
1982年	37.3	5.3	8.3	10.1	15.4
1983年	37.4	15.8	7.5	9.9	3.5
1984年	37.3	11.1	7.4	9.5	5.4
1985年	30.5	10.3	9.0	12.0	10.0
1986年	26.3	10.9	9.7	11.6	11.7
1987年	33.3	10.8	11.4	8.9	4.0
1988年	31.7	8.2	13.0	7.4	4.1
1989年	30.7	10.3	14.4	7.4	5.5
1990年	30.6	14.7	14.3	3.8	2.4
1991年	29.4	18.7	16.2	3.3	0.0
1992年	30.0	16.5	16.9	4.7	0.0

日本对中东地区出口额最大的国家是沙特阿拉伯，在1976—1992年，日本对沙特阿拉伯出口额，占日本对中东地区出口额年平均的31.1%，也就是说日本对中东地区出口贸易额的近1/3是向沙特阿拉伯一国出口的。第二是伊朗，占日本对中东地区出口额年平均的13.2%；第三是阿联酋，占日本对中东地区出口额年平均的10.6%；第四是科威特，占日本对中东地区出口额年平均的8.2%；第五是伊拉克，占日本对

中东地区出口额年平均的7.8%。上述5国合计占日本对中东地区出口贸易额年平均的70.0%。上述5国都是石油出口大国，大量的石油出口创汇，使其具有很大的购买力，成了日本商品的主要销售市场。

日本从中东地区进口石油状况，如表5-3所示。

表5-3　日本对中东石油进口主要国家比例　(%)

年份	沙特	阿联酋	伊朗	科威特	阿曼	伊拉克	卡塔尔
1975年	29.8	9.0	25.3	9.2	2.7	2.0	0.1
1976年	34.2	11.5	20.2	7.4	3.2	2.8	0.0
1977年	33.8	11.4	17.0	8.3	3.6	3.2	0.7
1978年	32.9	10.1	17.3	8.6	3.7	3.3	2.3
1979年	32.1	10.2	11.4	9.5	4.0	5.3	2.9
1980年	35.3	13.6	6.6	4.0	3.0	7.8	3.0
1981年	37.6	13.7	3.4	4.6	4.1	1.5	3.5
1982年	39.7	13.6	5.9	2.2	3.6	1.7	3.6
1983年	33.3	15.3	11.0	1.9	5.0	0.4	3.7
1984年	32.0	15.3	7.3	3.0	6.1	0.4	6.1
1985年	23.3	21.1	7.3	1.6	8.9	1.7	5.9
1986年	18.0	22.1	6.6	3.6	8.4	4.9	4.8
1987年	22.0	18.8	7.3	5.9	6.7	3.2	3.5

日本从中东地区进口石油，列在前7位的国家皆为海湾地区产油国。按日本从这些国家进口额的年平均例排列为：第一位为沙特阿拉伯，在1975—1987年，占日本石油进口额的31.1%；第二位是阿联酋，占日本石油进口额的13.5%；第三位是伊朗，占日本石油进口额的11.3%；第四位是科威特，占日本石油进口额的5.4%；第五位为阿曼，占日本石油进口额的4.8%；第六位为卡塔尔，占日本石油进口额的3.1%；第七位为伊拉克，占日本石油进口额的2.8%。上述7国合计，占日本石油年平均进口额的66.6%。换句话说，日本从中东地区进口石油额的年平均

91%以上是来自上述7国的。

日本与海湾地区国家具有如此巨大的经济联系，必然决定了日本对中东政策的重心点在海湾地区。在第一次石油危机中，正是海湾地区产油国家向日本“发难”，迫使日本转变对中东政策。在阿以冲突中，日本能够转变立场支持阿拉伯国家，很大因素也是迫于海湾地区产油国压力。对于日本来说，第一次石油危机时，并非真正关心巴勒斯坦人命运问题，而是面对团结一致的阿拉伯整体民族利益，支持巴勒斯坦人要求，是为换取整个阿拉伯民族的好感，说到底是为换取海湾地区产油国家的好感，换得海湾地区国家的平稳石油供应。在伊朗伊斯兰革命胜利前，伊朗是日本在中东地区关系最密切的国家，此后伊朗的地位逐渐下降，沙特阿拉伯成了日本在中东地区最亲密的国家。但是，伊朗与日本关系一直比较友好。在美国与伊朗之间爆发人质事件时，日本迫于美国方面强大压力，不得不对伊朗实施经济制裁，然而在措施上还是比较温和，人质事件结束后，日本方面立即与伊朗恢复正常的经济关系。对于苏军入侵阿富汗事件，苏联的意图十分明显，就是要南下进入波斯湾，直接威胁到海湾地区国家，日本当然要参与抵制活动，以维护它在海湾地区的利益。当海湾地区两个大国伊拉克与伊朗爆发战争时，日本凭借着自己与两伊国家紧密的关系，特别是其他国家所不具备的特殊地位，大胆地展开斡旋外交。至于海湾战争中日本的表现，更能说明其重视该地区的政策。海湾战争后，日本仍然与西方国家保持步调一致，断绝与伊拉克的经济往来，但是日本没有像美英等国家继续对伊拉克萨达姆政权采取十分强硬的政策，反映出其对海湾地区国家政策的一定特色。海湾战争后，1991年4月24日，日本派出现代化扫雷艇舰队，到海湾地区海域进行扫雷作业。这是战后日本第一次派出海上自卫队远距离执行任务，其打出旗号是维持海湾地区和平活动，也反映出日本重视与海湾地区国家关系。另一方面，海湾战争后，日本加快了与该地区国家的经济贸易关系，1992年日本成了海湾合作委员会国家（沙特阿拉伯、科威特、阿联酋、卡塔尔、巴林、阿曼等六国）的最大贸易伙伴，美国也不得不屈居次席。

参考书目

日文参考书目

(1) 木村汎著:《北方領土——軌跡と返還への助走》,時事通信社,1989 年 9 月 10 日発行。

(2) 和田春樹著:《北方領土問題を考える》,東京,岩波書店,1990 年 3 月 2 日発行。

(3) 中村新太郎著:《日本人とロシア人——物語日露人物往来史》,東京,大月書店,1978 年 5 月 29 日発行。

(4) 木村汎著:《日露国境交渉史——領土問題にいかに取り組むか》,東京,中央公論社,1993 年 9 月 25 日発行。

(5) 藤野順著:《日ソ外交事始》,東京,山手書房新社,1990 年 8 月 2 日発行。

(6) 六角弘編著:《北方領土》,東京,びいぶる社,1991 年 11 月 25 日発行。

(7) 外務省欧亜局東欧課编:《戦時日ソ交渉史》上下册,東京,ゆまに書房,2006 年 5 月 25 日発行。

(8) 志水速雄著:《日本人はなぜソ連が嫌いか》,東京,山手書房,昭和 54 年 3 月 10 日発行。

(9) ドミトリー・B・トロフ著、滝沢一郎訳:《ソ連から見た日本》,東京,サイマル出版会,1975 年発行。

(10) 清水威久著:《ソ連の対日戦争とヤルダ協定》,東京,霞ケ関出版株式会社,昭和 51 年 7 月 1 日発行。

(11) 斎藤勉著:《日露外交》,東京,角川書店,平成 14 年 9 月 20 日発行。

(12) 日本国外務省、ロシア連邦外務省:《日露間領土問題の歴史に関する共同

作成資料集》,東京,1992 年 9 月 29 日発行。

(13) 西口光、早瀬壮一、河邑重光著:《日ソ領土問題の眞実》,東京,新日本出版社,1981 年 6 月 30 日発行。

(14) エリ・エヌ・クダコフ著、ソビエト外交研究会訳:《日ソ外交関係史》第 1—3 巻,東京,刀江書院,昭和 40 年、昭和 42 年、昭和 44 年発行。

(15) 沼田市郎著:《日露外交史》,東京,大阪屋號書店,昭和 18 年 5 月 20 日発行。

(16) 松本俊一著、佐藤優解説:《日ソ国交回復秘録——北方领土交渉の眞実》,東京,朝日新聞出版,2012 年 8 月 15 日発行。

(17) 中山隆志著:《ソ軍進攻と日本軍——満洲 1945、8、9》,東京,国書刊行会,平成 2 年 8 月 25 日発行。

(18) D・J・ダ—リン著、直井武夫訳:《ソ軍と極東》上下巻,東京,法政大學出版局,昭和 25 年発行。

(19) 重光葵著:《重光葵外交回想録》,東京,毎日新聞社,昭和 53 年 8 月 25 日発行。

(20) 五百旗頭真、下斗米伸夫、A・V・トルクノフ、D・V・ストレリツォフ編:《日ロ関係史——パラレル・ヒストリ—の挑戦》,東京大学出版社,2015 年 12 月發行。

(21) 外務省编:《日本外交文書》(平和条約の缔结に関する調書)(第一册至第五册),東京,外務省,平成 14 年。

(22) 外務省编:《日本外交文書》(サンフランシスコ平和条約調印、發効),東京,外務省,平成 21 年。

(23) 鹿岛和平研究所編:《日本外交主要文書・年表》(1—3)(1941—1960 年),東京,原書房,1983 年、1984 年、1985 年。

(24) ボリス・スラヴィソスキ—:《考証日ソ中立条約——公開されたロシア外務省機密文書》,高橋実、江沢和弘訳,東京,岩波書店,1996 年。

(25) 鹿岛守之助著:《日本外交史》第 3 卷,東京,鹿岛平和研究所出版会,昭和 45 年。

(26) 西春彦監修:《日本外交史》第 15 卷,東京,鹿岛平和研究所出版会,昭和 45 年。

(27) 崛内謙介監修:《日本外交史》第 21 卷,東京,鹿岛平和研究所出版会,昭和 46 年。

(28) 西村熊雄監修:《日本外交史》第 27 卷,東京,鹿岛和平研究所出版会,昭和 46 年。

(29) 吉澤清次郎監修:《日本外交史》第 28 卷,東京,鹿岛和平研究所出版会,昭和 48 年。

(30) 吉泽清次郎監修:《日本外交史》第 29 卷,東京,鹿岛平和研究所出版会,昭和 48 年。

(31) 工藤美知尋:《日ソ中立条約の研究》,東京,南窓社,1985 年。

(32) 細谷千博:《サソフラソシスコ媾和への道》,東京,中央公論社,昭和 59 年。

(33) 坂本德松、甲斐静馬:《返せ北方領土》,東京,青年出版社,1977 年。

(34) ボリス・スラビンスキー:《無知の代償——ソ連の対日政策》,菅野敏子訳,東京,人間の科学社,1991 年。

(35) 田中孝彦:《日ソ国交回復の史的研究——戦後日ソ関係の起点:1945—1956》,東京,有斐閣,1993 年。

(36) ァジァ調査会編:《北方領土を読む》,東京,プラネット出版,平成 3 年。

(37) ボリス・N・スラヴインスキ著、加藤幸廣訳:《千島占領一九四五年夏》,東京,共同通信社,1993 年。

(38) 日本外務省編:《日露交渉史》,東京,原書房,昭和 44 年。

(39) 茂田宏、末澤昌二編:《日ソ基本文書・資料集》,東京,世界の動き社,昭和 63 年。

(40)《日露関係の40 年》編輯委员会編:《日露関係の40 年——日ソ国交回復から[東京宣言]まで》,東京,日本・ロシア協会,平成 8 年。

(41) 中山隆志:《ソ連軍進攻と日本軍、満洲 1945、8、9》,東京,国書刊行会,平成 3 年。

(42) 富田武:《戰間期の日ソ関係 1917—1937》,東京,岩波書店,2010 年。

(43) ボリス・スラヴィンスキー著、加藤幸廣訳:《日ソ戦争への道——ノモンハンから千島占領まで》,東京,共同通信社,1999 年。

(44) 石丸和人、松本博一、山本剛士:《動き出した日本外交》戦後日本外交史(2),東京,三省堂,1983 年。

(45) 重光晶:《北方領土とソ連外交》,東京,時事通信社,昭和 58 年。

(46) 吉田嗣廷:《北方領土》改定新版,東京,時事通信社,昭和 48 年。

(47) 落合忠士:《北方領土問題——その歴史的事実・法理・政治的背景》,東京,文化書房博文社,1992 年。

(48) 長谷川毅:《北方領土問題と日露関係》,東京,筑摩書房,2000 年。

(49) 末澤畅二、茂田宏、川端一郎編:《日露(ソ連)基本文書・資料集》(改訂版),川崎,RPプリソテイソゲ,平成 15 年。

(50) 和田春樹:《北方領土問題——歴史と未来》,東京,朝日新聞社,1999 年。

(51) 油橋重遠:《戰時日ソ交涉小史(1941—1945)》,東京,霞ケ関出版,昭和 49 年。

(52) 日本国際政治会、太平洋戰争原因研究部編:《太平洋戰争への道》5,東京,朝日新聞社,1963 年。

(53) 三浦陽一:《吉田茂とサンフランシスコ講和》上下卷,東京,大月書店,1996 年。

(54) 東洋經済編:《ィラン革命と石油・日本》,昭和 54 年 5 月 1 日版。

(55) 猪口孝著:《日本、經済大国の政治運営》,東京大学出版社,1993 年 4 月 20

日版。

(56) 十市勉著:《石油・日本の選択》,日本能源協会,1993 年 4 月版。

(57) 梅津和郎著:《紛糾地域現代史(1)中東》,同文舘,1993 年 4 月版。

(58) 渡边昭夫訳:《戦略援助と日本外交》,同文舘,平成元年 12 月 4 日版。

(59) 日本生產本部:《中近東、北アフリカと日本企業の緊密化のために各国大使にもく》,昭和 50 年 6 月 5 日。

(60) 瀬木耿太郎著:《灣岸戦争——日本はとうなる》,タィャモンド社,1991 年 2 月 28 日版。

(61) 亜太研究会編:《中東め政治情勢と日本め選択》,昭和 50 年 3 月。

(62) 阿部政雄著:《中東紛争との日本》,国民政治研究会,昭和 50 年 7 月 21 日。

(63) 日本外務省編成:《外交青書——わが外交の近況》,昭和 32 年——平成 8 年版。

(64) 日本中東經済研究所:《中東經済》特别号,昭和 50 年——平成 4 年。

(65) 綜合研究開発機構:《米ソの中東政策と日本課題》,平成 2 年 6 月 10 日版。

(66) 中東調査会:《中東と超大国——80 年代激動中東・米ソそして日本》,昭和 56 年 1 月 25 日版。

(67) 渡边昭夫著:《戰後日本の対外政策》,有斐閣選書,昭和 60 年 8 月 25 日版。

(68) 剣持一己等編著:《海岸戦争と海外派兵》,緑風出版,1991 年 2 月版。

(69) 高木規矩郎著:《世紀末の中東を讀む》,講譚社,1991 年 2 月版。

(70) 植松忠博著:《日本の選択——国際国家への道》,同文舘,平成 2 年 5 年 25 日版。

(71) 樋口美智子著:《灣岸戦争は日本をどう変ぇゐか》,西日本新聞社,1991 年 3 月版。

(72) 日本中東經済研究所編:《中東石油と世界危機》,每日新聞社,昭和 54 年 9 月 20 日版。

(73) 宝利尚一著:《日本の中東外交》,教育社,1980 年版。

(74) 中谷武世著:《アラブと日本》,原書房,1983 年版。

(75) 中央公論社:《現代の日本外交入門》,1988 年版。

(76) 講座国際政治(4)《日本の外交》,東京大学出版社,1989 年 11 月 30 日版。

(77) 近代日本研究会:《日本外交の危機認識》,山川出版社,1985 年 10 月版。

中文参考书目

(1) 黄定天:《东北亚国际关系史》,黑龙江教育出版社,1999 年版。

(2) 吴廷璆主编:《日本史》,南开大学出版社,1994 年版。

(3) 冯玮:《大国通史——日本通史》上海社会科学院出版社,2008 年版。

(4) 江乐兴编著:《俄罗斯简史》,北京工业大学出版社,2017 年版。

(5) [美]尼古拉·梁赞诺夫斯基、马克·斯坦伯格著,杨烨、卿文辉、王毅主译:《俄罗斯史》(第 8 版),上海人民出版社,2016 年版。

(6) 于群:《美国对日政策研究》(1945—1972),东北师范大学出版社,1996 年版。

(7) [美]马士·宓亨利著,姚曾廙等译:《远东国际关系史》(上下册),商务印书馆,1975 年版。

(8) 宋成有、李寒梅等:《战后日本外交史》,世界知识出版社 1995 年版。

(9) 冯昭奎等:《战后日本外交——1945—1995》,中国社会科学出版社,1996 年版。

(10) 吉田嗣延等著,吉林师范大学外国问题研究所日本研究室编译:《日本北方领土》,上海译文出版社,1978 年版。

(11) [苏]尼基塔·谢·赫鲁晓夫著,述弢、王尊贤、袁坚、范国恩、郭家申译:《赫鲁晓夫回忆录》第 1—3 卷,社会科学文献出版社,2006 年版。

(12) [苏]安·安·葛罗米柯著,伊吾译:《永志不忘——葛罗米柯回忆录》(上下卷),世界知识出版社,1989 年版。

(13) [日]吉泽清次郎编,叶冰译:《战后日苏关系》,上海人民出版社,1977 年版。

(14) [日]鸠山一郎著,复旦大学历史系日本史组译:《鸠山一郎回忆录》,上海译文出版社,1978 年版。

(15) 周启乾:《日俄关系简史》(1697—1917),天津人民出版社,1985 年版。

(16) [美]W·艾夫里尔·哈里曼、伊利·艾贝尔著,吴世民等译:《哈里曼回忆录——与丘吉尔、斯大林周璇记》,东方出版社,2007 年版。

(17) [美]哈里·格鲁门著,李石译:《杜鲁门回忆录》上下卷,东方出版社,2007 年版。

(18) [苏]米·谢·戈尔巴乔夫著,述弢译:《戈尔巴乔夫回忆录》(全译本)上下卷,社会科学文献出版社,2003 年版。

(19) [日]御厨贵、中村隆英编,姜春洁译:《宫泽喜一回忆录》,东方出版社,2009 年版。

(20) [日]服部卓四郎著,张玉祥等译:《大东亚战争全史》第 1—4 卷,商务印书馆,1984 年版。

后　记

本书编著工作将要结束，笔者感谢之意再从心里燃起，谢谢南开大学日本研究院！感谢杨栋梁院长！感谢刘岳兵院长！想起当初，南开大学日本问题研究，国内重镇，学者众人皆知，笔者向往。可是在当时通信、经济条件下，我并不知道庐山真面目，舍近求远，最终步入南开大学校门后，才获知南开大学历史系与日本研究中心是两个独立单位。我作为教学单位一员，主要精力投入教学工作，真是“谁干谁知道”，剩下时间搞点科研，而且科研条件与日研院无法相比。我算是南开大学研究日本问题人员之一，却又不是日本研究院在编人员，最大遗憾就是深感缺少学术研究氛围，缺少学术交流互动。

我的第一本学术专著《战后日本对中东政策研究》（天津人民出版社2000年版），就是在杨栋梁老师推荐下，获得日本国际交流资金资助出版的。如今，杨栋梁老师再推荐我出版论文集，感谢多年的帮助。感谢刘岳兵院长组织工作，辛苦了。感谢日本研究院图书资料室郑昭辉老师、陈俊杰老师，我属于经常跑日研院图书室者，两位老师热情接待，特别有时亲自动手帮助找书，我不能忘记的！继续努力，做一名合格的南开日本问题研究者。